LOEPZUIVER

DE BOEKEN VAN KARIN SLAUGHTER

KARIN SLAUGHTER

LOEPZUIVER

KORTE VERHALEN

Vertaling Ineke Lenting en Erica Disco

HarperCollins

HarperCollins is een imprint van Uitgeverij HarperCollins Holland, Amsterdam.

Copyright © 2012 Karin Slaughter
Oorspronkelijke titel: *Snatched*
Copyright Nederlandse vertaling: © 2012 Ineke Lenting

Copyright © 2002 Karin Slaughter
Oorspronkelijke titel: *Necessary Women*
Copyright Nederlandse vertaling: © 2005 Ineke Lenting

Copyright © 2008 Karin Slaughter
Oorspronkelijke titel: *Martin Misunderstood*
Copyright Nederlandse vertaling: © 2008 Ineke Lenting

Copyright © 2005 Karin Slaughter
Oorspronkelijke titel: *The Blessing of Brokenness*
Copyright Nederlandse vertaling: © 2005 Ineke Lenting

Copyright © 2010 Karin Slaughter
Oorspronkelijke titel: *The Unremarkable Heart*
Copyright Nederlandse vertaling: © 2010 Ineke Lenting

Copyright © 2015 Karin Slaughter
Oorspronkelijke titel: *Blonde Hair, Blue Eyes*
Copyright Nederlandse vertaling: © 2024 HarperCollins Holland
Vertaling: Erica Disco

Omslagontwerp: Buro Blikgoed
Omslagbeeld: © Reilika Landen / PlainPicture
Foto auteur: © Alison Rosa
Zetwerk: Mat-Zet B.V., Huizen
Druk: ScandBook UAB, Lithuania, met gebruik van 100% groene stroom

ISBN 978 94 027 1613 9
ISBN 978 94 027 7283 8 (e-book)
NUR 305
Eerste druk oktober 2024

De eerste vijf verhalen zijn eerder afzonderlijk verschenen bij uitgeverij De Bezige Bij/Cargo.

HarperCollins Holland is een divisie van Harlequin Enterprises ULC.
® en ™ zijn handelsmerken die eigendom zijn van en gebruikt worden door de eigenaar van het handelsmerk en/of de
licentienemer. Handelsmerken met ® zijn geregistreerd bij het United States Patent & Trademark Office en/of in
andere landen.

INHOUD

KWIJT

1

Speciaal agent Will Trent zat in de achterste wc van het herentoilet tussen gates C-38 en C-40 van het Hartsfield-Jackson Atlanta International Airport. Hij staarde naar de deur terwijl hij zijn oren probeerde te sluiten voor het geklater van een man die het urinoir bezocht. Uit de speakers boven zijn hoofd klonk muzak. 'Need You Now' van Lady Antebellum. Eerst had het nummer hem aan zijn vriendin, Sara Linton, doen denken. Maar toen het eindeloos voorbijkwam, minstens zestien keer in de afgelopen vijf uur, had Will het liefst zijn vingers in een stopcontact gestoken en zichzelf geëlektrocuteerd om het maar niet meer te hoeven horen.

Er waren nogal wat klussen bij het Georgia Bureau of Investigation die agenten als verre van ideaal beschouwden: antecedentenonderzoek naar buurtwinkeliers die loten wilden gaan verkopen, undercover in bingohallen zitten om te voorkomen dat oude dametjes werden opgelicht – maar geen enkele taak was zo weerzinwekkend als posten in de herentoiletten van de drukste burgerluchthaven ter wereld.

Op internet wemelde het van de sites waarop lijsten werden bijgehouden van de beste toiletten voor mannen op doorreis die zin hadden in een anoniem nummertje. Hartsfield stond altijd bovenaan. De beste tijden om te cruisen werden vermeld, welke types je in welke hal kon verwachten, en wat de favoriete tussenschotcapriolen waren op de verschillende locaties.

Wat Will betrof mochten twee volwassenen doen waar ze zin in hadden. Zolang ze het maar niet op een openbare plek deden waar elk moment een kind kon binnenwandelen. Meestal liep hij 's ochtends eerst een halfuur alle ontmoetingsplekken af en plaatste dan een anoniem bericht op internet dat hij een politieagent bij de wc's had zien rondhangen.

Toch bleven die idioten komen.

Negenentachtig miljoen passagiers per jaar. Vijf landingsbanen. Zeven hallen. Ruim honderd restaurants. Twee keer zoveel winkels. Een personentransportsysteem. Een treinstation. Vijfenvijftig miljoen vierkante meter ruimte verspreid over twee county's, drie steden en vijf rechtsgebieden. Zevenhonderdvijfentwintig wc's. Driehonderdachtendertig urinoirs.

Vooral dat laatste onbeduidende weetje was buitengewoon ergerlijk, want voor hij doodging had Will waarschijnlijk elk urinoir op het hele vliegveld wel een keer onder ogen gehad.

En dat allemaal omdat hij niet naar de kapper wilde.

Het GBI-handboek stipuleerde dat agenten minstens anderhalve centimeter vrij dienden te houden tussen hun haar en hun kraag. Een paar dagen geleden had Amanda Wagner, Wills chef, een liniaal in zijn nek gelegd. Will zat precies op de grens, maar Amanda had zich nog nooit door een feit van haar vaste overtuiging laten afbrengen. Toen Will niet meteen naar de kapper was gegaan, had ze hem tot nader order toiletdienst laten draaien. Amanda kon lang wachten. Sara vond Wills haar mooi op deze lengte. Ze woelde er graag doorheen. Ze vond het lekker om met haar nagels over zijn hoofdhuid te strijken.

Met een beetje pech zou Will tot het bittere eind als de Samson van Hartsfield door het leven gaan.

Een man kwam al pratend het toilet binnen. 'Dus ik zei tegen haar: als het je niet aanstaat, kun je vertrekken.'

Will leunde met zijn hoofd tegen de muur en sloot zijn ogen. De afgelopen paar dagen had hij ontdekt dat verbazend veel mensen belden terwijl ze van het toilet gebruikmaakten. Iemand van de onderhoudsdienst had Will verteld dat jaarlijks zeven miljoen mensen per ongeluk hun mobiel in de wc lieten vallen. Will hoopte van harte dat deze sukkel daar ook bij ging horen.

Maar helaas.

Het urinoir werd doorgetrokken. De man liep weg zonder zijn handen te wassen. Ook daar keek Will niet meer van op. Nog nooit in zijn volwassen leven had hij zo'n stuitend gebrek aan persoonlijke hygiëne meegemaakt als de afgelopen twee weken.

Will pakte zijn mobiel om te kijken hoe laat het was. De cijfers flikkerden even op en toen werd het schermpje zwart. Door een marathonsessie Mijnenveger was de batterij zo goed als leeg. Hij zou het apparaat tijdens de lunchpauze moeten opladen, maar gelukkig was het al bijna zover en kon hij met een zuiver geweten zijn post verlaten. De businessclassdrukte was over het hoogtepunt heen. Weer een ochtend zonder een arrestatie. Will hoopte dat zijn geluk ook die middag aanhield. Waarschijnlijk was hij op dat moment de enige politieman ter wereld die blij was dat hij een nul op zijn scorelijst kon zetten.

Will ging staan. Zijn knieën knakten. Hij strekte zijn armen naar het plafond uit om zijn ruggengraat in een positie te dwingen die het lopen zou vergemakkelijken. Opeens klapte hij bijna dubbel van de kramp. De hele dag zitten was niks voor hem. Hij joeg nog liever over een boerenerf achter een kip aan dan dit soort werk te doen. Dan kreeg hij in elk geval wat lichaamsbeweging.

Rond een uur of tien 's ochtends was Will meestal aan zijn tweede ontbijt toe: een broodje FRIED CHICKEN. Tegen lunchtijd bestelde hij een dubbele cheeseburger bij Nathan's Hotdogs. Om twee uur was hij bij het pretzelkraampje te vinden en om halfvijf nam hij op weg naar de parkeergarage nog even een ijsje of een kaneelbroodje.

Als hij niet stierf van verveling kon hij zich nog altijd op een hartaanval verheugen.

De deur van de wc naast hem werd opengetrokken. Met tegenzin liet Will zich weer op de pot zakken. Lady Antebellum kwam net op toeren en Will moest een kreet onderdrukken. Hij had verwacht dat het zeker dertien minuten zou duren voor hij het nummer weer zou horen. De song drong als een ijspriem door zijn trommelvliezen.

En toen hoorde hij een kind fluisteren. 'Ik wil naar huis.'

Will draaide zijn hoofd opzij, hoewel hij alleen de tussenwand zag. De stem van het meisje had iets klaaglijks dat overal dwars doorheen sneed. Will boog zich vooorover. Hij zag een paar roze Hello Kittyballetschoentjes. Onwezenlijk dunne enkeltjes in een witte maillot. De man achter haar droeg hardloopschoenen van Brooks in twee tinten grijs. De pijpen van zijn lichtbruine cargobroek waren aan de korte kant en onder de zoom staken witte sokken uit.

'Toe nou maar,' beval de man. 'Vlug een beetje.'

Langzaam draaiden de voetjes zich om. De grote voeten bleven staan.

Will ging rechtop zitten. Hij richtte zijn blik op de wc-deur. Telefoonnummers van escorts, tips waar je de beste stripclubs kon vinden. Hij kende ze allemaal uit zijn hoofd.

'Opschieten,' zei de man. Hij zei nog iets, maar zo zacht dat Will hem niet kon verstaan.

Het meisje begon nu te sniffen en Will vroeg zich af of ze huilde. Ook vroeg hij zich af waarom al zijn nekharen opeens overeind stonden. Will werkte vijftien jaar bij het GBI en hij had al vroeg in zijn loopbaan ontdekt dat ook een politieman over een sterke intuïtie beschikte.

Hier klopte iets niet. Hij voelde het tot in zijn botten.

Will stond op. Hij had een pleister op de automatische sensor geplakt zodat de wc niet telkens doorspoelde. Hij haalde het ding weg en liet de spoelbak zijn aanwezigheid aankondigen.

Er veranderde iets, heel subtiel, alsof de man opeens op zijn hoede was.

Will deed de deur van het slot. Zijn penning hing aan een lus om zijn riem. Hij schoof hem in zijn zak om de man niet te laten schrikken. Zijn Glock en zijn holster had hij aan de beveiliging afgegeven, maar zijn handboeien zaten netjes opgeborgen in het leren zakje laag op zijn rug.

Niet dat hij daar iets aan had. Je kon iemand niet arresteren omdat hij zijn dochtertje afsnauwde. Dan zou de helft van de bevolking nu in de gevangenis zitten.

Niettemin... Will had het gevoel dat er iets niet klopte.

Hij liep naar de wastafel en hield zijn handen onder de kraan zodat het water ging stromen. Afwachtend keek hij via de spiegel naar de gesloten wc. Onder de deur door kon hij de hakken van de man zien. De sportschoenen leken nieuw. De zoom van een van de broekspijpen was aan de achterkant gescheurd en met een nietje vastgezet.

Seconden verstreken. Een volle minuut. Ten slotte sprongen de voetjes weer op de vloer. Het toilet werd doorgetrokken. Will wachtte. En wachtte. Na een tijdje werd het slot teruggeschoven. De deur ging open. Will keek even naar de man, naar het korte bruine haar en de dikke bril met zwart montuur, waarna hij zijn blik weer op zijn handen onder de kraan richtte. De man droeg een groen jasje dat een paar maten te groot leek. Hij was bijna even lang als Will, die een meter negentig mat, maar hij was zo'n kleine tien kilo zwaarder, een gewicht dat zich voornamelijk rond zijn buik concentreerde. Hij leek een jaar of vijftig. De leeftijd van het meisje was moeilijk te schatten: zes, hooguit zeven. Ze droeg een gebloemd jurkje. De roze bies paste bij haar schoenen.

'Alles goed?' vroeg Will terloops.

De man antwoordde niet, maar een nerveuze trek verscheen op zijn gezicht. Hij stapte op de deur af en trok het meisje mee.

Vanuit zijn ooghoek volgde Will de man naar buiten. Op het laatste moment gaf hij een ruk aan de arm van het meisje zodat ze zowat de hal in vloog.

Dit was mis.

Will wachtte een paar tellen voor hij achter hen aan ging. Hij gluurde om de hoek van de deur en zag de man een zenuwachtige blik over zijn schouder werpen. Zocht hij zijn vrouw? Was hij gewoon geïrriteerd? Was er iets anders aan de hand?

Het was druk in de hal. Het gebruikelijke reizigerspubliek zeulde koffers en kussens over de betegelde vloer. Met zijn hoofd ineengedoken omdat hij anders boven de meeste mensen uit stak, baande Will zich een weg door de menigte. Hij zag de man op de roltrap afstappen die naar de verbindingsgang voerde. Al lopend haalde Will zijn mobiel tevoorschijn. Hij wilde naar het nummer van Faith Mitchell scrollen, maar het apparaat reageerde niet. Mijnenveger. Vloekend stopte Will de telefoon weer in zijn zak.

Wat moest hij trouwens tegen zijn collega zeggen? Dat een man op het toilet zijn kind had afgebekt? Dat hij niet het type leek dat zorgde dat het roze randje op de kraag van zijn dochtertje paste bij het roze van haar Hello Kitty-schoenen?

Áls ze zijn dochtertje was.

Will zag de bovenkant van het hoofd van het meisje. Ze had wat gelig, lichtblond haar. Het haar van de man was onnatuurlijk bruin en mogelijk geverfd. Zou hij soms niet de vader zijn? Will was zonder broertjes en zusjes opgegroeid, maar hij wist dat haar in de loop der jaren vaak donkerder werd. Van de paar kinderfoto's die hij van zichzelf bezat, wist Will dat zijn lichtbruine haar bijna wit was geweest toen hij klein was.

Trouwens, die man kon ook haar stiefvader zijn.

Ongeacht wie hij was, hij sprong niet erg zachtzinnig met het meisje om. Onder aan de roltrap gaf hij weer een ruk aan haar arm en trok haar de laatste twee treden af, waarna hij haar meesleurde naar de trein die naar de andere hallen voerde.

'Hé!' riep een vrouw verontwaardigd, maar de man koerste al op het voorste rijtuig af. Er waren twee ingangen. Hij koos voor de verst afgelegen deuren en bleef er vlak achter staan, zodat hij als een van de eersten kon uitstappen.

Will hoorde de vertrouwde aankondiging dat de trein ging vertrekken. Hij drong langs het echtpaar dat voor hem liep, en in de hoop dat hij een doodgewone, gehaaste reiziger leek, stormde hij op het voorste rijtuig af. Will koos de tweede ingang. Op het laatste moment sprong hij naar binnen, net voor het vertreksein werd gegeven.

De passagiers schoven op toen de trein wegreed van Hal C. Het rijtuig was vol. Will keek naar het scherm waarop het verloop van de rit werd aangegeven. Er waren nog drie haltes voor de bagagebanden en de uitgang.

Will speurde zo onopvallend mogelijk naar de man en het meisje. Een groep piloten en stewardessen van Delta Air Lines stond op een kluitje in het midden van het rijtuig, omringd door dicht opeengepakte stellen en businessclassreizigers. De meeste passagiers waren met hun iPhone of BlackBerry bezig. Will ontdekte de man voor in het rijtuig. Hij stond nog steeds pal voor de deuren.

Nu snapte hij hoe het zat met dat bruine haar. Het was een pruik. De dikke zwarte bril was waarschijnlijk ook nep. De man schoof hem omhoog toen hij op zijn horloge keek. En toen keek hij schuin naar beneden, naar het meisje, vermoedde Will. Zijn gezicht vertoonde geen enkel medeleven. Alleen woede, met een zweempje angst.

Will knielde neer, zogenaamd om zijn veter te strikken. Glurend langs een vrouwenbeen zag hij het meisje. Stroblond haar. Bleke wangen. Donkerblauwe ogen. De tranen biggelden over haar wangen.

Ze keek Will recht aan en het was alsof er een mes in zijn borst werd gestoken. Ze was doodsbang, dat was duidelijk.

Of vond ze het alleen maar eng op zo'n druk vliegveld, waar ze omringd was door vreemden? Zou ze op weg zijn naar een begrafenis? Of ging ze bij een ziek familielid op bezoek?

Will kwam overeind. Hij had al drie dagen toiletdienst. Misschien zag hij spoken terwijl er niets aan de hand was. Misschien had zijn werk hem te achterdochtig gemaakt.

Of misschien had hij gelijk.

Will ging met zijn rug naar de man en het kind toe staan. De piloot naast hem checkte haar e-mail.

'Hé,' zei Will zachtjes. Naar haar blik te oordelen dacht ze dat hij het met haar aan wilde leggen, maar Will haalde zijn penning tevoorschijn en hield die in de kom van zijn hand om te voorkomen dat de hele trein het zag. 'Ik heb uw telefoon even nodig.'

Prompt reikte ze hem het apparaat aan. Will knielde weer en opnieuw deed hij alsof hij zijn veter strikte. Hij wachtte tot er enige beweging in het gedrang kwam en nam toen snel een foto van het meisje. Hij ging staan om ook de man vast te leggen, maar de trein kwam met een schok tot stilstand. De deuren gingen open. De bemanning van Delta Air Lines stapte uit. Nu stond er nog maar een handvol passagiers tussen Will en de man.

'Kom je ook?' vroeg een van de stewards.

De piloot maakte een afwerend gebaar. 'Ik kom zo,' zei ze. 'Ik ben mijn vluchtschema vergeten.'

De steward geloofde er kennelijk niets van, maar zijn woorden gingen verloren in de drukte van instappende passagiers. Weer klonk de aankondiging – een blikkerige vrouwenstem die waarschuwde dat de trein ging vertrekken. Will keek op naar het scherm. Nog twee haltes voor de hoofdterminal. Hij toetste een nummer in dat hij uit zijn hoofd kende en stuurde de foto van het meisje naar Faith Mitchell, zijn collega. Toen gaf hij het telefoontje terug aan de piloot. 'Bedankt.'

Met een knikje nam ze het apparaat in ontvangst. Hij zag hoe ze haar blik met nauwelijks verholen nieuwsgierigheid door het treinstel liet gaan. De meeste piloten van Delta Air Lines waren opgeleid bij de luchtmacht. Vechten ging hun even goed af als het aan de grond zetten van een Boeing 747. Zo te zien zou hij op haar hulp kunnen rekenen, maar hij kon geen enkele wettige reden bedenken om de man te arresteren.

Het meisje kon zijn dochter zijn. Zijn kleindochter. Zijn stiefkind. Er hoefde geen sprake te zijn van een begrafenis of een ziek familielid. Misschien was ze gewoon moe en hangerig na een lange vlucht. En dat gold ook voor de man. Veel mensen reageerden zich af op hun kinderen. Dat wekte nauwelijks verbazing.

De trein minderde vaart toen hij Hal A naderde. Weer was er de gebruikelijke stroom in- en uitstappende passagiers. De piloot haalde verontschuldigend haar schouders op voor ze uitstapte. Ze keek nog even achterom en rolde haar koffer toen naar de trein aan de overkant.

De deuren gingen dicht. Will voelde dat iemand naar hem keek. Hij wachtte een paar tellen, maar voelde zich nog steeds geobserveerd. Na nog een paar seconden probeerde hij nonchalant over zijn schouder te gluren. Hun blikken kruisten elkaar. Die van de man was staalhard, zonder een spoor van angst of bezorgdheid.

Weer minderde de trein vaart. Hal T. Will liep naar de deur en staarde naar zijn spiegelbeeld in het glas. Met zijn pak en stropdas onderscheidde hij zich niet van de overige passagiers op het vliegveld. Behalve dan dat hij geen bagage had. Hij had niet eens voor de schijn zijn diplomatenkoffertje bij zich.

Hij pakte zijn mobiel en deed alsof hij door de nummers scrolde. Op dit moment belde Faith waarschijnlijk al met de Delta-piloot om te vragen waarom die haar een foto van een kind had gestuurd. Een overweldigend gevoel van nutteloosheid maakte zich van Will meester. Niets in het gedrag van de man wees er ondubbelzinnig op dat er iets mis was. Veel kinderen huilden zonder enige aanleiding. Veel kinderen wilden naar huis, vooral na een lange vlucht.

De deuren schoven open. De mensen zetten zich al in beweging nog voordat werd aangekondigd dat de volgende halte bij de bagagebanden was. Will stapte uit. Onder het lopen hield hij zijn blik op zijn telefoontje gericht. Hij hoorde de deuren dichtgaan en de trein weer op gang komen. Hij voelde de blik van de man, en op het laatste moment keek hij op. De man stond in het midden van het rijtuig en met gespreide voeten zette hij zich schrap. Zijn hand omklemde de arm van het meisje. Zijn mondhoek krulde zich tot een smalend lachje.

En toen was hij weg.

Will stoof met twee treden tegelijk de roltrap op. Niemand scheen te weten of het belangrijk te vinden dat je aan de kant moest voor mensen die het geduld niet opbrachten om te blijven staan. Will kreeg allerlei verwensingen naar zijn hoofd geslingerd terwijl hij zich een weg baande naar boven, naar de hal.

De luchthaven gaf geen ruchtbaarheid aan het feit dat er ook een uitgang bij Hal T was, waarschijnlijk omdat de roltrap toch al afgeladen vol was met mensen die door de controle waren gekomen. De meesten hadden geen flauw idee waar ze naartoe moesten. Ze stonden met open mond voor de informatieborden en wisten niet eens meer wat hun vluchtnummer was, laat staan dat ze hun gate konden vinden.

Terwijl hij mensen opzij duwde, worstelde Will zich door de krioelende menigte heen. Hij liep naar de balie vlak achter de controle en toonde zijn penning aan de agent van de Transport Security Administration, de beveiligingsdienst voor alle vervoer. En toen wist hij niet meer wat hij moest zeggen.

'Vertel het eens, makker,' zei de man.

Will dacht aan het meisje, aan haar angstige stemmetje toen ze zei dat ze naar huis wilde. Hij zag weer hoe ze als een lappenpop werd meegesleurd. En de triomfantelijke lach van de man toen de trein wegreed.

'Zou je commandant Livingston willen bellen?' zei Will. 'Zeg maar dat het om de mogelijke ontvoering van een kind gaat.'

De agent griste de hoorn van de haak en begon een nummer in te toetsen. 'Het duurt een kwartier voor het vliegveld is afgesloten,' zei hij tegen Will.

'Groen jasje, lichtbruine broek, bruine pruik. Het meisje is een jaar of zes, zeven, draagt een bloemetjesjurk en roze Hello Kitty-schoenen – van die balletschoentjes. Mag ik je mobiel even lenen?'

De man reikte hem zijn mobieltje aan. Via de vaste telefoon zei hij: 'Code Adam. Geef me Livingston, en snel.'

Will had geen tijd te verliezen. Hij zette koers naar de uitgang, zich bewust van de honderden camera's die hem volgden. Commandant Livingston stond aan het hoofd van het politiebureau op de luchthaven. Haar team versterkte de TSA en handelde de talloze diefstallen, geweld-plegingen en overtredingen af die je kon verwachten in een oord dat dagelijks door bijna een kwart miljoen mensen werd bezocht. De agenten die de camera's in de gaten hielden, hadden ongetwijfeld Wills gangen gevolgd toen hij door de hal liep en de trein nam. Er waren camerabeelden van de man en het kind. Die zouden waarschijnlijk getoond worden als Will op zijn hoorzitting moest verschijnen en ontslagen werd omdat hij een onschuldige vader en zijn dochter had lastiggevallen.

Will toetste Faiths nummer in op de mobiel van de TSA-agent. Ze nam meteen op.

'Met Mitchell.'

'Heb je die foto ontvangen?'

'Ja. Wat is er aan de hand?'

'Ik denk…' Will zweeg even, maar het was te laat om eromheen te draaien. 'Volgens mij wordt het meisje ontvoerd.' Hij mompelde een verontschuldiging toen hij tegen een reiziger aan botste. 'Hij was met haar op het herentoilet. Ik weet het niet, Faith, maar er klopt iets niet.'

'Ik ga meteen aan de slag.' Faith verbrak de verbinding. Will stopte de mobiel in zijn zak en versnelde zijn pas.

Een draaideur gaf toegang tot de South Terminal, en vandaar tot de parkeergarages en ten slotte tot de uitgang. Will wachtte niet geduldig zijn beurt af, maar zwaaide de deur door voor iemand hem kon tegenhouden. Het was rond het middaguur en het wemelde in de terminal van de reizigers. Bij de ticketbalies slingerden trage rijen tussen de fluwelen koorden door. Grondpersoneel in rode jasjes zorgde dat de doorstroming soepel verliep. Will snelde naar de brede roltrappen die treinpassagiers naar boven brachten. Hij bleef staan bij een groep wachtende chauffeurs. Achter een bord van de United Service Organizations begonnen mensen te zwaaien en te juichen toen een paar soldaten boven aan de roltrap verschenen.

'O o,' zei een van de chauffeurs. 'Foute boel.'

Een agent zoefde langs op een Segway. Twee andere agenten passeerden te voet, met hun hand aan hun wapen om te voorkomen dat het tegen hun heup sloeg terwijl ze naar de roltrappen draafden. Waarschijnlijk was commandant Livingston ook al onderweg. Een eeuwigheid geleden was ze samen met Wills chef aan haar politieloopbaan begonnen. Ze waren nog steeds goed bevriend. Het zou Will niet verbazen als Amanda ook al op weg was naar het vliegveld vanuit haar kantoor in het centrum van Atlanta. Faith liet vast een Levi's Call uitgaan, Georgia's variant op het Amber Alert. Het hele vliegveld kwam langzaam tot stilstand.

Negenentachtig miljoen reizigers per jaar. Vijf landingsbanen. Zeven hallen. Ruim honderd restaurants. Twee keer zoveel winkels. Een personentransportsysteem. Een treinstation.

Allemaal van het ene op het andere moment afgesloten omdat Will een slecht voorgevoel had.

Hij voelde een zweetdruppel langs zijn gezicht naar beneden glijden. Idioot genoeg hoopte hij nu dat er inderdaad sprake was van een misdrijf.

Het uso-groepje begon weer te juichen toen er nog meer soldaten arriveerden. Will wierp een blik in de ruimte met de bagagebanden en vroeg zich af of hij de man en het kind over het hoofd had gezien. Via Hal T was je sneller buiten, maar Will was misschien iets te lang bij de controle blijven staan. Hij keek naar de overkant, naar de North Terminal, waar het altijd minder druk was. Een paar achterblijvers stonden op hun telefoontjes te kijken en beseften waarschijnlijk niet dat de taxichauffeurs zich aan de andere kant bevonden.

Will draaide zich weer om. Hij struikelde bijna over een koffer die een vrouw als een staart achter zich aan sleepte. Met gebogen hoofd las ze haar e-mail, zonder dat ze doorhad dat iedereen voor haar opzij moest springen. En dat was maar goed ook, want anders had Will de man en het kind niet gezien.

Het groene jasje trok uiteindelijk Wills aandacht. De man bevond zich op zo'n vijftig meter afstand, aan de andere kant van de bagagebanden. Will zag de bovenkant van zijn hoofd, de opvallend goedkope pruik en de dikke bril toen de man via de roltrap naar de lager gelegen parkeergarage ging.

Tegen de stroom in rende Will de ruimte door. Met een goed getimede sprong over een karretje vol koffers voorkwam hij dat hij plat tegen de grond sloeg. Desondanks klonk er woedend geschreeuw. Een man greep hem zelfs bij zijn arm, maar Will schudde hem moeiteloos af terwijl hij de roltrap naar beneden nam en in de ondergrondse tunnel verdween.

Een eind verderop zag Will de man weer. Hij trok het meisje mee. Het leek alsof ze helemaal verslapt was. Haar voeten sleepten over de tegelvloer. Ze verloor een schoen, maar de man weigerde te stoppen. De dubbele glazen deuren gleden open. De man keek op zijn horloge. Hij liep de deuropening door en keek weer op zijn horloge voordat Will hem uit het oog verloor.

Will zwaaide met zijn armen in de hoop de aandacht te trekken van degene die de beveiligingscamera's in de gaten hield. Hij liep op een drafje de tunnel door en raapte onderweg de schoen van het meisje op. Voorbij de deur minderde hij vaart om enige afstand te bewaren terwijl hij de man volgde door de ondergrondse passage.

Net als de uitgang bij Hal T was de passage slechts bij weinig reizigers bekend. Het was er betrekkelijk rustig, ook al was de doorgang even lang als een voetbalveld. Een vierbaansweg scheidde de eigenlijke luchthaven van de onderste laag van de parkeergarage. Op dit tijdstip was het gebied zo goed als verlaten.

In plaats van de weg over te steken naar de garage stapte de man het trottoir op en liep met het verkeer mee. Will stopte het schoentje van het meisje in zijn jaszak. Het was zo klein dat het makkelijk in zijn hand paste.

Auto's mochten niet stoppen onder het vliegveld, maar menigeen riskeerde een bekeuring en bleef met stationair draaiende motor in de passage staan om de exorbitant hoge parkeertarieven te vermijden. De passage voerde rechtstreeks naar de uitgang, waar je kon invoegen op de snelweg of met een lus naar het vliegveld kon terugrijden. Het was een perfecte ontmoetingsplek als je snel weg wilde.

Een eindje verderop stond een glanzend rode pick-up geparkeerd. Op de bumper zat een sticker van de University of Georgia, en op het achterraam van de cabine was een plaatje geplakt van de National Rifle

Association. De chauffeur droeg een cowboyhoed. In het voorbijgaan zag Will de man in een rood plastic bekertje spugen. De cowboy knikte. Will knikte terug.

En toen zag hij het meisje, recht voor zich. Ze struikelde en maakte een klaaglijk geluidje, maar de man trok haar met een ruk omhoog. Trippelend op haar tenen kostte het haar grote moeite hem bij te houden. Weer keek de man op zijn horloge. Hij wierp een blik over zijn schouder. Will verstrakte, maar de man keek naar het verkeer, niet naar hem. Hij tuurde naar een passerende zwarte Chevy Malibu. Opnieuw keek hij eerst op zijn horloge en vervolgens achterom. Hij zou opgepikt worden, dat was duidelijk. Zou hij het meisje aan iemand overdragen? En ging hij dan ergens een ander meisje halen dat hij weer het hele land door sleepte?

De drukste luchthaven ter wereld. Meer dan drieduizend vluchten per dag. Meer dan tweehonderd gates. Meer dan honderddertig bestemmingen. Meer dan een miljoen mogelijkheden om een kind de stad en eventueel het land uit te smokkelen.

Net toen Will omkeek, zoemde er een Prius voorbij. Een patrouillewagen van het Atlanta Police Department kwam achter de pick-up tot stilstand. Will gebaarde naar de agent dat hij moest blijven zitten, maar het was al te laat. De man in de pick-up drukte op zijn claxon.

'Ik ga al,' riep de cowboy. Met ronkende motor trok hij op.

Will draaide zich weer om en zocht naar de man en het meisje, maar ze waren nergens te bekennen.

'Shit,' mompelde hij. Hij liet zijn blik door de passage gaan, speurend naar het groene jasje en de goedkope pruik.

De Prius. Die was verderop voor de uitgang blijven staan. Will rende naar de auto. Met een ruk trok hij het portier open. De vrouw achter het stuur gilde het uit van schrik. Ze sloeg haar handen voor haar gezicht. Haar voet gleed van het pedaal. Will keek op de achterbank. De rolhoes van de kofferbak was open en hij zag dat de ruimte leeg was.

Hij kreeg bijna zijn hand tussen het portier toen de vrouw wegscheurde.

De agent was inmiddels uitgestapt. Toen hij Will zag, gaf hij met een knikje aan dat hij de parkeergarage ging doorzoeken.

Will rende door en besloot de tweede voetgangerstunnel aan de andere kant van de passage uit te kammen. Misschien was de man teruggegaan naar de terminal. Waarschijnlijk was hij zich lam geschrokken. Het ontmoetingspunt was onbruikbaar geworden. Als de man wist wat hij deed, raakte hij niet in paniek. Niet lang in elk geval.

Will bleef staan.

Er was vast een alternatief plan. Dat was er altijd.

Hij keek naar het lager gelegen parkeerdek en terwijl zijn blik als een pendule heen en weer ging, speurde hij vergeefs naar een teken van de man of het meisje. Geen goedkope pruik. Geen groen jasje. Geen cargobroek. Geen kousenvoetje waaraan een roze schoen ontbrak.

Geen agent van het APD die tussen de auto's zocht.

Waar was de man?

Will haalde de mobiel van de TSA-agent tevoorschijn. Hij had een oproep gemist. Faith. Will drukte op het groene knopje om haar terug te bellen. Terwijl hij de telefoon hoorde overgaan, keek hij naar het parkeerdek en vroeg zich af of de man al in een auto zat. Er was geen sprake van dat hij ongehinderd weg kon rijden. Will kende de procedure. Code Adam. Een verdwenen kind. Het duurde een vol kwartier voor de hele luchthaven was afgesloten, maar de uitgangen waren altijd het eerst aan de beurt. Elke auto werd aangehouden bij de betaalpoorten. Kofferbakken werden doorzocht. Stoelen werden naar voren getrokken. Namen en rijbewijzen werden gecheckt.

Nadat de telefoon twee keer was overgegaan, nam Faith op. 'Er is een Levi's Call uitgegaan. De foto wordt al op tv getoond. Alle uitgangen zijn afgesloten.'

'Ik ben hem op het lagere parkeerdek kwijtgeraakt, aan de zuidkant.'

'De camera heeft je gefilmd. Er komt een team jouw kant op.'

'Daar ga ik niet op wachten.' Will verbrak de verbinding, stopte het telefoontje weer in zijn zak en stak de straat over.

De rode pick-up stond nu met draaiende motor bij de ingang naar het parkeerdek. De cowboy stak zijn hand uit naar de automaat om een kaartje te pakken. De slagboom ging omhoog en hij reed door. Will volgde hem de garage in, waarbij hij de pick-up als dekking gebruikte.

Hier en daar zag hij groepjes mensen naar de terminal lopen, slepend met koffers en met hun telefoontjes paraat.

De enige die van de terminal wegliep was een oudere man met een honkbalpet op. Zijn haar was grijs. Hij droeg een zwart jasje en een lichtbruine short. Hij was ongeveer even lang als Will, maar wel wat kilo's zwaarder. Hij hield iets vast, iets kleins, dat precies in zijn hand paste. Wills hand verdween in zijn zak. Hij voelde het schoentje van het meisje en wist dat het dezelfde man was.

Maar waar was het meisje?

Will draaide speurend rond, maar hij zag niemand. Zelfs de agent was nergens te bekennen. Opeens was het hele parkeerdek verlaten, waarschijnlijk omdat niemand meer werd toegelaten. Will liet zich op de grond vallen en keek onder de auto's, zoekend naar twee voetjes, tegen beter weten in hopend dat het kind verstoppertje speelde en dat alles goed zou komen.

Maar er was niets. Alleen die man. Will duwde zich weer overeind, net toen de rode pick-up de helling naar het volgende dek op draaide.

Toen zag hij de man. Zonder pruik. Zonder bril. Hij keek Will recht aan, met datzelfde smalende lachje. Hij liep achterwaarts, met zijn handen in de zakken van zijn aan twee kanten draagbare jasje. Hij had de pijpen van zijn cargobroek afgeritst, en zijn harige benen staken onder de short uit. Zijn witte sokken leken nu heel normaal boven zijn grijze sportschoenen.

Heel even vroeg Will zich af of de man die schoenen had aangetrokken in de wetenschap dat hij zou moeten rennen. De vraag behoefde geen antwoord. De man verhoogde zijn tempo. Tot op het laatste moment hield hij zijn blik op Will gericht, toen draaide hij zich razendsnel om en rende de helling op.

Wills voeten roffelden over het beton toen hij de achtervolging inzette. Hij balde zijn vuisten. Zijn armen pompten. Hij voelde het schoentje in zijn jaszak tegen zijn been tikken, als een kind dat om aandacht vroeg. Reken maar dat het meisje zijn volle aandacht had. Hij had haar op het toilet al moeten meenemen. Hij had het vliegveld meteen moeten laten afsluiten. Waarom had hij niet naar zijn intuïtie geluisterd? Waarom was hij bang geweest voor moeilijkheden terwijl er ook maar de geringste kans bestond dat een kind in gevaar verkeerde?

Will verdraaide zijn enkel toen hij de hoek om sloeg en de helling op stormde. De man had minstens vijftig meter voorsprong en rende nu langs de rode pick-up. Zijn schoenen piepten over het beton terwijl hij de bocht naar het volgende dek nam.

'Hé!' riep Will, en hij sloeg met zijn vuist tegen de achterkant van de pick-up. De cowboy draaide zich om, maar Will klom al in de laadbak. 'Rijden!' riep hij. 'Achter die vent aan!'

Als de cowboy al vragen had, stelde hij ze niet. Hij gaf plankgas en met rokende banden scheurde de pick-up de helling op. Will zette zich schrap, hij knielde ineengedoken neer en klemde zich vast aan de zijkanten van de laadbak om zijn evenwicht te bewaren. Op het allerlaatste moment gaf de cowboy een ruk aan zijn stuur en nam de bocht naar het volgende dek. Will werd tegen de kant van de laadbak gesmeten en zijn schouder sloeg tegen de metalen rand. Tijd om de schade op te nemen had hij niet. De man ging alweer de bocht om naar het volgende dek.

Weer gaf de cowboy gas. Will dacht dat hij over de man heen wilde rijden. Kennelijk dacht de man dat ook. Hij veranderde abrupt van richting en met ineengedoken hoofd en gebalde vuisten koerste hij op de trap naar buiten af.

Will voelde zijn verstand op nul springen. Het was een soort overlevingsmechanisme, of misschien was het een doodswens. De man was nog maar een paar meter van de uitgang verwijderd. Er was geen tijd te verliezen. Will duwde zich overeind. Met de rand van de laadbak als springplank lanceerde hij zich en vloog recht op de man af.

Slow motion.

De man had zijn hand al naar de deurknop uitgestoken. Hij draaide zich om. Zijn mond viel open van verbazing, of misschien was het afgrijzen.

Will sloeg als een heiblok tegen hem aan. De man smakte plat op de grond, met zijn armen en benen gespreid door de klap van zo'n vijfentachtig kilo lichaamsgewicht. Will voelde hoe de lucht uit zijn longen werd geperst. Hij zag letterlijk sterretjes achter zijn gesloten oogleden. Knipperend probeerde hij zijn zicht weer helder te krijgen. Toen zag hij het. Hello Kitty. Een roze randje. De man had het schoentje van het meisje nog in zijn hand geklemd.

'Oké,' zei de cowboy. Hij hield een Sig Sauer op hen gericht. 9mm. Will vermoedde dat hij die in zijn dashboardkastje had liggen. Dat had je met dat soort kerels. 'Vertel op, wat heeft die klootzak gedaan?'

Will kreeg er geen woord uit. Hij hapte naar lucht. Uit zijn longen klonk gerochel. Ten slotte kwam hij moeizaam overeind. Het was een hele uitdaging om niet weer te vallen. Zijn neus bloedde. Zijn oren tuitten. Elke spier in zijn lichaam deed pijn. Niettemin zette hij zijn knie in de rug van de man en duwde hem plat tegen de grond. 'Waar is ze?'

De man schudde zijn hoofd. Hij opende zijn mond en haalde hijgend adem.

'Aan wie heb je haar meegegeven?' Will drukte zijn knie nog harder in de rug van de man. 'Waar is ze?'

Uit zijn open mond steeg een zacht gekreun op. Zijn hoofd lag naar zijn pols gedraaid. Hij keek weer op zijn horloge. Het glas van de wijzerplaat was kapot. Hij maakte een gesmoord geluid. Heel even dacht Will dat de man huilde.

En toen zag hij zijn vergissing in.

Hij lachte.

'Te laat,' zei de hufter. 'Je bent te laat.'

2

De politiekorpsen van Clayton County en Fulton County werden ingeschakeld. Het Hapeville Police Department. Het College Park Police Department. Het Atlanta Police Department. Het Georgia Bureau of Investigation. Elke politiemacht met ook maar de geringste rechtsbevoegdheid op de luchthaven had alle beschikbare mensen en middelen gestuurd.

Maar nog steeds was er geen spoor van het meisje.

Elke auto die het vliegveld had verlaten, was gecontroleerd. North, South, West, Gold, Park-Ride – elk voertuig in elke parkeergelegenheid was meermalen aan een onderzoek onderworpen. De dienstgangen en vrachtruimten waren doorzocht. Het afvaldepot. De bevoorradingswagens. Het shuttleparkeerterrein. Het parkeerterrein voor huurauto's. Het personeelsparkeerterrein. Elke vierkante centimeter was uitgekamd.

Het had niets opgeleverd.

Ze hadden alleen de man, die weigerde iets te zeggen, behalve dat hij als zijn eigen advocaat zou optreden en dat zijn cliënt geen commentaar had.

Zijn zakken waren leeg. Geen identiteitsbewijs, geen geld, niet eens een kauwgumpje. Zijn bril, zijn pruik en de afgeritste pijpen van zijn cargobroek waren onvindbaar. Eten en drinken dat hij kreeg aangeboden, weigerde hij. Hij had gezegd dat hij niet rookte. Blijkbaar wist hij dat dit bekende politietrucjes waren om aan zijn vingerafdrukken en DNA te komen, zoals hij kennelijk ook wist dat hij de vierentwintig uur van zijn voorlopige hechtenis alleen maar hoefde uit te zitten, want daarna moest hij in staat van beschuldiging worden gesteld of worden vrijgelaten.

Amanda Wagner had de man niet naar de gevangenis in de stad laten overbrengen. Ze hield hem vast op het luchthavenbureau, waar hij even goed opgeborgen zat als op haar hoofdkwartier.

Will zag dat zijn chef de man het liefst bewusteloos zou slaan. Dat gold voor hen allemaal. Elke agent die langs het raam liep dat uitkeek op het cellenblok leek gespannen, alsof hij het liefst het glas zou inslaan om net zo lang op de man in te rammen tot iemand hem stopte. Niet dat iemand trouwens zou ingrijpen.

Will zeker niet. Het schonk hem groot genoegen om het bloed uit de mond van de man te zien druipen nadat hij met zijn gezicht op de betonnen vloer was geklapt. Als hij ook maar even de kans kreeg, zou hij met zijn blote handen de rest van zijn tanden uittrekken.

'Neem het allemaal nog eens met me door,' gebood Amanda. Meestal wist ze haar kalmte te bewaren, maar nu liep ze door de kamer te ijsberen, waarbij haar hoge hakken telkens in de goedkope vloerbedekking van het luchthavenbureau bleven haken.

'Ze waren op het herentoilet,' begon Will. 'Ik hoorde ze in de wc naast de mijne.' Voor de tweede keer vertelde hij het verhaal, tot op het kleinste detail, van de foto die hij had gemaakt met de mobiel van de piloot tot zijn sprong van de pick-up van de cowboy.

Amanda was hem niet aan het testen. Ze liet Will alles nog eens vertellen voor het geval hij iets over het hoofd had gezien of omdat er iets was wat zij net even anders interpreteerde.

Will zag dat ze zijn verhaal in gedachten nog eens doornam terwijl ze naar de agenten keek die druk heen en weer liepen in de recherchekamer.

Ten slotte zei ze: 'We moeten die vermomming opsporen, we moeten erachter zien te komen hoe hij haar pal onder onze neus naar buiten heeft kunnen smokkelen.'

Will vond dat 'we' nogal grootmoedig, in aanmerking genomen dat hij het meisje had laten ontglippen. Net toen hij dat wilde zeggen, ging de deur open. De hele kamer was meteen alert.

Gewoonlijk droeg commandant Vanessa Livingston haar lange haar in een vlecht, die ze opgestoken onder haar pet verborg. Maar het was haar vrije dag en in plaats van haar uniform had ze een spijkerbroek met een soepele blauwe blouse aan. Het was niet vreemd dat de mannen van haar team verbaasd opkeken nu ze een zweempje vrouwelijkheid bespeurden bij hun anders zo strenge chef. Ze durfden haar geen van allen aan te kijken, en het leek wel of ze hun adem inhielden toen ze wachtten tot ze het woord nam.

'Niets,' zei ze. 'Ik heb zelf de internationale terminal gecontroleerd. De verbrandingsoven stond nog niet aan.' Will wist dat de douane wettelijk verplicht was alles te verbranden wat illegaal het land was binnengekomen, meestal groente en fruit. 'Ik heb een van mijn jongens erin laten klimmen om de boel te onderzoeken, maar het was gewoon de normale troep die mensen proberen binnen te smokkelen.'

Amanda verwoordde de algehele teleurstelling. 'Niet geschoten is altijd mis.'

Vanessa knipte met haar vingers naar de mannen die zich in de kamer hadden verzameld. 'Rapport?'

De brigadier stond op. 'De autoverhuurbedrijven en shuttles hebben niks opgeleverd. We hebben alle taxibedrijven gebeld, zowel de legale als de illegale. Geen van alle heeft een volwassene met kind, twee volwassenen met kind of een alleenreizend kind opgepikt.'

Met een knikje zette Vanessa hem weer aan het werk. Tegen Amanda en Will zei ze: 'Het is maandag. Kinderen zie je meestal alleen in het weekend.'

Amanda liep naar de kaart van het wegennet rond de stad, die met punaises aan de muur was geprikt. Ze tikte met haar vinger diverse plaatsen aan terwijl ze Vanessa bijpraatte over de maatregelen die er tot dusver genomen waren. 'Marriott. Embassy Suites. Renaissance. Hilton. Westin. Holiday Inn. We hebben minstens dertig luchthavenhotels, en nog meer als je College Park er ook bij neemt. Ik heb alle veldagenten van het GBI teruggeroepen, en ik heb een oproep doen uitgaan naar de plaatselijke korpsen, zodat die ook kunnen helpen zoeken. Zoals je weet is dit ons probleem.' Ze trok een cirkel rond de I-75, de I-85, de I-20 en de I-285 – de grote verkeersaders die wegvoerden van de stad. 'We gaan ervan uit dat het meisje ongeveer drie kwartier geleden is overgedragen. In die tijd ben je al bij de grens met Alabama. Als hij op weg is naar Tennessee of de Carolina's, hebben we nog zo'n twee uur voor hij ons rechtsgebied verlaten heeft. Ik heb Florida al gewaarschuwd voor het geval hij naar het zuiden gaat.'

'Rot toch op,' zei Vanessa. 'We rekenen zelf wel met die klootzakken af.'

Met haar sleutelkaart liet ze hen binnen in het commandocentrum, dat eufemistisch de Cold Room werd genoemd.

Will liet Amanda voorgaan. Hij was de drempel nog niet over of hij voelde de temperatuur al dalen. In de Cold Room was het permanent achttien graden om de computers zo efficiënt mogelijk te laten werken. Elke camera op de luchthaven was verbonden met deze ruimte, waarvan het ontwerp van NASA leek te zijn afgekeken. De bureaus stonden in rijen boven elkaar, als in een stadion. Elke werkplek had drie monitoren, maar dat was niet voldoende en daarom waren er ook tientallen monitoren aan de voorste muur bevestigd.

Will schatte dat de ruimte de afmetingen had van een basketbalhal, met een bovengedeelte vanwaar je alles kon overzien, zoals vanuit een skybox in een stadion. Hier stond Vanessa, met Amanda aan haar zij en Will iets achter hen. Zo observeerden ze de gang van zaken op het vliegveld, dat langzamerhand weer tot leven kwam.

Bijna vijftig procent van de intercontinentale vluchten van Delta Air Lines deed Hartsfield aan, wat betekende dat het hele schema van die dag overhoop lag. Geen van de passagiers op de monitoren keek blij. Ze vatten het allemaal persoonlijk op dat hun vlucht was afgelast of vertraagd. Dat een klein meisje was ontvoerd, was kennelijk geen rechtvaardiging voor een gemiste aansluiting. Vanessa's team had moeten ingrijpen toen een ruzie bij een van de ticketbalies in een vuistgevecht was ontaard.

'We houden elke vierkante centimeter van de binnenruimten in de gaten,' legde Vanessa uit. 'Bij de parkeergarages wordt het al wat moeilijker – de meeste voetgangerspassages hebben camera's en uiteraard wordt elke binnenkomende en vertrekkende auto gefilmd. Ik heb al opdracht gegeven om elke opname door de gezichtsherkenningssoftware te halen.'

Faith Mitchell ging even staan te midden van een zee van monitoren. 'We zijn zover,' zei ze tegen Amanda.

Amanda wierp een blik op haar vriendin, want per slot van rekening bevonden ze zich op haar terrein. 'Ga je gang,' bromde Vanessa.

Faith nam weer plaats achter haar bureau. Ze was altijd goed geweest met elektronica. Ze hoefde het toetsenbord maar aan te raken om het hele systeem meteen in haar vingers te hebben.

De grootste monitor aan de muur begon te flikkeren, en Will zag zichzelf om de deur van het herentoilet gluren. Op de volgende monitor verscheen de man met zijn goedkope pruik en bril. Hij sleepte het meisje mee de hal door, recht op de roltrap af. Will hoorde toetsengeklik terwijl Faith de beelden isoleerde. Weer een andere monitor toonde een stilstaande opname van het gezicht van de man. Zijn pruik zat scheef. Zijn bril hing halverwege zijn neus. Vervolgens verscheen het gezicht van het meisje. Ze keek hopeloos ontredderd.

Alle blikken waren op Will gericht. Nu hij het met enige distantie bekeek, was er duidelijk sprake van een misdrijf.

'Zo, dat was een moeilijke beslissing,' mompelde Amanda, en dat was waarschijnlijk het grootmoedigste wat ze ooit over haar lippen had gekregen.

Faith sloeg weer een paar toetsen aan. De middelste monitor kwam tot leven en volgde Wills route door de luchthaven. Toen Will uitstapte bij Hal T, bleef de camera in de trein op de man gericht tot hij bij de bagagebanden uitstapte. Hij probeerde de trein zo snel mogelijk te verlaten, maar in zijn haast om bij de roltrap te komen werd hij door het meisje gehinderd. In plaats van de trap nam hij de lift. De camera in de hoek van de cabine registreerde hoe hij verwoed op de knop drukte om de deuren te sluiten, ook al kwam er een oudere dame in een rolstoel aanrijden.

De deuren sloten vlak voor haar neus. Weer keek de man op zijn horloge.

'Hoeveel vertraging had zijn vliegtuig?' wilde Amanda weten.

'Een kwartier,' zei Vanessa. 'Het vertrok als een van de eerste, dus hij maakte geen tussenstop.'

Ze hadden het spoor van de man al nagetrokken tot aan zijn gate in Hal C. Hij reisde met American Airlines en zijn toestel was die ochtend van het Sea-Tac International Airport in Seattle vertrokken. Het was een kleiner vliegveld, maar gelukkig hield het zich aan de nieuwe veiligheidsvoorschriften van het departement voor Binnenlandse Veiligheid. Iedereen die ooit had gevlogen, wist dat de boardingpass altijd werd gescand door de agent bij de gate. Wat reizigers niet wisten, was dat er de hele tijd een camera op hun gezicht was gericht zodat de filmopnamen later aan een naam gekoppeld konden worden.

Sea-Tac had de digitale bestanden tien minuten geleden gemaild. Vier technisch rechercheurs waren al bezig de identiteit van de man te achterhalen.

'Bij de politie van Seattle of Tacoma is de afgelopen drie dagen geen melding binnengekomen van een vermist kind in de leeftijdsgroep van ons meisje. Er is een bericht verstuurd naar alle scholen binnen een straal van honderdvijftig kilometer. Radio en tv zenden het ook uit. Haar foto is overal te zien.'

'Hoe ver is Seattle?' vroeg Amanda. 'Een uur of drie rijden van Vancouver?'

'We hebben al contact opgenomen met de Canadese politie en de grenspolitie. Als ze bij een van de vier hoofdgrensposten het land is binnengekomen, vinden ze haar wel.'

'We hebben geen idee waar ze vandaan komt,' benadrukte Amanda. 'Voor hetzelfde geld is ze hier met een auto vanuit Tijuana naartoe gebracht.'

'Los Angeles Airport kijkt zijn camerabeelden voor ons na,' zei Vanessa. 'Dat geldt voor alle internationale luchthavens tussen hier en de westkust. Het is zoeken naar een speld in een hooiberg, maar voor een kind wordt werkelijk alles uitgekamd. Laten we haar foto nog eens bekijken.'

Faith ging aan de slag. De foto van het ontvoerde meisje verscheen op het centrale scherm. Even was het stil, waarna iedereen weer als een razende begon te typen. Terwijl Will naar het meisje keek, spookten alle mogelijke scenario's door zijn hoofd. Stel dat hij haar vanaf het herentoilet had meegenomen? Stel dat hij de man had aangehouden, had ondervraagd?

Maar waarover? Waarom hij het meisje tot haast maande toen ze naar de wc moest?

'Hebbes!' riep iemand. 'Hij heet Joseph Allen Jenner.'

De foto van het meisje maakte plaats voor die van de man. Hij stond in de rij achter een groep reizigers in identieke gele shirts, waarschijnlijk leden van een cruisegezelschap op weg naar Florida.

Jenner droeg hetzelfde jasje, met de groene kant buiten. Zijn haar was grijs. Geen pruik. Geen bril. Geen honkbalpet. Will vermoedde dat hij die in zijn uitpuilende zakken bewaarde. Je kon niet aangehouden worden omdat je een pruik bij je had.

'Waar is het kind?' vroeg Faith.

Ze had gelijk. Jenner was alleen.

'Scan eens terug langs de passagiers,' gebood Vanessa.

'Ben al bezig,' klonk een mannenstem.

Faith richtte zich weer op haar toetsenbord. Op een van de kleinere schermen was het resultaat van haar werk te zien. Ze haalde Jenners naam door CODIS, de nationale DNA-databank van de FBI met veroordeelde misdadigers. 'Niets,' zei ze, hoewel iedereen dat zelf al had gezien. Toen haalde ze Jenner door de staatsdatabank en vervolgens door de regionale databanken in een poging een arrestatierapport te vinden of een registratie als zedendelinquent. Ten slotte zocht ze op Google.

Bingo.

'Hij is belastingjurist,' zei Faith. Klikkend en scrollend nam ze allerlei artikelen in THE ATLANTA JOURNAL-CONSTITUTION door en las de informatie die ze tegenkwam hardop voor. Jenner ging bepaald niet in het verborgene te werk. Hij deed pro-Deowerk voor een liefdadigheidsinstelling voor kinderen. Hij was coach bij het jeugdhonkbal. Hij was gediplomeerd badmeester en hielp mee bij de plaatselijke YMCA.

'Typisch,' mompelde Amanda. 'Ze doen het waar je bij staat.'

'Ik heb het kind gevonden.' De film van Sea-Tac ging lopen, en een kleine, gezette vrouw kwam in beeld. Ze hield het meisje in haar armen. Het kind was duidelijk te groot om nog gedragen te worden en de vrouw bezweek dan ook bijna onder haar gewicht.

'De vrouw heet Eleanor Fielding,' zei de agent. 'Het kind staat geregistreerd als Abigail Fielding.'

'Heeft ze het kind na de landing nog bij zich?' vroeg Vanessa.

De film versprong naar de gate in Atlanta. Will zag een rij passagiers via de uitgang van de vliegtuigslurf naar buiten komen. Ze oogden vermoeid en verward, zoals de meeste mensen nadat ze vijf uur in een metalen buis hebben gezeten en in een totaal andere stad zijn geland. Ze speurden allemaal naar bordjes waarop de uitgang of hun volgende gate werd aangegeven.

Fielding bevond zich in de tweede golf passagiers die de slurf verliet.

Ze maakte totaal geen verwarde indruk toen ze de terminal in liep. Doelbewust stapte ze door en bijna op een drafje koerste ze op de vervoerstunnel af.

'Hou die deur in de gaten,' gebood Vanessa.

De film spoelde door, maar niet zo snel dat ze de gezichten niet konden onderscheiden. De technisch rechercheur verstond zijn vak. De film liep weer op normale snelheid toen het gezicht van Joseph Allen Jenner op het scherm verscheen. Hij was een van de laatste passagiers die het vliegtuig verlieten. Hij hield de hand van het meisje vast en sleepte haar mee. In plaats van naar de uitgang nam hij haar mee naar een aangrenzende gate. Een tweede en een derde camera volgden hen terwijl hij haar ergens achteraan op een stoel neerzette. Het meisje was nog steeds suf. Ze gaapte en keek wezenloos om zich heen.

'Ze lijkt wel gedrogeerd,' merkte Amanda op.

'Dat komt vaker voor,' zei Vanessa. Ze had lang genoeg op de luchthaven gewerkt om te weten hoe dat soort lui te werk ging. 'Vorig jaar hadden we een kind dat aan de westkust was ontvoerd. Zo gedrogeerd als de neten. Het cabinepersoneel dacht dat hij sliep, wat alleen maar prettig is tijdens een lange vlucht. Hij werd in de internationale vertrekhal overgedragen en was al op weg naar Amsterdam toen Los Angeles Airport de binnenlandse vlucht had getraceerd.'

'Hebben jullie hem teruggekregen?' vroeg Will.

Vanessa knikte, maar Will zag aan haar gezicht dat de jongen niet ongeschonden aan zijn ontvoerders was ontsnapt. Dat was met de meesten het geval.

Ontvoeringen door onbekenden waren zeldzaam – statistisch was het veel waarschijnlijker dat een familielid een kind iets aandeed – maar internet maakte het voor kinderlokkers een stuk gemakkelijker. Will had jaren geleden aan een undercoveroperatie meegewerkt om een man te ontmaskeren die in een speeltuin foto's van kinderen maakte en ze dan naar een besloten chatsite zond. Het was zijn bedoeling een kind te ontvoeren dat hij met een andere kinderlokker kon ruilen. Het was de pedovariant van een cadeaucatalogus. De man werd gearresteerd, maar die klootzakken waren net kakkerlakken. Als je er eentje ving, zaten er nog duizenden achter het behang.

Zoals Joseph Allen Jenner.

Op de camerabeelden was duidelijk te zien dat het meisje weer bij haar positieven kwam. Ze was alerter, nam haar omgeving in zich op en schoof onrustig heen en weer. Aan de rand van het beeld was Jenner nog net te zien. Hij keek de hele tijd op zijn horloge en dan weer op de klok aan de muur.

'Hij wacht ergens op,' zei Vanessa. 'Spoel eens door.'

De band snelde bijna tien volle minuten vooruit. Jenner keek weer op zijn horloge en pakte het meisje toen bij haar arm. Hij probeerde haar in beweging te krijgen, maar ze bleef stokstijf staan. Haar mond bewoog. Waarschijnlijk vroeg ze of ze naar de wc mocht. Jenner keek woedend. Ze gooide zijn perfecte timing helemaal in de war.

Hij sleepte haar mee naar het toilet, buiten het bereik van de beveiligingscamera's.

'Waar zit die Fielding inmiddels?' vroeg Vanessa. 'Ik zou wel eens willen weten hoe ze weg is gekomen.'

'We zijn haar kwijtgeraakt,' zei een van de technisch rechercheurs. 'Fielding is via de North Terminal vertrokken. We weten niet waar ze vandaar naartoe is gegaan.'

'Jenner is verdwenen bij de South Terminal,' zei Will.

'Zet eens meer mensen op de camerabeelden van de parkeeruitgang,' beval Vanessa. Will wist dat ruim tweehonderd auto's het vliegveld hadden verlaten in de drie kwartier tussen de landing van het vliegtuig uit Seattle en het moment dat de luchthaven dichtging.

'Fielding heeft een strafblad,' zei Faith. Ze liet de arrestatiefoto van de vrouw zien. 'Simpele geweldpleging, kinderverwaarlozing. Twee jaar geleden in Jackson, Mississippi. Ze heeft niet langer voorwaardelijk. Geen adres in Atlanta, voor zover bekend.' De foto maakte plaats voor het arrestatierapport van Eleanor Fielding.

'Jezus,' mompelde Amanda. 'Ze was pleegmoeder.'

'We hebben haar bij de uitgang aangehouden,' zei de man die al eerder aan het woord was geweest. 'Ze reed in een van de eerste auto's die we lieten stoppen. Fielding is vertrokken vanuit langparkeren, bij de North Terminal. Een zwarte Mercedes.' Hij liet een opname van de auto zien, gemaakt door de beveiligingscamera bij de hoofduitgang van de parkeergarage. De Mercedes was grondig doorzocht. De kofferbak was geopend. De achterbank en de vloerplaat waren gecontroleerd. Er was zelfs een spiegel onder de auto door gehaald om het chassis te bekijken. De vrouw stond erbij met haar handen in de zij en uit haar hele houding sprak hoe lastig ze het allemaal vond.

Will keek naar de tijdsaanduiding op de film. 12.52 uur. Hij herinnerde zich dat Jenner twintig minuten later op zijn horloge had gekeken.

'Daar gaat ze,' zei Amanda toen Fielding weer in haar Mercedes stapte en wegreed. De camera volgde haar tot aan de splitsing bij de snelweg. Ze nam de I-75 in zuidelijke richting.

'Fielding heeft haar eigen ticket en dat van het meisje met haar AmEx-creditcard betaald,' zei Faith. 'Die kaart heeft een plaatselijk adres, aan Lake Spivey. Dat adres, aan Emerald Drive, is hetzelfde als dat op haar rijbewijs.'

'Bel Clayton County en zeg dat ze haar moeten oppakken,' zei Vanessa tegen een van de mannen. Hij liep op een drafje naar de deur.

'Ze heeft gistermiddag het vliegtuig genomen,' zei Faith. 'Ze is dus snel op en neer geweest.'

'En Jenners vlucht?' vroeg Amanda.

Het bleef even stil terwijl Faith de informatie opzocht. 'Ook heen en weer. Hij is drie uur vóór Fielding vertrokken. Zijn tickets zijn geboekt met een Visa-creditcard,' zei ze. 'Die staat op naam van Eleanor Fielding. Op hetzelfde adres aan Emerald Drive.' Faith snoof ongelovig. 'Ze heeft haar SkyMiles gebruikt om hun tickets te upgraden.'

'In de eerste klas worden minder vragen gesteld,' merkte Vanessa op.

'Het was een reisje van twee dagen,' zei Amanda. 'Waar zouden ze overnacht hebben?'

Faith begon weer in rap tempo te tikken. Op het scherm verscheen een creditcardbon. 'Hilton Seattle Airport and Conference Center,' zei ze. 'Voor tweehonderdzes dollar.' Ze ging naar de website van het hotel. Na een paar klikken had ze het keuzemenu voor de kamers te pakken. 'Een tweepersoonskamer inclusief de lightrail van en naar het vliegveld komt op honderdvierendertig dollar. Met belasting en maaltijden loopt dat waarschijnlijk op tot zo'n tweehonderd dollar.' Faith richtte zich weer op de creditcardbonnen. 'Met geen van beide creditcards is een auto gehuurd. Blijkbaar zijn ze in het hotel gebleven en hebben daar gewacht.'

'En toen heeft iemand een meisje voor hun deur afgeleverd,' zei Amanda.

Het werd stil in het vertrek. Ze keken allemaal naar de foto die Will van het meisje had gemaakt. Abigail. Dat zou wel eens haar echte naam kunnen zijn. Ze wilden er zeker van zijn dat ze reageerde als ze geroepen werd. Dit was het slag mensen dat over dergelijke dingen nadacht. Ze boekten de tickets van tevoren. Ze regelden de overdracht. Het huis aan Emerald Drive was waarschijnlijk slechts een afleveradres. Ze zouden er Eleanor Fielding niet aantreffen. Ze zouden er niemand aantreffen.

Zo langzamerhand werd het gruwelijke van de hele situatie Will te veel. Het meisje was zo dicht bij hem geweest daar op dat toilet. Hij had zijn arm maar hoeven uitstrekken om haar te pakken. Hij had op zijn knieën kunnen gaan zitten om haar te vragen of de man haar vader was. Hij had de man op zijn bek kunnen slaan en haar mee kunnen nemen.

'Hij heeft om een advocaat verzocht,' zei Vanessa. 'We kunnen niet met hem praten. Wat denk je te gaan doen?'

Daar hoefde Amanda niet over na te denken. 'We gaan met zijn advocaat praten.'

3

Joseph Allen Jenner was een weduwnaar van tweeënvijftig. Drie jaar geleden had hij zijn vrouw verloren. In haar overlijdensbericht stond dat ze een natuurlijke dood was gestorven, en een telefoontje naar een welwillende archivaris in het Emory University Hospital bevestigde dat ze op tweeënvijftigjarige leeftijd aan een hartaanval was bezweken. Kinderen waren er niet. Haar enige nabestaande was Joe Jenner, jurist, filantroop en voorzitter van de Jenner Kinderstichting, die kansarme kinderen in de gelegenheid stelde naschoolse alfabetiseringslessen te volgen.

Amanda zat tegenover Jenner in de verhoorkamer van het politiebureau op de luchthaven. De muren waren helderwit, zonder de eeuwige slijtplekken, spinnenwebben en vuiligheid die Will kende van praktisch elk politiebureau waar hij ooit een voet over de drempel had gezet.

'Ik ben adjunct-directeur Amanda Wagner van het Georgia Bureau of Investigation,' zei ze. 'Dit is mijn collega, special agent Will Trent.'

Jenner hield een met bloed doordrenkte lap voor zijn mond. Hij sprak op gedempte toon, maar was goed verstaanbaar. 'Volgens de wet ben ik niet verplicht iets tegen u te zeggen.'

'Blijkbaar kent u uw rechten, Mr Jenner,' zei Amanda. 'Ik had ook niet anders verwacht van een belastingjurist.'

Jenners wenkbrauw schoot omhoog, maar verder bleek uit niets dat hij verbaasd was dat ze zijn naam al wist. Hij haalde de lap weg. 'Dan wil ik graag wat ijswater. En een aspirientje.'

Amanda knikte naar de confrontatiespiegel. Will vermoedde dat Vanessa Livingston hetzelfde deed naar een van haar ondergeschikten.

'U bent vanochtend gearriveerd met American Airlines 362,' zei Amanda. 'U bent in uw eentje aan boord gegaan. Uw partner, Mrs Fielding, is na u ingestapt. Ze droeg een kind dat volgens haar boardingpass Abigail Fielding heet.'

Jenner onthield zich van commentaar.

'Met de creditcards van Mrs Fielding zijn drie tickets gekocht. Een voor u, een voor haar en een voor het meisje. Ze heet toch Abigail, hè? We weten anders niet hoe we haar moeten noemen.'

Weer deed Jenner er het zwijgen toe. Hij keek naar de tafel. Will vermoedde dat zijn mond pijn deed, vooral waar zijn tanden kapot waren geslagen.

'Aan wie heeft u Abigail overgedragen, Mr Jenner?' vroeg Amanda.

Jenner slaakte een rochelende zucht. 'Adjunct-directeur Wagner,' begon hij. 'Ongetwijfeld bent u bekend met de wet. Zodra ik om een advocaat heb gevraagd, mag u mij geen vragen meer stellen.'

'Aangezien u als uw eigen advocaat optreedt, Mr Jenner, richt ik me in mijn functie van wetshandhaver tot u als wettelijk vertegenwoordiger. Als u wilt dat ik me van officiëlere taal bedien, zal ik daar met genoegen aan voldoen.'

Fronsend keek hij haar aan. Will vermoedde dat de man meer wist van belastingparadijzen op de Kaaimaneilanden dan van de mazen in het strafrecht. Ten slotte schonk hij haar een scheef lachje. 'Goed dan, mevrouw de adjunct-directeur. Het is verfrissend om met iemand aan uw kant van de wet te praten die nog een stel hersens in zijn hoofd heeft. Pardon, in haar hoofd,' verbeterde hij zichzelf.

Amanda glimlachte afgemeten. 'Wat een prachtig compliment.'

Weer lachte hij. 'Jullie denken dat jullie slim zijn, maar wat gaat er nu eigenlijk gebeuren? U mag me maar vierentwintig uur vasthouden. U heeft niets concreets waarvan u me kunt beschuldigen. Al met al nogal sneu.'

'Mr Jenner,' zei Amanda, 'op dit moment wordt uw cliënt, Mr Jenner, verdacht van het ontvoeren van een kind, het smokkelen van een minderjarige over staatsgrenzen ten behoeve van seksuele activiteiten, kinderhandel, belemmering van een politieonderzoek, het ontwijken van arrestatie, verzet bij arrestatie en geweld tegen een politieofficier.'

'Geweld?' zei Jenner verbolgen. 'Híj heeft míj aangevallen. Ik liep gewoon naar de trap en viel niemand lastig.' Hij hield zijn kapotte horloge omhoog. 'Dit is een Rolex van zesduizend dollar.'

'We hebben een getuige, een zekere Mr McGhee, die het zich heel anders herinnert.' De cowboy in de rode pick-up. Uit het antecedentenonderzoek was gebleken dat Travis McGhee brandschoon was, maar hij had Will beloofd dat hij op een stapel bijbels zou zweren dat Jenner erom gevraagd had. Dat Will de man niet eens had hoeven vragen of hij wilde liegen, was niet echt wereldschokkend.

'Een getuige, hè?' Jenner was nog steeds niet onder de indruk. Toen Will naar zijn zelfingenomen gezicht keek, zou hij het liefst de rest van zijn tanden kapotslaan. 'Echt, mevrouw de adjunct-directeur, ik vind het nogal saai worden. Kunt u niet iets interessanters bedenken?'

'Mr Jenner,' zei Amanda. 'U beseft hopelijk dat er camerabeelden zijn van uw cliënt vanaf het moment dat hij voet op de luchthaven zette?' Om haar woorden te onderstrepen maakte ze een waaier van de foto's die de technische recherche uit het filmmateriaal had gelicht. 'Vooral deze is interessant. Ziet u dat uw cliënt hier een pruik en een bril draagt?' Ze wees naar de foto. 'Maar hier heeft hij de pruik en de bril kennelijk afgedaan. En nadat we hem in hechtenis hadden genomen, ontdekten we bovendien dat hij zijn jasje binnenstebuiten had gekeerd en van zijn broek een short had gemaakt. Wat zal een jury daarvan vinden, denkt u?'

'Ik betwijfel of een jury hier ook maar iets van te zien krijgt.' Hij keek weer naar de tafel. 'Het is altijd prettig om illustratiemateriaal te hebben, niet? Maar wie die man met de pruik is, zou ik niet weten.'

Will volgde zijn blik. Jenner keek niet naar de foto's. Hij probeerde op Wills horloge te kijken. Will bedwong de neiging zijn pols te bedekken. De wijzerplaat ging half schuil onder zijn manchet.

'Zoals ik al opmerkte,' zei Jenner, 'kunt u me maar vierentwintig uur vasthouden.'

'Dat klopt,' beaamde Amanda. 'Maar in vierentwintig uur kan er veel gebeuren.'

'Wat u zegt. Misschien verandert mijn cliënt van gedachten wat die deal betreft. Dat weet je nooit.'

'Misschien moeten we maar weer eens met Mrs Fielding gaan praten,' zei Will tegen Amanda.

Amanda had dit al zo vaak gedaan dat ze amper een spier vertrok. 'Ja,' zei ze. 'Die leek spraakzamer dan onze vriend hier.'

Jenner slaagde er niet helemaal in zijn nieuwsgierigheid te bedwingen. 'Wie is Mrs Fielding?'

'Uw partner in de zwarte Mercedes.'

Jenner lachte meesmuilend.

'Die is vast wat toeschietelijker,' zei Amanda. 'Mrs Fielding is al vaker met de politie in aanraking geweest. Ze weet dat een jury een tweede aanklacht hoog opneemt.'

'Dan zal ze om een advocaat hebben gevraagd,' zei Jenner. Dat zou een goede gok zijn geweest, meende Will, als ze de vrouw inderdaad te pakken hadden gekregen. 'En zonder advocaat zou u niet met haar kunnen praten.'

Amanda stond op van tafel. 'We zullen zorgen dat u ijswater krijgt, hoewel de voorschriften het ons helaas niet toestaan medicijnen aan gevangenen te verstrekken, hoe onschuldig een aspirientje ook is.'

Jenner maakte een achteloos gebaar. 'U weet me te vinden als u weer wilt praten.' Hij had zelfs het lef naar haar te knipogen. 'En dan sta ik zogezegd weer te trillen op mijn benen.'

Amanda liet de foto's op tafel liggen. Will volgde haar de kamer uit.

Amanda wachtte tot de deur dicht was, maar toch dempte ze haar stem. 'Hij probeert op je horloge te kijken.'

Will knikte. 'Er is nog een overdracht. Fielding heeft een afspraak met iemand anders.'

'Dat kan wel kloppen,' zei Amanda. 'Hij is niet voor niks zo zelfingenomen. Je weet gewoon dat hij dit eerder bij de hand heeft gehad. Ze verhandelen kinderen alsof het tweedehandsauto's zijn, en slepen hen het hele land door zodat je het spoor volledig bijster raakt.' Haar stem was vol ingehouden woede. 'Ik weet zeker dat Jenner zelf ook wel eens de ontvangende partij is geweest.'

Vanessa kwam bij hen staan. Ze had een blaadje in haar hand. 'Van onze kant tot dusver niks. Het huis aan Lake Spivey staat leeg. Er is twee jaar geleden beslag op gelegd. In de brievenbus zat post voor Eleanor Fielding. De buurman is nogal nieuwsgierig, en volgens hem komt er één of twee keer per week een zwarte Mercedes langs om de post op te halen. De auto staat ook op dat adres geregistreerd.'

'Slim,' zei Amanda. 'Ze gebruikt het huis als postadres.'

'Voor zover bekend is Fieldings laatste adres een stuk braakliggend terrein. Ik heb een kennisje bij de sociale dienst dat ons wel wil helpen, maar ik heb geen idee hoelang dat gaat duren.'

'Heb je Jenners adres ook kunnen achterhalen?'

'Hij woont en werkt in de Residences in het Ritz-Carlton. We hebben met het hoofd van de beveiliging daar gepraat, maar die wilde niet meewerken, ook niet toen we zeiden dat het een kind betrof. Zonder huiszoekingsbevel kunnen we zijn appartement of kantoor niet binnengaan. De man achter de balie is een gepensioneerde agent van het APD. Heel toevallig liet hij zijn register voor ons openliggen. Geen bezoekers met kinderen. Niet voor Jenner en niet voor iemand anders. Het is geen kindvriendelijke plek. We hebben geen andere adressen van hem kunnen vinden, dus dat is een dood spoor. En jullie?' Vanessa knikte in de richting van de verhoorkamer. 'Hebben jullie iets uit hem gekregen?'

'Alleen dat het een arrogante klootzak is,' moest Amanda bekennen. 'Volgens Will wordt het kind aan een derde overgedragen. Ik ben geneigd het met hem eens te zijn. Jenner zit ergens op te wachten. Zijn horloge is stuk. Hij probeerde steeds op dat van Will te kijken.'

'Zodra hij weet dat de volgende overdracht heeft plaatsgevonden, bekent hij schuld en probeert het op een akkoordje te gooien,' vermoedde Will. 'Dan vertelt hij ons waar we Abigail kunnen vinden. Het is dan niet zijn schuld als ze er niet meer is.'

'Bij alle luchthavenhotels hebben we bot gevangen,' zei Vanessa. 'We hebben er agenten op afgestuurd die de camerabeelden met eigen ogen hebben bekeken. We geloven niemand op zijn woord.' Ze sloeg haar armen over elkaar. 'Waar ze Abigail ook verborgen houden, het is niet op een openbare plek. Wat vind jij, Will?'

Will keek op zijn horloge. Dat stond op kwart over twee. Will trok de kroon uit en zette het uurwerk een halfuur voor. 'Volgens mij moeten we Jenner maar eens naar de wc laten gaan.'

4

Will voerde een geboeide Jenner door de gang mee naar het heren-toilet. Hij had op protest of woede gerekend, maar misschien besefte Jenner dat het zijn verdiende loon was om ineengedoken als een gevan-gene meegenomen te worden. Of misschien was hij er zo zeker van dat hij vrij zou komen dat hij de kleine ongemakken voor lief nam.

'Hier,' zei Will, en hij hield de deur open. Zijn mouw schoof een eindje omhoog. Hij zag Jenner op het horloge kijken. Kennelijk beviel het hem wat hij zag. Dat smalende lachje was terug.

Will ging mee de kleine ruimte in. Eén wc. Eén wastafel. De ventila-tor aan het plafond rochelde als de longen van een oude man. Will pakte zijn sleutel en deed de handboeien af. Jenner wreef over zijn pol-sen om de bloedsomloop weer op gang te helpen. 'Wat deed je daar op dat toilet?' vroeg hij aan Will.

'Als jij mijn vraag beantwoordt, beantwoord ik de jouwe.'

Jenner glimlachte zijn kapotte tanden bloot. Zijn gezicht vertrok van de pijn. 'Wees maar blij dat ik mijn tandartskosten niet op jou verhaal.' Hij keerde zich naar de wastafel toe, maar terwijl hij de warme kraan opendraaide, bleef hij Will aankijken. 'Implantaten lopen algauw in de tienduizenden dollars.'

'Je hebt anders geld zat.'

'Is dat zo?' zei hij. Ongetwijfeld las hij het antwoord in Wills ogen. 'Jullie zullen mijn naam wel via mijn boardingpass hebben nagetrok-ken. Maar hoe dan? Die had ik namelijk niet bij me. Heeft een van de andere passagiers mijn stoelnummer soms doorgegeven?'

Will haalde zijn schouders op.

'De creditcard stond niet op mijn naam. Google misschien?'

Will antwoordde niet.

'Verbazend hoe weinig privacy nog voorstelt sinds 11 september. Het ontbreekt er nog maar aan dat jullie me aan Saudi-Arabië uitleveren.'

'Dat zijn we aan het onderzoeken.'

Jenner grinnikte goedmoedig. Hij maakte een kommetje van zijn handen, liet het vol warm water lopen, boog zich voorover en slurpte het op. Will keek toe terwijl hij het water door zijn mond joeg en een roze straal bloed in de wasbak spuwde. Jenner herhaalde het proces twee keer voor hij weer rechtop ging staan. 'Eleanor doet haar mond niet open, dat weet ik zeker. Vergeleken met haar advocaat is jouw chef een puppy.'

Dat betwijfelde Will, hoewel hij uit Jenners woorden opmaakte dat Eleanor Fielding een vrouwelijke advocaat had. Tegen beter weten in stond hij altijd weer versteld van de vreselijke dingen waartoe sommige vrouwen in staat waren. Hij hield het er maar op dat ze het voor het geld deden, niet uit rancune. Of nog erger.

'Dat is me er eentje,' zei Jenner, doelend op Amanda. 'Die vindt zichzelf veel te slim. Daar lijden meer politiemensen aan.'

Will voelde zich op dat moment verre van slim. Tot nu toe was het Jenner die de toon bepaalde. 'Jij bent anders wel slim,' zei Will om het ego van de man te strelen.

'Reken maar,' beaamde Jenner. 'Soms kan het echt een last zijn om slimmer te zijn dan de rest.' Hij wees naar het urinoir, naast de wasbak. 'Mag ik even?'

Will keerde de man zijn rug toe, hoewel hij hem nog steeds in de spiegel kon zien. Jenner hield zijn blik neergeslagen en voerde blijkbaar niets in zijn schild.

Will tastte naar de kroon van zijn horloge. Hij zette de wijzers weer een klein stukje vooruit. Het was een delicate onderneming. De afgelopen vierentwintig uur had Jenner drie tijdzones doorkruist, heen en terug. Hij was ongetwijfeld moe van het vliegen. Misschien uitgeput van de adrenaline en de koffie. De stewardess op zijn vlucht had gezegd dat hij minstens één pot koffie had gedronken tijdens de vierenhalf uur dat ze in de lucht waren geweest.

Zelfs een onschuldig mens zou zich daarna gedesoriënteerd voelen.

'Ah.' Jenner slaakte een nodeloos theatrale zucht toen hij klaar was. Hij schudde zich een paar keer af, trok door en liep naar de deur.

Will hield hem tegen en knikte in de richting van de kraan.

'Maar natuurlijk. Waar zijn mijn manieren gebleven?' Jenner liep naar de wasbak. Hij pompte wat zeep in zijn hand en hield die toen onder de sensor van de kraan. Er gebeurde niets. 'Ik haat die stomme dingen. Ze doen het nooit.'

Will ging er maar niet op in. Hij bewoog zijn eigen hand onder de sensor heen en weer. Nog steeds geen water. Will probeerde het nog eens. Opeens spoot het water eruit en spetterde tegen hen allebei op.

'Dat zul je nou altijd zien,' zei Jenner terwijl hij zijn handen inzeepte.

Will keek naar zijn broek. De voorkant was nat, net als bij Jenner.

De waterstraal stopte. 'Handdoek?' vroeg Jenner.

Will trok een paar papieren handdoekjes uit de houder en zorgde dat zijn horloge weer zichtbaar was. Even keek hij naar Jenners spiegelbeeld. Als de man al verbaasd was omdat de tijd vloog, liet hij dat niet merken.

Weer keerde Jenner zich naar de deur toe.

En weer hield Will hem tegen. Hij pakte zijn handboeien.

'Moet dat?' vroeg Jenner. Hij klonk teleurgesteld, alsof ze op de een of andere manier een band hadden gekregen daar in het toilet. Ten slotte stak hij zijn handen uit.

Will schudde zijn hoofd. Met overdreven veel tegenzin draaide Jenner zich om. Hij deed zijn polsen naar achteren. Will moest zich tot het uiterste bedwingen om Jenners armen niet zo hard omhoog te rukken dat ze uit de kom schoten. In plaats daarvan bevestigde hij de boeien met zorg om de polsen van de man en klikte ze dicht.

Will deed de deur open. Hij liet Jenner zelf naar buiten lopen, zonder hem te duwen of de gang door te schoppen. Het liefst had hij zijn horloge weer vooruitgezet om een stukje van de tijd af te knabbelen, maar hij dwong zichzelf om met één hand Jenners elleboog vast te houden en de andere langs zijn zij te laten hangen. Toen stak hij zijn hand in zijn zak. Abigails schoentje zat er nog in. Eigenlijk moest hij het als bewijsmateriaal afgeven. Eigenlijk moest hij het laten registreren voor het proces.

Hij sloeg zijn hand om het schoentje, dat er bijna helemaal in verdween.

Will zat buiten het gebouw op een metalen bank. Het was een heldere, zonnige dag, maar hij had de ondergrondse passage uitgekozen als plek om zijn wonden te likken. Hier was hij Joe Jenner kwijtgeraakt. De agent had zijn auto stilgezet. Travis McGhee in zijn pick-up had getoeterd. Will had zich omgedraaid en Jenner en het meisje waren verdwenen.

Hij hield Abigails schoentje in zijn hand. Aan de achterkant raakte het randje los, waarschijnlijk omdat het over de grond had gesleept. Hij zou het met superlijm kunnen repareren. Will bedacht dat kleine meisjes waarschijnlijk dol waren op dit soort schoentjes. Ze wilde ze vast terug. Ze had ze nodig als ze weer op het vliegtuig naar huis stapte, naar haar ouders.

Will sloot zijn ogen. Hij was niet bepaald een newagefreak, maar hij probeerde zich Abigail veilig in haar moeders armen voor te stellen. Het meisje was mager, vel over been. Waarschijnlijk was haar moeder net zo. Ze hadden vast hetzelfde stroblonde haar en dezelfde blauwe ogen. Abigails moeder zou haar kind vastpakken en haar hard tegen zich aan drukken om haar nooit meer los te laten.

Dat beeld wilde hij graag vasthouden. Niet de werkelijkheid, die waarschijnlijk eerder op een nachtmerrie leek.

De Levi's Call was nog steeds van kracht. De verkeerspolitie had elke agent op de loonlijst opgetrommeld om de snelwegen en achterafweggetjes uit te kammen. Alle informatieborden boven de snelwegen vermeldden Abigails lengte, gewicht, de kleur van haar haar en ogen, haar vermoedelijke leeftijd en het tijdstip waarop ze was verdwenen. Er waren al honderden telefoontjes binnengekomen, maar die hadden geen van alle iets opgeleverd.

Will keek op zijn horloge, dat inmiddels tweeënvijftig minuten voorliep. Hij ging telkens even bij Jenner kijken, en dan zette hij de wijzers een stukje vooruit voor hij naar binnen ging om hem iets te drinken aan te bieden of te vragen of hij naar het toilet wilde, of om alleen maar tegenover hem te zitten terwijl Jenner met een lege blik naar de muur staarde.

Als hij terugging naar de man, zou hij zijn horloge weer twintig minuten vooruitzetten. Jenner was zichtbaar uitgeput. De laatste twee keer dat Will bij hem had gekeken, had hij met zijn hoofd op tafel zitten slapen. Hij was duidelijk elk tijdsbesef kwijt. Weer versprong de tijd met vijf minuten. En toen met tien. Het viel niet te voorspellen wat het magische uur was, maar Will bleef Jenner voor de gek houden door met de tijd te schuiven, tot Jenner dacht dat hij veilig was.

Hun enige hoop was dat er genoeg tijd overbleef om het meisje te redden.

Abigail werd nu drie uur vermist, tenminste, voor zover ze wisten. Het was onbekend waar ze vandaan kwam en of er ergens een vader en moeder naar haar zochten. Eleanor Fielding had voor de kinderbescherming gewerkt. Misschien was Abigail een pleegkind.

Daar ging het mooie plaatje van Abigail in haar moeders armen.

Kinderontvoerders kozen meestal een gemakkelijke prooi uit, en het pleegsysteem verkeerde in zo grote geldnood dat de maatschappelijk werkers overbelast raakten. Vaak hadden ze geen mobiel of laptop en soms niet eens een kantoor. Alleen al in Seattle liep de sterfte onder pleegkinderen in de tientallen. In Florida verdwenen regelmatig kinderen. Washington DC kwam mensen tekort om het aantal gevallen van kinderverwaarlozing in behandeling te nemen. Het was niet na te gaan of Abigail bij de vermiste kinderen hoorde.

Op dit late uur hoorde ze misschien al bij de doden.

Achter Will schoven de deuren open. Faith ging naast hem op de bank zitten. Ze had een portofoon in haar hand. Die was afgestemd op de golflengte van het Atlanta Police Department, maar het geluid stond zacht. Will hoorde het gemurmel van kletsende agenten.

'Niks,' zei Faith, want ze wist dat hij dat zou vragen. 'Is dat haar schoen?'

Will gaf haar het roze balletschoentje met de glimlachende Hello Kitty.

'Wat klein.' Faith perste haar lippen op elkaar. Ze had een dochter in de luiers en een zoon op de universiteit. Iedereen was aangeslagen door dit soort zaken, maar bij Faith kwam het dubbel zo hard aan.

'Op welke leeftijd kun je jezelf aankleden?' vroeg Will.

Faith moest even nadenken. Ze zuchtte. 'Dat hangt van het kind af. Als je een jaar of twee, tweeënhalf bent, kun je al aanwijzen wat je wilt dragen, maar je kunt je nog niet zelf aankleden. Met drie of vier kun je dat al wel, maar dan zit het soms achterstevoren of steek je je voet in de verkeerde schoen. Met vijf kun je je al zelfstandig aankleden. Behalve als je een jongen bent. Dan duurt het minstens tot je vijfentwintigste. Of je dertigste.'

Will glimlachte even om haar poging tot luchtigheid, maar hij zag steeds Abigail voor zich die haar kleren uitkoos. Vanochtend of gisteren of wanneer dan ook had ze de bloemetjesjurk gepakt, de bijpassende maillot en schoentjes, en die had ze zelf aangetrokken. In zijn verbeelding zag hij haar glimlachend voor de spiegel staan en misschien een rondje draaien.

Faith onderbrak zijn gemijmer. 'De FBI staat te trappelen om dit over te nemen.'

'Dat zal Amanda fijn vinden.'

'Dom zijn ze niet,' zei Faith. 'Ze krijgt alles waarom ze gevraagd heeft. Niemand heeft er belang bij als deze zaak voor onze ogen stukloopt.'

Will zei maar niet dat de zaak volgens hem al een paar uur geleden was stukgelopen. 'Ik zie haar steeds voor me, samen met haar moeder.'

'Hou dat beeld maar vast. Dat ga ik ook doen.'

'Je weet dat de kans klein is.'

'Al moet ik er de rest van mijn leven aan wijden, Joe Jenner gaat de bak in,' zei Faith.

'Mijn idee.'

'Ik snap niet hoe je tegenover die eigenwijze lul kon zitten zonder hem verrot te slaan.'

'Dat zou hij wel willen,' besefte Will. Daarom streek Jenner hen voortdurend tegen de haren in. Dat kwam gedeeltelijk door zijn arrogantie, maar vooral omdat hij het prachtig vond dat ze zich nauwelijks konden beheersen.

'Het is de enige misdaad waar ik niks van snap,' zei Faith. Ze gaf hem het schoentje terug. 'Roof, moord, zelfs verkrachting kan ik ergens nog begrijpen. Maar een kind?' Ze schudde haar hoofd. 'Het is walgelijk. Iemand die zoiets doet, spoort van geen kant.'

Will wist niet wat hij moest zeggen. Met haar instemmen leek overbodig.

Hij leunde achterover en keek naar de ondergrondse parkeergarage. Het afgelopen halfuur had hij elke stap weer doorgenomen die hij had gezet vanaf het moment dat hij Jenner naar buiten was gevolgd. Nu begon hij opnieuw. De agent. De cowboy in de rode pick-up. Het moment dat hij de garage binnenrende. Jenner, die zijn vermomming had afgelegd. Hoelang had hij daarover gedaan? Het afdoen van de pruik en de bril duurde twee, hooguit drie seconden. Het omdraaien van het jasje en het afritsen van zijn broekspijpen terwijl hij het meisje moest vasthouden, was een ander verhaal.

Abigail was vast niet braaf blijven staan terwijl hij bezig was. Ze zou het op een lopen hebben gezet. Daar twijfelde Will niet aan.

Toch hadden ze de pruik of een ander onderdeel van Jenners vermomming niet in een van de vuilnisbakken gevonden die overal in de garage stonden. Evenmin in de trappenhuizen. Of tussen de geparkeerde auto's. Misschien had degene aan wie Jenner het kind had overgedragen alles meegenomen, maar dan bleef de vraag onbeantwoord hoe hij of zij had kunnen ontsnappen. Elke vertrekkende auto was onderzocht. Elke uitgang was hermetisch afgesloten geweest.

Het kon niet anders of ze zagen iets over het hoofd.

Vanessa Livingston had een team de garage in gestuurd om de nummerborden van alle geparkeerde auto's na te trekken. Volgens zijn rijbewijs bezat Jenner een zwarte Bentley Continental. Een telefoontje naar de parkeeropzichter van het Ritz-Carlton bevestigde dat de Bentley zich in het bewonersgedeelte van de garage bevond.

Abigail was niet in een auto meegenomen. Ze had de luchthaven niet in een dienstvoertuig verlaten. Ze bevond zich niet binnen de muren van de luchthaven. Zou ze in een kofferbak opgesloten zitten? Had Jenner een tweede auto ergens in het parkeergedeelte staan? Liet hij het meisje in geval van nood simpelweg stikken?

Will slikte. Even werd hij overmand door de zinloosheid van alles. Het wazige beeld van moeder en kind werd verdrongen door een duisterder mogelijkheid. Will had vaker dode kinderen gezien. Je kon het beeld moeilijk van je afzetten. Het was een van de dingen die je mee naar bed nam. Vooral in dit soort tijden.

Abigail.

Waarom had Will haar niet van Jenner afgepakt? Hij had toch minstens iets tegen haar kunnen zeggen daar in het herentoilet? En wat dan nog als Jenner inderdaad haar vader of stiefvader of opa of oom bleek te zijn? Als Will zich in zijn positie had bevonden, als Will een dochter had gehad en een of andere agent had hem aangehouden om te vragen wat er aan de hand was, zou hij misschien eerst kwaad zijn geworden, maar uiteindelijk had hij het wel kunnen waarderen dat er op zijn kind werd gelet.

Zoals gewoonlijk kon Faith zijn gedachten lezen. 'Je hebt niks fout gedaan.'

'Ik had met haar moeten praten.'

'Als ik met mijn kind op het vliegveld was geweest en jij had je voorovergebogen om met haar te praten, zou ik je zo hard voor je kop hebben getrapt dat je ogen achterstevoren stonden nog voor je op de grond lag.'

'Dat is iets anders,' zei Will. Vrouwen waren argwanender waar het kinderen betrof. Vooral vrouwen zoals Faith Mitchell, die een antecedentenonderzoek naar haar postbode had gedaan omdat ze vond dat hij te aardig deed.

'Nee, het is niet iets anders,' zei Faith. 'Je hebt gedaan wat je kon, Will. Dat doen we allemaal.'

Hij haatte haar verslagen toon, vooral omdat hij zijn eigen gevoelens erin herkende.

'Ik neem het nog één keer door,' zei Will. Faith knikte. Hij begon bij het begin en vertelde haar dat hij op de wc had gezeten en de pleister van de knop had gehaald die moest voorkomen dat er voortdurend werd doorgespoeld. Toen hij bij het punt was aangekomen dat hij in de voetgangerstunnel naar de camera liep te zwaaien, stond hij op. Hij vertelde dat hij de schoen had gevonden en vervolgens naar buiten was gelopen, naar waar ze nu stonden, vóór de uitgang.

Al pratend nam Will haar mee over het trottoir. De rode pick-up. De cowboy. De agent die zijn patrouillewagen aan de kant zette. Hijzelf, die zich heel even liet afleiden, waardoor hij Jenner en het meisje uit het oog verloor.

Opeens herinnerde Will zich iets en hij keerde zich naar Faith toe. 'Er was ook een zilverkleurige Prius.'

'Vierdeurs?'

Will knikte. 'Ik hoorde hem achter me stoppen.'

'Als je hem kon horen, reed hij niet langzaam,' merkte Faith op. Onder de vijfentwintig kilometer per uur was de auto vrijwel geruisloos. 'Weet je verder nog iets?'

'Zwarte bekleding. Een vrouw achter het stuur. Ik kon tot in de kofferbak kijken. De rolhoes was weggeschoven. Voor de rest was de auto leeg.' Will probeerde zich te herinneren hoe de vrouw eruitzag. Het was allemaal zo snel gegaan. Hij had het portier opengerukt en zijn blik door het binnenste van de auto laten gaan. 'Ik heb haar de stuipen op het lijf gejaagd,' zei hij. 'Ze reed met een noodvaart weg.'

'Reed ze daarnaartoe?' Faith wees naar de steile bocht aan het eind van de passage. De vierbaansweg ging over in een tweebaans daar waar hij zich voegde bij het verkeer dat van boven kwam. Vervolgens werd de weg zesbaans zodat je met een lus terug kon rijden naar de noordelijke of zuidelijke terminal of de snelweg kon nemen.

'Meld het maar,' zei Will.

Faith hield de portofoon al voor haar mond. 'Mitchell voor Livingston.'

Meteen klonk de stem van Vanessa Livingston. 'Spreek je mee.'

'Ik wil graag beelden van een zilverkleurige Prius die rond het tijdstip van de verdwijning de passage bij de South Terminal verlaat.'

'Roger.'

Faith liet de hand met de portofoon zakken. 'Waar stond die Prius toen je het portier opentrok?'

Will liep een eindje door en probeerde zijn positie te schatten. 'Hier.' Hij wees naar de parkeergarage. 'Toen ik Jenner weer zag, stond hij daar.'

'En toen heb je me gebeld?'

'Ja.'

'Oké, nog één keer,' zei Faith. 'Dus jij zag de Prius. Ben je ernaartoe gerend?'

'Ja,' zei Will. 'Ik deed het portier open en controleerde de auto. Er zat verder niemand in. Alleen een vrouw. Donker haar, geloof ik. Ze sloeg haar handen voor haar gezicht. Ze was bang, zoals ik al zei. Verbaasd ook.' Hij schudde zijn hoofd. Het was niet zonder reden dat de politie een hekel had aan ooggetuigenverslagen. Negen van de tien keer klopten die niet. Er was zoveel gebeurd terwijl Will achter Jenner aan zat dat hij niet eens meer goed wist of de Prius wel zilverkleurig was. 'Zoals ik al zei zat er verder niemand in de auto. Ik kon zo naar de kofferbak...' Hij zweeg. Hij keek naar de weg. Vanboven kwamen auto's aanrijden.

'Wat is er?' vroeg Faith.

Will antwoordde niet. Hij liep op een drafje naar de weg en volgde dezelfde route naar de uitgang als de Prius.

Even voor de lager gelegen weg zich bij de verkeersstroom uit de hoofduitgang van de terminal voegde, lag een bocht. Om te voorkomen dat voetgangers de weg op liepen en mogelijk door een auto werden geschept, had de plantsoenendienst daar een groepje witte acacia's geplant: een struik die bestand was tegen luchtvervuiling. Hij had roomwitte bloemen en messcherpe doorntjes onder de bladaanzet.

Will drong door het dichte struikgewas. Hij haalde zijn handen open, maar dat interesseerde hem niet. Zijn jasje bleef achter een lange tak haken. De stof hechtte zich als klittenband aan de doorns.

'Wat ben jij aan het doen?'

Will gaf een ruk aan zijn jasje zodat hij verder het bosje in kon lopen. 'De TSA-agent zei dat het een kwartier duurde om de hele luchthaven af te sluiten. We zaten nog binnen dat tijdsraam toen ik Jenner pakte. De Prius heeft mogelijk op het nippertje kunnen wegrijden.'

'Maar jij zei dat er verder niemand in die auto zat.'

'Dat was zo toen ik hem doorzocht.' Will stapte op een tak en drukte de weerhaken met zijn voet naar beneden. 'Ze raakten allebei in paniek. De Prius scheurde weg. Jenner rende de parkeergarage in.' Hij keek Faith even aan om te zien of ze zijn logica nog volgde. 'Hier op deze plek maakt de weg een bocht. Ik was alweer in de passage en had jou aan de lijn. Dit is de enige plek waar Abigail kon worden overgedragen zonder dat ik Jenner of de auto zag.'

'En waar ze niet door de beveiligingscamera's gefilmd werden.' Faith zette haar handen in de zij. 'De volgende camera kreeg de Prius in beeld bij de splitsing naar de snelweg.'

Wills vinger bloedde. Hij veegde zijn hand af aan zijn broek en drong nog dieper het bosje in.

En daar vond hij ze.

Een goedkope bruine pruik, een zwarte plastic bril, twee afgeritste pijpen van een cargobroek en – het allerergste – een gebloemd meisjesjurkje met een roze biesje.

5

'Het is mijn schuld,' zei Will tegen Amanda. 'Ik keek even de andere kant op en toen maakte Jenner van de gelegenheid gebruik om het kind over te dragen.'

'Over je fouten hebben we het later,' zei ze. 'Vertel nog eens over die vrouw in de auto.'

Hij schudde zijn hoofd. Telkens als hij bij de herinnering probeerde te komen, ontglipte die hem weer. 'Volgens mij had ze donker haar.'

'Blank? Zwart? Groen?'

'Blank.'

'Kleur ogen?'

'Ze droeg een zonnebril. En een pet misschien?' Will wist niet of zijn brein nu de lege plekken invulde. 'Ik weet niet wat ze aanhad. Ik heb geen tattoos of moedervlekken gezien. Volgens mij was de bekleding van de auto zwart. Verder weet ik het niet. Ik zocht naar het meisje, maar ze was er niet. Dat was het enige wat op dat moment telde.'

Amanda vloekte zelden, maar nu kon ze zich niet inhouden. 'Godverdomme, die lui zijn ons de hele dag al een stap voor.'

Vanessa Livingston kwam de Cold Room uit. 'De camera verliest de Prius uit het oog zodra die de passage uit rijdt. De auto komt weer in beeld als hij invoegt. Wie die vrouw achter het stuur ook was, twee minuten voor alles werd afgesloten is ze ertussenuit geknepen. De Prius heeft de I-75 in noordelijke richting genomen, maar meer weten we niet.'

'Heb je het kenteken?'

'Gedeeltelijk. Op twee cijfers na zat alles onder de modder. Een drie en een negen, niet vlak na elkaar. We halen het nu door de computer. Er zijn elfhonderd Priusen in Metro Atlanta. De helft is zilverkleurig. Het is een populaire kleur. Om te beginnen brengen we het terug tot het aantal dat op naam van een vrouw staat.'

'Fantastisch,' zei Amanda. 'Alsof we niet genoeg muren hebben om met onze kop tegenaan te lopen.'

'Staat haar gezicht ergens op een camera? Misschien kunnen we het vergelijken met de passagiers uit Seattle.'

'Nee,' zei Vanessa. 'Als ze naar een van de parkeerdekken was gegaan of naar de bovenverdieping, zou het een ander verhaal zijn.'

'Stel dat het Eleanor Fielding is,' opperde Will.

In plaats van een smalende opmerking te maken zei Amanda: 'Ga door.'

'Haar Mercedes is van de luchthaven weggereden. Misschien is ze met een bocht teruggekeerd, heeft ze de Mercedes op een andere parkeerplaats gezet, is ze in de Prius gestapt en heeft ze het meisje opgepikt.' In gedachten zag Will Jenner weer over zijn schouder kijken toen hij de passage door liep. De man keek uit naar naderend verkeer.

Amanda zei: 'Dan kon Jenner het kind beneden overdragen, waarna hij zijn vermomming aflegde en...'

'... naar boven liep, naar de hoofdterminal, vanwaar hij een taxi naar huis kon nemen,' maakte Will haar zin af.

'En zo waren ze allebei gedekt,' zei Vanessa. 'Als Will hen niet had opgemerkt, zouden we niet eens weten dat het gebeurd was.'

Amanda keek op haar horloge. 'Will, tijd om weer naar Jenner te gaan. Zet je horloge maar een halfuur voor.'

Will gaf niet onmiddellijk gehoor aan haar bevel. 'Dat is een wel erg grote sprong.'

'Doe het nou maar,' zei ze. 'Het zou wel eens het verschil kunnen betekenen tussen het vinden van het meisje en het vinden van haar lijk.'

Will zat tegenover Jenner, met zijn handen samengevouwen voor zich op tafel. Zijn horloge was duidelijk zichtbaar en liep inmiddels een uur en een kwartier voor. Het was een grote sprong, maar Jenner zat nu al bijna vier uur in de verhoorkamer. Het grootste deel van de tijd had hij zitten dommelen of had hij wezenloos naar de confrontatiespiegel gestaard. Er waren geen tijdschriften. Er was geen tv. Hij had geen enkele afleiding. Zijn tijdsbesef strekte zich tot in het oneindige uit.

Tenminste, dat hoopten ze.

Will keek op zijn horloge. Hij wist dat Jenner niet had geluncht. 'Je had allang je avondeten moeten hebben.'

Jenner haalde zijn schouders op.

'Ik wil wel een hotdog voor je laten komen, of een broodje kip.'

Jenner antwoordde niet. Hij zat schuin op zijn stoel. Zijn ene been had hij over het andere geslagen. Zijn mond bloedde niet meer, maar hij zag er slecht uit. Rond zijn ogen en neus kwamen blauwe plekken opzetten van die smak met zijn gezicht op het beton. Op zijn kin zaten opgedroogde bloedspatten. Hij had met zijn hoofd op zijn arm zitten slapen en nu liep er een vouw over zijn wang.

Hij maakte geen bange of nerveuze indruk. Hij leek zich eerder te vervelen.

Will zuchtte maar eens diep. Hij leunde achterover op zijn stoel. 'Wil je weten waarom ik op dat herentoilet was?'

Jenner hief zijn kin. Vanuit zijn ooghoek keek hij Will aan.

'Het hoort bij een undercoveroperatie om cruisende mannen te betrappen.'

Jenner lachte snuivend, maar stopte toen er een pijnscheut door zijn kapotte neus trok. 'De politie heeft zeker niks beters te doen.'

Will ging niet op zijn opmerking in. 'Ik heb vorige week nog een dominee gearresteerd.'

'Hm,' zei Jenner.

Will zei er niet bij hoe rot hij zich had gevoeld toen hij de man geboeid had meegevoerd naar buiten. Amanda had haar redenen om hem als straf die dienst te laten draaien. Elke dag wist Will niet hoe snel hij thuis moest komen om het vuil van zich af te schrapen.

Maar dat was niets vergeleken met de walging die hem bekroop nu hij tegenover Joe Jenner zat.

'Als ik jou was, zou ik een deal sluiten,' zei Will.

Jenner kuchte. 'Ik heb mijn cliënt aangeraden geen juridische adviezen aan te nemen van de man die hem achter de tralies wil zetten.'

'Je was anders heel gemakkelijk op te sporen. Je cliënt, bedoel ik,' verbeterde hij zichzelf.

Jenner rolde met zijn ogen om het doorzichtige spelletje.

'En dan die overdracht in de parkeergarage. Dat ging behoorlijk soepel. We hebben je vermomming trouwens gevonden.'

Jenner verroerde zich niet, en Will wist dat hij beet had.

Hij probeerde nog maar eens een leugentje uit: 'Eleanor heeft ons verteld waar die lag. Ze zit nu in de andere verhoorkamer.'

Jenner tuitte zijn lippen.

'Mijn chef praat op dit moment met haar,' zei Will.

'O?' Het was geen vraag, maar Will merkte dat Jenner niet meer zo zeker van zijn zaak was.

'Je bent jurist, Joe. Je weet dat degene die het eerst een deal sluit altijd de laagste gevangenisstraf krijgt.' Hij voerde de druk nog wat op. 'Eleanor heeft al gezeten. Ze kent het systeem. Ze gaat je erbij lappen. Dat weet jij ook. Het is alleen nog een kwestie van tijd.'

'Tijd?' Jenner keek naar Wills horloge en toen weer naar de confrontatiespiegel. 'Ik heb alle tijd van de wereld.'

'Je meent het.'

'Ik praat niet meer met je.'

'Nooit meer? Of alleen nu niet meer?'

Jenner keek hem aan en richtte zijn blik toen weer op de spiegel. Will had geen idee wie erachter stond. Dit kat-en-muisspelletje was nu al een tijdje aan de gang. Het begon slaapverwekkend te worden.

Jenner schraapte zijn keel. Hij legde zijn andere been over zijn knie. Met zijn vingers trommelde hij op tafel.

Will bestudeerde de man. Op het eerste gezicht leek hij een doodnormale vijftiger. Grijs haar. Een beginnend buikje. Wat kwabben om de kin. Dat was het probleem met die monsters: ze leken net gewone mensen. Ze deden werk waarbij ze met kinderen in aanraking kwamen. Ze verzonnen allerlei trucs om maar niet gepakt te worden. Ze waren de hele dag bezig hun sporen te wissen, en daardoor duurde het zo lang om achter de waarheid te komen als je hen eindelijk te pakken had.

Joe Jenner was een prof. Hij had alles van tevoren uitgedokterd, het vanuit alle gezichtspunten bekeken en de verschillende scenario's doorgenomen. Hij deed het niet in z'n eentje. Het was teamwerk. Misschien had hij alleen Eleanor Fielding. Of misschien waren er meer. Ongeacht het aantal, deze lui waren doortrapt. Ze werkten samen. Ze waren hier niet in een opwelling aan begonnen. Ze hadden een goed getimed plan. Ze hadden een reserveplan. Ze hadden met elke mogelijkheid rekening gehouden, behalve dat Will zich in dat herentoilet zou bevinden.

En zelfs daar lieten ze zich niet door weerhouden.

Deed Jenner daarom zo zelfingenomen? Je woonde niet in het Ritz-Carlton en reed ook niet in een Bentley als je onzeker was, maar deze man leed aan een wel erg groot meerderwaardigheidscomplex.

En waarom niet? Alles droeg de naam van Eleanor Fielding: de tickets, de hotelkamer. Zij was aan boord van het vliegtuig gestapt met Abigail in haar armen. Er waren een paar korrelige opnamen van Jenner met het meisje, maar daartegen zou hij bezwaar kunnen aantekenen. Bovendien had Will hem in de parkeergarage aangevallen. Jenners advocaat zou zomaar kunnen beweren dat de politie samenspande om een van hun mensen te beschermen.

Het enige wat ze hadden, was Wills getuigenis en een paar korrelige opnamen. Jenner had het meisje niets gedaan, althans, dat viel niet te bewijzen. Hij had haar bij de hand genomen toen ze het vliegtuig verliet, hij had haar meegenomen naar het toilet en toen naar de parkeergarage. Als de jury op zijn hand was, kreeg hij misschien twee of drie jaar. Als Abigail niet gevonden werd – als er geen lijk gevonden werd – misschien nog minder.

Maar dan bleef nog altijd de tijdskwestie over.

Jenner wachtte ergens op, dat was duidelijk. Wachtte hij tot hij er zeker van was dat zijn handlanger Abigail over de staatsgrens had gebracht? Of gunde hij een andere kindermisbruiker zijn lolletje terwijl hij het won van de klok?

Ze schrokken allebei toen er op de deur werd geklopt.

Faith wenkte Will en hij liep de kamer uit.

'De moeder is gevonden,' zei ze terwijl ze door de gang liepen. 'Een zekere Rebecca Brannon. Ze woont in de buurt van Post Falls, Idaho. De vader is vijf jaar geleden gesneuveld in Irak. Het meisje heet Abigail Brannon. Ze is zeven.'

Een agent in uniform liet hen met een druk op de knop de Cold Room binnen. Het hoofdscherm vertoonde tv-beelden van CNN. Een bleke vrouw met blond haar stond voor een batterij microfoons met logo's van uiteenlopende nieuwszenders. Beide ogen waren toegetakeld. Ook had ze een kapotte lip.

Will liet het beeld vervagen en keek door de ravage heen naar het gezicht van de vrouw. Op één punt had hij in elk geval gelijk gehad. Abigail leek op haar moeder.

'De moeder is in elkaar geslagen en heeft twee dagen vastgebonden in haar kelder gezeten,' lichtte Faith toe. 'Ze zei dat haar belager een masker droeg en niets zei. Hij heeft haar knock-out geslagen en het kind meegenomen. Haar vriend heeft haar vanmiddag gevonden toen hij thuiskwam van een reis voor zijn werk.'

'Een reis voor zijn werk?' herhaalde Will.

'Hij heet Paul Riggins. Hij is onderhoudsmonteur van operatiekamerapparatuur,' zei Faith. 'Hij werkt vooral in Seattle.'

'Seattle,' zei Will.

'Riggins is gisterochtend naar Seattle gereden en vanmiddag weer thuisgekomen. We hebben het nagetrokken via zijn creditcards. Wil je weten hoe het hotel heet waar hij overnacht heeft?'

Langzaam keerde Will zich naar Faith toe. 'Het Hilton Seattle Airport and Conference Center?'

'Het wordt nog mooier: zijn auto is doorzocht. Onder de reserveband lag dertigduizend dollar cash. In splinternieuwe briefjes van honderd.'

'Nieuw?' Het begon Will te dagen. Het Bureau of Engraving and Printing verspreidde papiergeld in coupures die getraceerd konden worden aan de hand van hun serienummers. 'Vertel.'

Faith kon haar opwinding nauwelijks bedwingen. 'Alle biljetten waren aan het zesde district geleverd.'

Will voelde nu ook een grijns opkomen. Het zesde district van de Federal Reserve Bank leverde papiergeld aan Georgia, Alabama, Florida en delen van Louisiana en Tennessee. 'Wanneer zijn die biljetten in omloop gebracht?' wilde hij weten.

'Vorige week.'

'Te kort geleden om nu al in Seattle op te duiken.'

'Veel te kort. En bovendien,' voegde ze eraan toe, 'als er wel genoeg tijd was verstreken, zou het heel raar zijn als alle biljetten afkomstig waren van dezelfde serie uit hetzelfde district tegen de tijd dat ze aan de andere kant van het land opdoken.'

Will voelde de druk op zijn borst enigszins afnemen. Met een beetje geduld zou Faith de biljetten naar een specifieke bank kunnen traceren. Als Joe Jenner cliënt was bij die bank, zouden ze een rechter met het hart op de juiste plaats kunnen overhalen een bevelschrift te ondertekenen zodat Jenners rekeningen bekeken konden worden. Zelfs de beste advocaat ter wereld zou er een hele kluif aan hebben de getuigenis van de directeur van de Federal Reserve Bank of Atlanta te weerleggen. Jury's waren dol op dat soort bewijs.

'Praat Riggins?' vroeg Will.

'Nee. Hij heeft om een advocaat gevraagd.'

'Ga me nou niet vertellen dat de politie van Idaho geen bevelschrift had toen ze zijn auto doorzochten.'

'Dat hadden ze niet nodig,' zei Faith. 'Paul Riggins is een geregistreerde zedendelinquent.'

Will vloekte binnensmonds. 'Wist die moeder dat?'

'Nee.' Faith keek weer naar het scherm. Rebecca Brannon stond te snikken in de microfoons, smekend om haar dochter. 'Maar inmiddels wel.'

6

Weer zat Will tegenover Joe Jenner. Hij hield zijn armen over elkaar geslagen om zijn horloge voor hem te verbergen. Het liep nu twee uur voor. Het was een enorme sprong, maar Jenner zat al zo lang in die kale verhoorkamer dat hij het waarschijnlijk niet doorhad, tenminste, dat hoopte iedereen vurig. Zelf had Will het gevoel dat dit een van de langste dagen van zijn leven was.

Na verloop van tijd slaakte Jenner een diepe, verveelde zucht. 'En?'

'De officier van justitie van Atlanta zit buiten te wachten.'

Jenner leek niet onder de indruk.

'Ze is bereid een deal met je te sluiten, Joe. Als jij ons vertelt waar het meisje is.'

Jenner antwoordde niet.

Will legde hem het verzamelde bewijs voor. 'We weten dat Abigail Brannon gisterochtend door Paul Riggins is meegenomen uit het huis van zijn vriendin. Die avond heeft hij Abigail aan jou en Eleanor Fielding overgedragen in het Hilton Seattle Airport and Conference Center. Je hebt Riggins dertigduizend dollar cash betaald in ruil voor het meisje.'

'Jullie hebben geen enkel bewijs.'

'We hebben de serienummers nagetrokken, Joe. Voor dat soort zaken moet je nooit nieuw geld gebruiken.'

'Ik heb geen idee waar je het over hebt.'

Will zette uiteen wat Faith hem een paar minuten geleden had verteld. 'De Federal Reserve in Atlanta heeft een zending nieuwe honderddollarbiljetten naar de Bank of America gestuurd. De Bank of America heeft het over zijn filialen verspreid. Het is geld, dus daar wordt voorzichtig mee omgesprongen. De serienummers worden geregistreerd. Het is bekend waar de biljetten zijn. Zo weten we dat het geld dat jij aan Paul Riggins hebt gegeven is opgenomen bij drie verschillende filialen van de Bank of America. We hebben een rechter bereid gevonden ons inzage te geven in je rekeningen. Vorige week heb je telkens tienduizend dollar opgenomen van drie verschillende rekeningen bij drie verschillende filialen.'

Heel even keek Jenner verbaasd op. 'Je kunt niet bewijzen dat het allemaal bij elkaar hoort.'

'O nee?' Het kostte Will moeite een glimlach te onderdrukken. Hij genoot van het zweempje paniek in Jenners stem, ook al was het heel snel weer verdwenen.

'Ik ben beroofd.'

'Heb je dat aangegeven?' vroeg Will.

'Daar had ik geen tijd voor.'

'Je laat zomaar dertigduizend dollar lopen?' Will schudde zijn hoofd. 'Waarom had je dat eigenlijk bij je?'

'Ik geloof niet dat dat iemand iets aangaat.'

'Vertel dat maar aan de jury,' raadde Will hem aan. 'Je vond het zeker slim van jezelf om telkens niet meer dan tienduizend dollar op te nemen? Als belastingjurist wist je dat de bank alle transacties boven de tienduizend dollar moet melden. En op binnenlandse vluchten kan de TSA uiteraard geen limiet stellen aan de hoeveelheid cash die je bij je hebt.'

Jenner sloeg een onzichtbaar pluisje van de mouw van zijn jasje.

'Eleanor Fielding heeft Abigail het vliegtuig in gedragen. Het meisje was gedrogeerd. Ik vermoed dat Paul Riggins gemakkelijk aan slaapmiddelen kan komen, want hij loopt altijd in ziekenhuizen rond. Abigail heeft de hele vlucht geslapen. Jij zat twee rijen achter hen, maar je hield haar wel voortdurend in de gaten en dronk koffie om wakker te blijven.' Will zweeg even zodat Jenner elk woord kon laten bezinken. 'Bij het uitstappen had jij Abigail bij je. Je had het allemaal perfect getimed, tot Abigail naar de wc moest.'

Jenner deed zijn mond al open. Will dacht dat hij een sarcastische opmerking ging maken over meisjes met een kleine blaas, maar uiteindelijk deed hij er het zwijgen toe.

Will vervolgde zijn verhaal. 'Eleanor haalde haar Mercedes op van het parkeerdek bij de North Terminal en reed toen met een bocht naar de South Terminal, waar ze hem verwisselde voor de Prius.' Dat was het laatste puzzelstukje geweest. Na een snelle zoektocht door het register hadden ze de Mercedes gevonden, precies op de plek waar Will vermoedde dat hij zou staan. 'Intussen nam jij Abigail mee naar buiten door de ondergrondse passage. Het was de bedoeling dat ze daar overgedragen werd, maar toen je mij zag, raakte je in paniek.'

Jenners wenkbrauw schoot omhoog. Het woord 'paniek' stond hem kennelijk niet aan.

'Je moest improviseren. Je rende de garage in, verstopte je achter een paar auto's tot ik de andere kant op keek, en toen gaf je Abigail boven aan de helling af. Ik hoorde de motor van de Prius niet omdat hij te langzaam reed.'

Jenner zweeg afwachtend.

'Daar hebben we je pruik en je bril gevonden. Je legde je vermomming af in de hoop dat je de terminal weer in kon lopen, vanwaar je een taxi wilde nemen die je naar het volgende ontmoetingspunt zou brengen.' Will leunde naar voren en verkleinde zo de ruimte tussen hen. 'Je kunt je hier nog uit redden.'

Jenner bleef zwijgen.

'Zeg waar ze is, Joe. Alleen dan kun je een lange gevangenisstraf ontlopen.'

Jenner zweeg nog steeds.

'Het wordt een stuk makkelijker voor je als we haar levend vinden,' zei Will, in de hoop te appelleren aan het eigenbelang van de man. 'Stel dat ze dood is en dat de patholoog foto's van haar lichaam laat zien en de jury vertelt wat ze heeft moeten doorstaan...' Will vermande zich voor hij de gruwelijkheden benoemde. 'Op die foto's staan de blauwe plekken op haar pols van toen je haar vastgreep. Die passen naadloos bij de camerabeelden waarop je haar meesleurt door de hal. De wond op haar knie staat erop, van toen ze struikelde in de tunnel. Ook dat wordt door de camerabeelden bevestigd. Haar schoen staat erop. De schoen die ze verloor.' Will haalde het schoentje uit zijn zak. Hij wierp het tussen hen in op tafel. 'De jury krijgt te zien hoe je haar met een ruk meetrekt als ze haar schoen wil pakken. Misschien heeft de patholoog ook beelden van de schade aan haar armspieren van toen je haar arm verdraaide.'

Jenner had zijn blik weer neergeslagen. Hij keek echter niet naar de schoen, maar naar Wills horloge. Will volgde zijn blik terwijl de grote wijzer naar de zeven kroop.

Even speelde er een zelfingenomen lachje om Jenners lippen. 'Ik wil het op schrift,' zei hij.

Will schrok zo nu het afgesproken tijdstip was aangebroken dat hij niet wist wat hij moest zeggen.

'Ik vertel waar het meisje wordt vastgehouden, maar dan ga ik niet naar de gevangenis,' zei Jenner. 'En ik kom ook niet op de lijst met geregistreerde zedendelinquenten,' voegde hij eraan toe.

'Je weet dat je niet onder een gevangenisstraf uit komt.'

'Ik kom overal onderuit als jullie dat meisje levend willen vinden. Laat de officier van justitie maar komen.' Zijn blik ging even naar de deur. 'Ik zou maar opschieten als ik jou was. De klok tikt door.'

Will stond van tafel op. In plaats van naar buiten te gaan wachtte hij tot de deur openging. Het was een indrukwekkend gezelschap: Anna Ward, de officier van justitie van Atlanta, Vanessa Livingston en Amanda Wagner.

Jenner hield zijn geboeide polsen omhoog. 'Doe die dingen af,' zei hij tegen Will.

Will zocht in zijn zak naar de sleutel. Net toen Amanda de deur dichtdeed, nam hij de boeien af.

'Mr Jenner.' Anna Ward streek haar rok glad en ging aan de tafel zitten. Ze sloeg een dossiermap open waarin drie documenten lagen. 'Ik ben Anna Ward, de openbaar aanklager van Atlanta. Hopelijk vindt u het goed als ik de rest van de plichtplegingen oversla. Zoals u weet, hebben we weinig tijd.'

Jenner glimlachte zijn kapotte tanden bloot. 'Integendeel. Ik heb alle tijd van de wereld.'

Anna liet hem de eerste brief zien. In de bovenhoek stond het in rood, goud en zwart uitgevoerde zegel van het Atlanta Police Department. 'Dit document bekrachtigt uw onmiddellijke vrijlating uit het luchthavenbureau van het APD en garandeert dat het korps u verder niet zal vervolgen wat deze zaak betreft. Het is ondertekend door commandant Vanessa Livingston, hier onderaan.' Ze pakte het volgende document. 'Hier staat dat de City of Atlanta niet van u eist dat u zich registreert op de lijst met zedendelinquenten, en dat we geen verdere aanklachten tegen u wegens ontvoering, transport en mensenhandel of welk misdrijf dan ook in behandeling zullen nemen, voor zover die betrekking hebben op Abigail Brannon.' Ze pakte het laatste blad. 'Hier staat dat de overeenkomst alleen geldig is als u ons vertelt waar het meisje zich precies bevindt.'

'Ik weet alleen waar ze naartoe is gebracht.'

'Uiteraard, Mr Jenner. Als u op deze regel doelt' – ze wees even naar de betreffende passage – 'dan zult u zien dat uw enige verplichting bij het nakomen van deze overeenkomst eruit bestaat dat u de waarheid spreekt over alles wat u weet. Zolang u de waarheid spreekt, is de overeenkomst bindend.' Ze pakte een pen uit de zak van haar jasje en overhandigde die aan Jenner.

'Laten we niet op de zaken vooruitlopen,' zei Jenner. Heel rustig las hij de documenten door. Zijn ogen schoten heen en weer over elke regel van elke pagina. Will keek op zijn horloge. Er verstreken vijf minuten voor Jenner zich ervan had verzekerd dat de overeenkomst geen enkele maas of truc bevatte.

'Oké,' zei hij, en hij pakte de pen. Hij ondertekende elke pagina en gaf de blaadjes toen terug aan Anna, die ze eveneens ondertekende en parafeerde.

'Mr Jenner,' zei Amanda. 'Waar is het meisje?'

Hij tuitte zijn lippen, zichtbaar genietend van de spanning. 'Ze wordt vastgehouden in het Lakewood Arms Hotel, kamer tweehonderdvijftien.' Nog geen vijftien kilometer van het vliegveld.

'Eropaf!' riep Vanessa en ze tikte op de confrontatiespiegel, maar Will vermoedde dat haar team al onderweg was.

'Mooi.' Jenner pakte de documenten en vouwde ze dubbel. 'Dan zal ik verder geen beslag meer op uw tijd leggen.'

'Heb je aan haar gezeten?' vroeg Will.

Jenner keek Anna Ward aan. 'U bent verplicht de waarheid te spreken, Mr Jenner,' zei ze. 'Dat is de afspraak.'

'Nee,' zei hij. 'Helaas niet.'

Elke spier in Wills lichaam spande zich. Als Amanda haar hand niet kalmerend op zijn schouder had gelegd, zou hij de man weer tegen de grond hebben geslagen.

'Volgens mij zijn we hier klaar.' Jenner stopte de documenten in de zak van zijn jasje en stond op van tafel. 'Wanneer gaan jullie nou eens inzien dat jullie niet slim genoeg zijn voor dit soort spelletjes?'

'Dertigduizend dollar,' zei Will. 'Is dat alles wat het leven van een kind waard is?'

Weer keek Jenner Anna Ward aan. 'De waarheid, hè?'

Ze kuchte even voor ze kon praten. 'Ja.'

'Ik vind dat een redelijke prijs als je het vervoer en het onderdak meerekent.' Hij slaakte een vergenoegde zucht. 'Ik weet dat het Lakewood Arms niet al te indrukwekkend klinkt, maar ik had een heerlijke nacht gepland voor ons eerste afspraakje.'

Will balde zijn vuisten. 'Vuile klootzak.'

Weer liet Jenner die akelige grijns zien. 'Ik zou maar snel naar Lakewood gaan, agenten. Eleanor verwachtte me een uur geleden al. Wedden dat ze inmiddels halverwege Florida zit?' Hij liep naar de deur. Zijn tred had iets verends. 'Florida. Dat klinkt ook niet gek voor een eerste afspraakje, toch?' Hij legde zijn hand op de deurkruk.

'Waar bent u van plan naartoe te gaan?' vroeg Amanda.

'Naar huis,' zei hij. 'Het was me het dagje wel.'

'Dat mag dan zo zijn…' Amanda reikte langs Jenner en deed de deur open. Een imponerende man in sheriffuniform blokkeerde de doorgang. Letterlijk, want het was een beer van een kerel.

Amanda stelde hen aan elkaar voor. 'Mr Jenner, dit is Phil Peterson, de sheriff van Clayton County. U kunt niet achter hem kijken, maar de sheriff van Fulton en de FBI willen ook graag een woordje met u wisselen.'

'De…' Jenner trok de documenten uit zijn zak. 'Maar u heeft me uw woord gegeven…'

'Mr Jenner.' Vanessa Livingston nam de honneurs waar. 'Als belastingjurist bent u toch op de hoogte van de rivaliserende belangen van de verschillende rechtsdistricten?' Ze zweeg even, alsof ze antwoord verwachtte. 'De luchthaven beslaat een gebied dat zich uitstrekt over twee county's en drie steden, en dat geen eigen rechtspersoonlijkheid bezit.' Ze zweeg weer om haar woorden te laten bezinken en wees toen naar de vloer. 'Op dit moment bevindt u zich in Atlanta. Als commandant van deze zone heb ik uw vrijlating gelast. Mijn handtekening staat op dat stuk papier. Ik zal u geen strobreed in de weg leggen als u wilt vertrekken.'

'En dat geldt ook voor mij,' voegde Anna Ward eraan toe. 'De City of Atlanta komt zijn afspraken na. We zullen u verder niet vervolgen.'

Jenners stem ging hoorbaar de hoogte in. 'Ik snap het niet.'

Vanessa legde het uit. 'Hal C ligt in Hapeville, dat bij Fulton County hoort. Toen u de ondergrondse trein nam, kwam u door delen van Clayton County die geen eigen rechtspersoonlijkheid bezitten. Uw uitstapje door de passage aan de zuidkant voerde u door College Park, dat eveneens binnen de grenzen van Fulton County ligt. We hebben kruis of munt gedaan en sheriff Peterson heeft gewonnen, dus hij mag u als eerste in staat van beschuldiging stellen.'

Amanda nam het van haar over. 'Het Georgia Bureau of Investigation wil ook graag met u praten over het feit dat u een kind over de grenzen van verschillende county's heeft vervoerd. En omdat u ook staatsgrenzen – behoorlijk veel staatsgrenzen – heeft overschreden,' voegde ze eraan toe, 'heeft de FBI eveneens een appeltje met u te schillen.' Ze gaf een perfecte imitatie weg van Jenners smalende glimlach. 'Ik ga ervan uit dat u begrijpt wat ik zeg, Mr Jenner. Het is altijd verfrissend om met iemand te praten die nog een stel hersens in haar hoofd heeft. Pardon, in zijn hoofd,' verbeterde ze zichzelf.

Sheriff Phil Peterson haalde zijn handboeien tevoorschijn. Hij was bijna dertig centimeter langer dan Jenner en twee keer zo breed. Zijn diepe bariton donderde tegen Wills trommelvliezen toen hij tegen Joe Jenner zei: 'Draai je maar om, mannetje. Ik zal je eens laten voelen hoe het is om meegesleept te worden door de luchthaven.'

7

Will liep te ijsberen onder de gates van Hal E. Er was een wachtkamertje, maar van een krappe ruimte werd hij nog gestrester. Zelfs de eindeloze uitgestrektheid van de openlucht was niet voldoende.

Van hem mocht het nu afgelopen zijn. Dan was Abigail weer bij haar moeder. Dan zaten de schurken achter de tralies. Hij wilde naar huis, naar zijn vriendin, om de rest van de nacht naar het kalmerende ritme van haar hartslag te luisteren.

Will staakte zijn geijsbeer toen er een vliegtuig landde. Hij keek toe terwijl het over de landingsbaan taxiede en de bocht nam naar een van de andere terminals. Hij begon weer heen en weer te lopen en dacht aan al die mensen boven zijn hoofd die geen idee hadden van wat er vandaag gebeurd was. Het verbaasde hem dat de aarde nog steeds om zijn as draaide. Grote straalvliegtuigen stonden keurig met hun neus naar de gates, en wachtten als soldaten in het gelid tot ze aan hun intercontinentale vlucht konden beginnen. Vliegtuigslurven werden aangesloten. Cateringtrucks werden op schaarliften omhooggetild. Koffers werden ingeladen. Cabinepersoneel ging aan boord. Soms liep er een piloot naar buiten om elke vierkante centimeter van het vliegtuig aan zijn speurende blik te onderwerpen, als onderdeel van de veiligheidsinspectie voorafgaand aan de vlucht.

Het was alsof er niets was gebeurd.

Will keek op zijn horloge en even werd hij door paniek bevangen, tot hij besefte dat hij de klok niet had teruggedraaid.

Abigail Brannon was veilig. Dat was het enige wat nu telde. Faith had vanuit het ziekenhuis gebeld om Will te laten weten dat het meisje het avontuur ongeschonden had doorstaan. Een paar schrammen en blauwe plekken vormden de enige fysieke schade die ze eraan had overgehouden.

Dat kon niet worden gezegd van Eleanor Fielding, die zo dom was geweest zich tegen haar arrestatie te verzetten. Een heel bataljon agenten had haar door het Lakewood Arms Hotel nagejaagd. Uiteindelijk was ze een balkon op gelopen en had gedreigd naar beneden te springen. Toen niemand aanstalten maakte haar tegen te houden, had ze het dreigement uitgevoerd. Helaas had de vrouw de val vanaf de tweede verdieping overleefd. Haar gebroken bekken en benen zouden wel weer genezen, maar ze zou de rest van haar leven in de gevangenis moeten doorbrengen.

Net als Joe Jenner.

Will kon een glimlach niet onderdrukken telkens als hij aan het geschokte gezicht van de man dacht. Het waren altijd de slimmeriken die hun eigen hoofd in de strop staken.

De deuren schoven open. Iemand van het grondpersoneel kwam naar buiten. Zijn oranje hes hing los om zijn middel. Hij knikte naar Will en liep toen naar de mannen die wachtten tot het volgende vliegtuig geland was zodat ze de bagage konden uitladen.

Will was het geijsbeer zat. Hij leunde tegen de muur. Zijn rug deed pijn. Zijn hoofd bonkte. Hij wist bijna zeker dat hij longkanker zou krijgen van de kerosinelucht die om hem heen hing.

Hij was duizelig van uitputting. En spanning. En opluchting.

Hij haalde Abigail Brannons schoen uit zijn zak. Ergens had hij lijm opgedoken waarmee hij het randje had vastgeplakt. Hij had de andere schoen uit het depot gehaald. Hij zou ze aan Faith geven, want hij betwijfelde of Abigail Brannon hem wilde ontmoeten. Ze had Will twee keer gezien: op het toilet en in de trein. Beide keren had ze hem smekend aangekeken, alsof ze hem vroeg haar te redden. Beide keren had Will haar teleurgesteld.

In elk geval zou haar moeder haar spoedig in haar armen sluiten. Will zou newageaanhangers voortaan geen freaks meer noemen. In zijn verbeelding had hij Abigail Brannon in haar moeders armen gezien, en dat ging nu ook echt gebeuren.

Een rijke boer uit Idaho had zijn privéjet ter beschikking gesteld zodat Rebecca Brannon rechtstreeks naar Atlanta kon vliegen om met haar dochter herenigd te worden. De charterpiloot had speciale permissie gekregen om naar Hal E te taxiën zodat ze niet lastig werden gevallen door de pers.

Will probeerde zich een voorstelling te maken van wat er op dat moment door de vrouw heen ging. De vlucht duurde ruim vier uur. Ze had dus zeeën van tijd om na te denken over het feit dat Paul Riggins, de man met wie ze een relatie had, haar dochter had verkocht aan een pedofielennetwerk. Hij zou de volgende tien jaar waarschijnlijk achter de tralies slijten.

Tien jaar.

Dan kwam hij er nog makkelijk van af, vond Will. Geen van die klootzakken kreeg ooit zijn verdiende loon. Het was het enige misdrijf waarvan Will vond dat het met de dood bestraft moest worden. Hij zou een pleidooi houden voor de terugkeer van het vuurpeloton als hij Joe Jenner persoonlijk mocht neerknallen.

De man was al bezig de zaken weer naar zijn hand te zetten. Hij had een van de topadvocaten van Georgia in de arm genomen. Straks kreeg hij maar vijf jaar. De geruchten over wat er in de gevangenis met pedo's gebeurde, berustten op waarheid, maar dat was nog steeds niet voldoende om Wills wraakgevoelens te bevredigen.

Weer schoven de deuren open. Amanda en Vanessa Livingston kwamen zij aan zij aangelopen. Ze spraken zachtjes met elkaar. Ze werkten al langer samen dan Will op aarde was. De vrouwen hadden een band als die van soldaten die in dezelfde veldslag hun vuurdoop hadden ondergaan.

Vanessa hield een politieportofoon in haar hand. Die begon te snerpen zodra de deuren dichtgingen. Ze bracht het ding naar haar oor en knikte, alsof de persoon aan de andere kant van de lijn haar kon zien. Ten slotte zei ze tegen Will: 'Het vliegtuig is zojuist geland. Faith komt eraan met het meisje. Er waren wat ondernemende verslaggevers die een vlucht hadden geboekt zodat ze in de terminal konden komen.'

'Volgens de geruchten arriveren ze in Hal T,' voegde Amanda eraan toe.

Vanessa grijnsde. 'Wie zou ze dat nou verteld hebben?' Met een knipoog naar Will liep ze op het grondpersoneel af.

Amanda bleef bij Will staan. Ze keken toe terwijl een klein straalvliegtuig de bocht naar de gates nam. Op de zijkant stond een groot groen logo. Will kon de woorden niet lezen, maar te oordelen naar de gele maïsstengel in het midden was dit het vliegtuig van de rijke boer uit Idaho.

'En dan wordt er beweerd dat de rijke bovenlaag zijn steentje niet bijdraagt,' zei Amanda.

Will was niet in de stemming voor grapjes. Hij zou pas weer kunnen ademen als Abigail en Rebecca Brannon herenigd waren.

Met brullende motoren kwam het vliegtuig hun kant op. De neus was recht op Wills borst gericht. Nadat het heel even bleef staan, reed het vliegtuig langzaam naar voren om op enkele meters afstand te stoppen. Het lawaai van de motoren stierf weg. Iemand van het grondpersoneel rolde een blauwe loper uit. De deur werd opengedraaid. Een trap kwam als een tong naar buiten.

De piloot verscheen eerst, gevolgd door een oudere man, waarschijnlijk een grootvader. Hij steunde op een stok. De piloot stak zijn hand uit om hem te helpen uitstappen. Zodra de oude man op de landingsbaan stond, keerde de piloot zich om en stak zijn hand uit naar de volgende passagier.

Will herkende Rebecca Brannon van haar persconferentie. In het echt zag ze er nog kwetsbaarder uit. De huid rond haar ogen was bijna zwart. Haar neus was gebroken, evenals haar enkel. Ze reikte de twee mannen haar kruk aan. Ze moesten haar helpen toen ze de trap af hinkte.

'Het is goed afgelopen,' zei Amanda tegen Will.

'Het had nooit mogen gebeuren.'

'Bekijk het van de positieve kant, Will. Dit soort zaken loopt meestal slecht af.'

Vanessa had de portofoon weer tegen haar oor gedrukt. Ze draafde voor de Brannons uit en gaf Will haar sleutelkaart. 'Ren naar boven om Faith binnen te laten,' zei ze. 'Volgens mij redt de moeder die trap niet.'

Will vond zichzelf niet de juiste persoon voor dit karwei, maar hij was te moe om te protesteren. Hij liep het gebouw weer in en stond even stil om zich te oriënteren. De doolhofachtige onderbuik van de luchthaven was uitermate verwarrend, iets wat het publiek nooit te zien kreeg. Will stuitte op de metalen trap bij een openstaande branddeur. Zijn schoenen roffelden over het metaal toen hij met twee treden tegelijk naar boven rende. Daar zag hij een gesloten deur met een smal raampje. Faith keek op hem neer. Haar gezicht stond bezorgd. Ze deed een stap terug zodat Will de deur open kon doen.

Hij stond boven aan de trap, niet in staat zich te verroeren. Hij had gehoopt dat het meisje te moe zou zijn om zich hem te kunnen herinneren. Hij had vurig gehoopt dat ze te zeer naar haar moeder verlangde om hem met diezelfde treurige blik aan te kijken als uren geleden.

Maar niets van dat alles. Abigail Brannons ogen waren op de vloer gericht. Ze was stil. Veel te stil.

Will keek Faith aan.

'Ze heeft iets kalmerends gekregen,' legde ze uit.

Will knielde neer op de bovenste tree zodat hij het meisje aan kon kijken. 'Je moeder zit beneden op je te wachten,' zei hij.

Ze verroerde zich niet, alsof ze haar moeder of wie dan ook niet wilde zien.

'Schatje, je wilt je moeder toch wel zien?' vroeg Faith.

Abigail haalde haar schoudertje op. Haar ogen stonden wazig. Haar gezicht was zonder enige emotie. Ze droeg een lang T-shirt dat over haar knieën viel en dat Faith ongetwijfeld in de ziekenhuiswinkel had gekocht. De vouwen zaten nog in de stof. Aan haar voeten had ze een paar blauwe ziekenhuissandalen met het kaartje er nog aan. Haar tenen waren niet eens te zien. De sandalen waren bedoeld voor een klein uitgevallen volwassene, niet voor een klein meisje.

Will haalde Abigails schoenen uit zijn zak. Even blonk er herkenning in de ogen van het kind. Zonder iets te zeggen legde ze haar hand op Wills schouder. Ze schopte de sandaal uit en tilde haar blote voet op zodat hij het Hello Kitty-schoentje eraan kon schuiven. Ze wisselde van hand en tilde de andere voet op. Met zijn vinger hielp hij haar hiel in de schoen. De achterkant stond stijf van de lijm.

'Klaar?' vroeg hij.

Ze antwoordde niet. Uiteindelijk dwong Will zichzelf haar aan te kijken. Hij bereidde zich al voor op die treurige blik, die recht naar zijn hart ging. In plaats daarvan zag hij verbazing.

'Ik heb u gezien,' fluisterde ze. 'Ik heb u al eens gezien.'

Will kreeg een brok in zijn keel. Nu was hij degene die niet kon praten. Hij kon alleen maar knikken.

'Ik heb u op de wc gezien en ook in de trein.'

Met moeite kreeg Will er een antwoord uit. 'Ja,' zei hij. 'Dat is zo.'

Tranen vulden haar ogen. Hij dacht dat ze ging huilen, maar toen kroop er langzaam een glimlach over haar gezicht. 'Ik wist dat u me ging redden,' zei ze tegen Will. 'Ik zag u kijken en ik wist dat u me ging redden.'

Will ademde uit. Nu pas besefte hij dat hij al die tijd zijn adem had ingehouden.

'Ik wist het,' herhaalde Abigail. 'Ik wist het gewoon.'

Ze sloeg haar armen om Wills schouders. Voorzichtig beantwoordde hij haar omhelzing. Hij kon haar knokige ellebogen en polsjes voelen toen hij Abigail optilde en de trap af droeg, naar haar moeder.

ONMISBARE VROUWEN

Ik was veertien toen ik mijn moeder zag sterven. Ze greep naar haar keel; haar bleke huid trok grauw weg en het bloed sijpelde tussen haar vingers door, alsof ze een spons uitkneep in plaats van zich aan het leven vast te klampen. Ze was amper dertig toen ze doodging, maar de jaren met mijn vader telden dubbel. Door haar donkere haar liepen zilveren strepen, als lijnen op een schoolbord, en haar ogen hadden iets hards, zodat je je blik snel afwendde voor je door het verdriet werd meegezogen.

Ik probeer daar niet meer aan te denken, aan dat laatste beeld van mijn moeder. Als ik mijn ogen dichtdoe, denk ik aan al die zaterdagavonden dat ik op de vloer van de woonkamer zat en mijn moeder op een stoel achter me, en dan borstelde ze mijn haar om het mooi te maken voor de zondagsdienst. Mijn moeder was eigenlijk niet zo godsdienstig, maar we woonden in een stadje pal op de grens tussen Georgia en Alabama, waar de mensen al snel kletsten. Ik ben blij dat we dat soort avonden hadden, want nu ze er niet meer is, kan ik eraan terugdenken en dan voel ik de borstel soms weer door mijn haren gaan, en mijn moeders hand die zachtjes op mijn schouder drukt. Dat geeft me troost.

We woonden in een huis met drie kamers, gebouwd van betonblokken, die de hitte vasthielden als in een oven. Gelukkig waren er pecanbomen die hun schaduw op het dak wierpen, zodat we niet de volle laag van de zon kregen. In een streek waar de temperatuur regelmatig tot boven de vijfendertig graden stijgt, maakt dat wel wat uit. 's Zomers plukten we de pecannoten, zoutten ze en verkochten ze aan de vakantiegangers die op weg waren naar de Florida Panhandle. Soms bracht mijn vader pinda's mee en die kookte mijn moeder dan. Ik zie haar nog voor de kookpot staan en met een lange lat in de pinda's roeren, haar schenen felrood van het open vuur onder de pot.

Ons leven verliep volgens een vast patroon, en ook al kan ik niet zeggen dat we gelukkig waren, we behielpen ons met wat we hadden. 's Avonds hoorden we de mensen soms toeteren als ze de grens met Alabama overstaken, en dan kreeg mijn moeder een weemoedige blik in haar ogen. Ze zei nooit iets, maar ik weet nog dat mijn maag in een kramp schoot de allereerste keer dat ik die blik zag en besefte dat mijn moeder misschien niet gelukkig was, dat ze misschien helemaal niet hier wilde zijn, bij mijn vader en mij. Zoals de meeste dingen ging ook dit voorbij, en algauw schonken we geen aandacht meer aan de toeterende vakantiegangers. Zo halverwege de zomer ging het tijdens de maaltijd altijd van:'Geef me de…' *toettoet*. Of:'Mag ik nog wat…' *toettoet*.

Mijn vader was vrachtwagenchauffeur; hij werkte nu eens voor het ene bedrijf en dan weer voor het andere en reed in zijn truck het hele land door. Vaak bleef hij weken achtereen weg, een enkele keer zelfs maanden. Als hij thuis was, sliep ik meestal op de bank, maar als hij weg was, sliep ik altijd bij mijn moeder in het grote bed. Dan bleven we tot laat op de avond wakker en praatten over hem, want we misten hem allebei. Dat zijn geloof ik de mooiste herinneringen die ik aan mijn moeder bewaar. Die avonden wanneer het licht uit was en het werk aan kant: wanneer alle vloeren geboend waren, alle maaltijden bereid en alle overhemden gestreken. Mijn moeder had in die tijd twee baantjes: overdag maakte ze de wc's schoon in het bezoekerscentrum aan de Alabama-kant van de grens, en 's avonds werkte ze in de wasserij. Als ik bij haar in bed lag, rook ik een vreemde mengeling van bleek- en wasmiddelen. Als dat mes haar niet gedood had, denk ik vaak, zou ze door de chemicaliën voortijdig aan haar eind zijn gekomen.

Ongeveer een week voor haar dood wilde mijn moeder met me praten. We waren vroeg naar bed gegaan, bij het vallen van de schemering, want ze moest de volgende ochtend om vier uur op haar werk zijn. Regen striemde over het zinken dak: een sussend geluid waar we slaperig van werden. Ik was al bijna vertrokken toen mijn moeder zich omdraaide in bed en me weer wakker porde.

'We moeten praten,' zei ze.

'Shh-shh-shh,' waarschuwde de regen, op bepaald niet zachte toon.

Mama's stem verhief zich boven het geruis, en ze klonk streng.'We moeten nu echt praten.'

Ik wist wat ze bedoelde. Er was een jongen op school, Rod Henry, die de laatste tijd belangstelling voor me begon te tonen. Hoewel ik hem geen aanleiding had gegeven, was hij bij mijn halte uit de bus gestapt in plaats van bij zijn eigen huis, zo'n vijf kilometer verderop. Het enige wat ik interessant vond aan Rod Henry was dat hij een jongen was en een stuk ouder dan ik, een jaar of zestien. Op zijn bovenlip zat iets wat je met een beetje goede wil een snorretje kon noemen, en zijn haar was lang genoeg om in een staartje te doen. Toen hij me meetrok achter de pecanhut op het voorerf verzette ik me niet. Uit pure nieuwsgierigheid liet ik me door hem kussen. Uit pure nieuwsgierigheid liet ik me door hem betasten.

'Die Rod Henry,' zei mijn moeder, 'daar moet je voor uitkijken.'

'Hij heeft een tattoo,' zei ik, want dat had ik gezien. 'Ik vind hem niet echt aardig.'

'Ik vond je vader ook niet echt aardig toen ik hem pas kende,' zei mijn moeder. 'Maar die dingen overkomen je nou eenmaal.'

Ik wist dat ik zo'n ding was dat mijn moeder was overkomen, zo'n ding waardoor ze op haar vijftiende van school moest, zo'n ding waardoor ze nu in het bezoekerscentrum wc's schoonmaakte in plaats van in een warenhuis in Mobile te werken, zoals ze van plan was geweest zodra ze haar school had afgemaakt. Haar zus Ida was daar manager en ze hadden het er al jaren over gehad dat mijn moeder bij Ida zou gaan werken wanneer ze van school kwam. Ze zou bij Ida in de flat gaan wonen en ze zouden hun geld op de bank zetten en op een dag zouden ze een stel aardige, nette jongens ontmoeten en trouwen. Het was een volmaakt plan, tot mijn vader op het toneel verscheen.

Als je mijn moeder moest geloven, was de romantiek ver te zoeken toen mijn vader haar veroverde. Alles deed ze voor het eerst, die avond die haar leven zou veranderen. Ze rookte haar eerste sigaret, ze dronk haar eerste biertje, ze kreeg haar eerste zoen, ze had voor het eerst seks.

'Meer is er niet voor nodig, liefje,' zei mijn moeder; ze sloeg haar vingers om mijn arm en haar stompe nagels voelden als scherven gloeiend metaal. 'Eén keer is genoeg.'

Ik sloot mijn ogen en begon zomaar te huilen. Ik stelde me voor hoe het geweest moest zijn voor mijn moeder – die op dat moment maar een paar jaar ouder was dan ik nu – toen mijn vader voor het eerst boven op haar ging liggen. Hij was geen zachtaardig man, en bovendien was hij groot, minstens een meter negentig, met een brede borst en armen die zo gespierd waren dat hij de mouwen van zijn T-shirts moest afknippen voor hij ze aantrok. Mijn vader was tweeëntwintig toen hij mijn moeder ontmoette, en hij had haar er ingeluisd, zei ze, met zijn wereldwijze manieren.

'En dan die pijn,' mompelde mijn moeder. 'Hij scheurde me zowat doormidden.'

Ik knikte begrijpend. Ze was een kleine vrouw, met tengere polsen en een slanke taille. Ze had iets breekbaars over zich waardoor menigeen zich om de tuin had laten leiden. Mijn vader zei vaak dat ze vel over been was, maar ik vond haar eerder vel over spier. Ik strekte mijn hand naar haar uit en streelde haar arm, die pezig en hard was van al het werk. Een reepje licht viel door het raam naar binnen. Nu de last van de dag van haar was afgegleden, stond haar gezicht ontspannen, en ik zag het jonge meisje voor me dat ze geweest moest zijn voor mijn vader haar te pakken kreeg. Ik zag hoe mooi ze geweest moest zijn in zijn ogen, en ik zag ook dat ze alles was wat ik niet was. Naast haar voelde ik me net een monster.

Opeens draaide ze haar hoofd om: alle zachtheid was verdwenen en over haar voorhoofd liep een diepe rimpel. 'Luister je eigenlijk wel?' wilde ze weten, en in de kleine ruimte klonk haar stem laag en scherp.

'Ja, mama,' mompelde ik, en ik trok mijn hand terug, alsof ik een slang had aangeraakt. Ze bleef me een tijdje zo aankijken en verlamde me met de woede en angst die ik in haar binnenste zag broeien. Ze had me nog nooit geslagen, maar ze straalde agressie uit, alsof ze zich elk moment op me kon storten om me te wurgen.

'Doe niet zoals ik, liefje,' zei ze. 'Blijf niet bij je vader in dit huis hangen, zoals ik.'

Nu kwamen de echte tranen. 'Dat zal ik niet doen, mama,' fluisterde ik.

Ik zag aan haar blik dat ze me niet geloofde, maar ze wist dat er niets tegen te doen viel. Ze keerde me haar rug toe en viel in slaap.

Mijn moeders waarschuwing kwam te laat, natuurlijk. We wisten het geen van beiden, maar op dat moment was ik al zwanger.

Na haar dood moest ik bij mijn vader aan tafel komen zitten. Hij plantte zijn ellebogen op het tafelblad en sloeg zijn handen ineen. Het viel me op dat zijn twee handen samen groter waren dan mijn hoofd. Hij rook naar pijptabak en zweet. Zijn baard brak door, hoewel hij anders altijd gladgeschoren was. Het heengaan van mijn moeder was een zware klap voor hem geweest.

'Nu je mama er niet meer is,' zei hij, 'ben jij hier de vrouw in huis.' Hij zweeg en haalde zijn brede schouders even op, als om zich te verontschuldigen. 'Schoonmaken, koken, de was. Allemaal van die dingen waarbij een vrouw onmisbaar is.'

In zijn stem klonk oprecht verdriet en ik voelde een pijnscheut door me heen trekken. Ik rende van tafel en gaf over in de gootsteen. Achteraf weet ik niet of de golf van gal die naar mijn strot steeg door de baby kwam of door mijn vaders woorden.

Ongeveer een halfjaar later – mijn vader was weg voor zijn werk – begon de pijn. Ik was alleen thuis, was al drie weken alleen thuis. Ik ging niet meer naar school en niemand had de moeite genomen om te kijken waarom ik niet kwam opdagen. Ik was fors gebouwd en torste mijn gewicht voor me uit, en het viel niemand op dat mijn buik dikker werd. Ik had geen idee dat ik zwanger was, en toen ik niet meer ongesteld werd, vatte ik dat op als een geschenk van God in plaats van als een teken dat ik een kind kreeg. Ik was vijftien tegen die tijd, net zo oud als mijn moeder toen ze mij kreeg, en op dat gebied erg onnozel, moederloos als ik was.

De tweehonderd dollar die mijn vader voor me had achtergelaten om eten van te kopen, was tegen de derde week op. Ik was een kind en kon nog niet met huishoudgeld omgaan. In de keukenkastjes stonden pakken limonadepoeder en de koelkast had ik gevuld met *iced tea*, maar op de planken was hoegenaamd niks voedzaams te vinden. Het was hartje winter en abnormaal koud, en behalve de pecandoppen die ik in de haard opstookte, had ik geen brandstof. Door de kou en de honger moest het wel verkeerd aflopen met mijn baby. Ik weet dat ik er schuld aan heb.

Die ochtend had ik het .22 geweer van mijn vader gepakt en een eekhoorn geschoten, maar er zat weinig vlees aan en ik had het geloof ik niet lang genoeg gekookt. Om zes uur 's avonds kreeg ik hevige pijnen. Eerst dacht ik dat het darmkrampen waren door het slechte vlees, maar algauw ging de pijn over in scherpe weeën. Ik dacht dat ik doodging. Ik dacht aan mijn moeder, en toen vond ik het eigenlijk wel best.

De nacht ging voorbij, toen de volgende dag en toen kwam er weer een nacht. Op een gegeven moment had de pijn me zo in zijn greep dat ik een van de stoelen zowat aan barrels sloeg. We hadden geen telefoon thuis, en ook al hadden we die wel gehad, dan zou ik niet hebben geweten wie ik moest bellen. Ik wist niet waar mijn vader was en op school had ik geen vriendinnen.

De baby kwam op de derde dag, tegen een uur 's nachts. Het was een nietig wurmpje, met maar één armpje en een knobbeltje waar haar linkervoetje hoorde te zitten. Toen ik haar oogjes open priegelde, waren ze donkerblauw, maar dat geldt voor de meeste baby's. De navelstreng zat om haar hals gewikkeld en daar zal ze wel aan gestorven zijn. Ik zei boven haar hoofdje een gebed op en smeekte God om haar op te nemen in Zijn huis, ook al was ze misvormd en had ze geen vader.

De grond was te hard om haar in te begraven. Ik wikkelde haar in een oude deken en legde haar achter de kookpot in de pecanhut. 's Nachts werd ik af en toe wakker en dan meende ik haar te horen huilen, tot ik besefte dat ik het zelf was. Twee weken verstreken voor de grond ontdooide, en toen begroef ik mijn baby in een grafje naast mijn moeder, achter het huis. Ik legde een steen op de aardhoop, knielde neer en vroeg of ze me beiden wilden vergeven. Toen mijn vader de volgende dag thuiskwam, zag ik daarin een teken dat mijn gebed was verhoord.

Ik maakte *chitterlings*, stoofpot van darmen, van een varken dat hij achter in zijn truck had meegenomen.

'Lekker, die chitterlings, lieffie,' zei mijn vader terwijl hij een volle vork in zijn mond schoof. 'Net zoals je moeder ze maakte.'

Zijn ogen schoten vol en medelijden zond een steek door mijn hart, zoals ik nog nooit eerder had gevoeld. Hij had van mijn moeder gehouden. Het maakte niet uit wat de drank met hem deed of waar zijn drift hem toe dreef, hij had van haar gehouden.

'Ik weet nog dat je deze maakte toen je moeder…' Zijn stem sloeg over. Met moeite plooide hij zijn gezicht tot een glimlach. 'Kom eens bij me op schoot zitten, wijffie. Vertel eens wat je allemaal hebt uitgespookt toen ik weg was.'

Ik vertelde hem niet over Laura Lee, mijn kleine meisje dat achter op het erf lag, naast mijn moeder. Ik verzon verhalen over lessen die ik niet had gevolgd, over vriendinnen die ik niet had. We lachten samen, hij rookte zijn pijp, en toen ik mijn hoofd op zijn schouder legde, troostte hij me.

Na een tijdje duwde hij me van zich af en toen ik aan zijn voeten ging zitten, stak hij van wal. 'Hoor eens, schat,' begon hij, woorden die hij altijd gebruikte wanneer hij iets moeilijks ging zeggen. Die eerste keer had hij precies hetzelfde tegen me gezegd, wist ik nog. Ik lag op de bank, mijn moeder sliep in de kamer ernaast, en mijn vader kwam binnen en schudde me wakker. 'Hoor eens, schat,' had hij toen gezegd, en nu zei hij het weer.

'Ik heb een dame ontmoet,' vervolgde hij, en het hart zonk me in de schoenen. 'Ze komt gauw eens langs.' Hij lachte zachtjes. 'Jezus, misschien komt ze na een tijdje wel bij ons wonen als het een beetje klikt. Kan ze je wat werk uit handen nemen. Wat vind je daarvan?'

Ik veegde mijn mond af aan de rug van mijn hand en ging op mijn hurken zitten. Ik zag mijn moeder weer in de keuken staan, die dag, en haar haren wassen bij de gootsteen. Ik wist weer hoe kwaad ik was geweest toen ik hen de vorige avond had gehoord. Hij had me bezworen dat hij niet meer met haar ging, hij had gezegd dat hij mij alleen nodig had omdat hij haar niet meer mocht aanraken. En toen had ik ze samen in bed gehoord, ronkend als varkens. Ik was de kamer in gelopen en had hem daar bezig gezien, met zijn mond tussen haar benen, tot haar lichaam zich spande en ze zijn haren vastgreep.

Ik balde nu mijn vuisten en ik voelde mijn moeders haar weer tussen mijn vingers terwijl ik haar hoofd naar achteren rukte. Mijn vader zou die avond thuiskomen, dus ik moest snel zijn. Klein als ze was, wist ik dat haar handen sterker waren dan de mijne. Het lemmet was scherp, maar iemand kelen is net zoiets als een kip de kop afsnijden. Je moet het mes er meteen op de goede plek insteken, want anders gaat het er niet helemaal doorheen. Ik moest zes keer hakken voor haar nek door-midden was.

Tegen de tijd dat ik haar hoofd eraf had, was het mes stomp, maar niet bij de punt, en toen ik ermee tussen haar benen kerfde, klapte het vlees dubbel als een stuk lever. Ik nam de kookpot om het eten in te bereiden, en mijn vader kreeg hetzelfde voorgeschoteld waar hij zich de vorige avond te goed aan had gedaan.

Mijn vader krabde over zijn kin en schonk me een ongemakkelijk lachje. 'Je moeder is er zomaar van tussen gegaan,' zei hij schouderop-halend. 'Geen briefje, geen afscheid.' Hij leunde achterover op zijn stoel, een verontschuldigende glimlach op zijn gezicht. 'Ik heb ook zo mijn behoeften.'

'Dat weet ik, papa,' antwoordde ik, en met bevende vingers knoopte ik mijn bloesje dicht.

'Ik bedoel, tussen ons hoeft niks te veranderen. Je weet dat je altijd mijn meisje blijft.'

'Dat weet ik, papa,' mompelde ik.

'Vind je het dan goed, schat?' vroeg mijn vader, en hij ging staan om zijn broek dicht te ritsen.

'Ja hoor, papa,' zei ik, en ik probeerde nog opgewekt te klinken ook. Ik keek naar hem op en schonk hem mijn liefste glimlach. 'Waarom nodig je haar volgende week zondag niet uit? Voor het eten.'

ONBEGREPEN

INLEIDING

Martin uitgelegd, of:
hoe Martin per ongeluk een interessant mens werd

Lang geleden was Martin Reed tot de conclusie gekomen dat hij in het verkeerde lichaam was geboren. Vaak vroeg hij zich af hoe anders zijn lot zou zijn geweest als het vormloze hoopje mens dat suffig de ruimte in staarde op die eerste, in het ziekenhuis genomen foto ook maar een snippertje belofte had uitgestraald. Maar nee, het mocht niet zo zijn. Het beeld van de kleine Martin, die zichzelf als een opgezwollen zeehond de wereld in stuwde, nat, met zijn roze lipjes van elkaar en een kin die ook toen al in zijn hals verdween, en – misschien nog wel het ergste – met de woorden 'Mama's engeltje' boven zijn grijzige, haarloze hoofdje gedrukt, zou hem zijn hele leven achtervolgen.

Niet dat Martin zo'n dromer was. Hij verkeerde bijvoorbeeld niet in de waan dat George Clooney er met zijn echte gezicht vandoor was gegaan. En al evenmin werd hij groen van jaloezie bij de aanblik van de torso van Brad Pitt. Hij zou al heel tevreden zijn geweest met een doorsneemannenlijf, zo'n lichaam dat na al die uren op het Chuck Norris-fitnessapparaat wat spierbundels vertoonde in plaats van hetzelfde spek, maar dan zijwaarts herschikt. Zelfs de bouw van Will Ferrell had ermee door gekund. De bittere waarheid was dat Martins lijf eerder deed denken aan Jodie Foster in haar studententijd. Voeg daarbij zijn weke kin, zijn haakneus en de C-vormige lijn van zijn schouders, en de oorzaak van zijn ongenoegen (en dat van talloze blind dates) werd pijnlijk zichtbaar.

Hij leidde het trieste soort leven dat je zou verwachten van Jodie Fosters minder aantrekkelijke, van haar vervreemde tweelingbroer. Na zestien jaar als hoofdboekhouder bij Southern Toiletbenodigdheden had hij zich enigszins verzoend met het leven in het bekrompen stadje in Georgia waarin hij was beland. De pestkoppen met wie hij op de middelbare school had gezeten, waren dezelfde hufters met wie hij nu moest samenwerken. De aanvoerster van de cheerleaders die niets van hem had willen weten, wilde nog steeds niets van hem weten, maar nu vanachter een bureau in plaats van pompons. Norton Shaw, die hem bij meetkunde altijd het nakijken had gegeven, was zijn directe chef geworden. Zelfs de bewaker was dezelfde die de ronde had gedaan door de gangen van Tucker High School; hij was ontslagen omdat hij een van de kantinedames had gestalkt, een vergrijp waarvan de werknemers van Southern Toilet blijkbaar niet wakker lagen.

Goed beschouwd was het meest typerende aan Martins leven dat het niet veel was veranderd sinds hij van school was gekomen. Voor Martin had het leven dan ook zelden iets verrassends. Zo gewoon mogelijk zijn, dat was altijd zijn onbereikbare levensdoel geweest. Zijn lengte was gemiddeld, zijn intelligentie was gemiddeld, zijn gewicht was gemiddeld – hoe was het dan mogelijk dat hij zo opvallend ondermaats overkwam? Gelukkig waren er een paar dingen die hem tot aanbeveling strekten. Een vaste baan. Een Toyota Camry, die bijna was afbetaald. Diepgaande kennis van het toiletbenodigdhedenbedrijf.

Gezegd moet worden dat Martin het grootste deel van zijn leven aan verandering had gewerkt. Verwoed lezer als hij was, had hij eerst zijn toevlucht genomen tot boeken. Hij had alle *Balsem*-boeken voor elk type ziel gelezen. Van *De kracht van positief denken* was hij zwaar depressief geworden. Tot zijn ontzetting ontdekte hij dat hij meer eigenschappen gemeen had met mensen van Venus dan met mensen van Mars. *The Secret* was op zijn pad gekomen zo rond de tijd dat hij door een reeks rampen werd getroffen: bindvliesontsteking, een ongelukje op een defecte roltrap, het woordje 'lul' dat met een sleutel in zijn auto was gekrast. Martin was er eens lekker voor gaan zitten, met het boek op schoot en een warm washandje op zijn oog, maar algauw was hij tot de ontdekking gekomen dat het allemaal zijn eigen schuld was.

Martins moeder was al even ontevreden over haar zoon, misschien nog wel ontevredener dan hijzelf. Vaak keek ze hem over de ontbijttafel heen aan (uiteraard woonde hij nog altijd bij zijn moeder) en deed dan een of andere gewichtige uitspraak over zijn vele tekortkomingen.

'Mijn hemel, volgens mij ben je vannacht nog meer haar kwijtgeraakt.'

'Jeetje, kijk eens hoe die vetrol over je riem blubbert.'

'Wist je dat er vrouwen zijn die je tegen betaling gezelschap houden?'

Op het eerste gezicht was Evelyn Reed het prototype van het lieve oude dametje. Tot ze haar mond opendeed. Evenals Martin was ze een buitenstaander, het type dat niet snel vrienden maakt. In tegenstelling tot Martin zocht ze de schuld bij anderen en zag het niet als een rechtstreeks gevolg van haar weerzinwekkende persoonlijkheid. Doorgaans beschouwde hij haar als een afschuwelijke heks, die hem er dag in dag uit van weerhield om de oversteek te maken naar een nieuw en spannender leven. Maar soms was hij milder gestemd en dan zag hij slechts een oude vrouw, die hopelijk snel dood zou gaan zodat hij aan dat nieuwe, spannende leven kon beginnen.

Veel van Martins dromen hadden een gelukkig einde, waarbij zijn moeder in een of ander groot hiernamaals werd opgenomen. Terwijl hij op zijn kalkoenbacon kauwde of zijn pruimensap dronk, verbeeldde Martin zich vaak dat hij een personage in een boek was, een komisch verhaal met een moordlustige ondertoon. *Oude zaken* van Kate Atkinson, maar dan zonder de goede afloop. Zijn gedachten zouden cursief staan en zijn woorden tussen aanhalingstekens.

'Moeder, zou je het botermesje aan willen geven?' *Maar ram het eerst in je borst.*

Ooit was Evie Reed een aantrekkelijke vrouw geweest, een feit waarvoor merkwaardig genoeg geen enkel bewijs bestond. Er waren geen foto's waarop haar grote schoonheid was vastgelegd, geen getuigen die haar uitspraken konden staven. Het was amper te geloven voor wie haar nu zag, met haar grijze haar vakkundig opgestoken in een knot, en met een grote moedervlek midden op haar voorhoofd, die onwillekeurig aan een derde oog deed denken. De toehoorder werd geacht ook dit verhaal voetstoots aan te nemen, net als alle andere beweringen, alsof de kettingrokende, graatmagere, vuilbekkende vrouw die met haar spichtige beentjes strak over elkaar geslagen de krant zat te lezen, het ooit tegen Jean Harlow had kunnen opnemen. Ze was als George Bush onder het bord MISSION ACCOMPLISHED.

'Zal ik jou eens wat vertellen, Martin?' Ze schoof haar sigaret naar haar mondhoek, waar hij op en neer wipte terwijl ze sprak; een dun sliertje rook kringelde uit haar zwart uitgeslagen rechterneusgat. 'Ik was echt een stuk in mijn jonge jaren.'

'Vast.' *Met 'jonge jaren' bedoel je zeker het mesozoïcum.*

Ze snoof, alsof haar reukzin niet was weggebrand na veertig jaar Kool light te hebben gerookt. 'Je hebt toch niet gedronken, hè?'

Hij ademde diep in en liet de lucht langzaam weer ontsnappen voor hij antwoord gaf. 'Nee, moeder. Ik heb niet gedronken.'

Ze keek teleurgesteld, wat hem niet verbaasde. Ze was uit haar kerkclubje gewerkt nadat ze een scheuring had veroorzaakt onder de Vrijwilligsters in het Ziekenhuis ('Kouwe kak, dat is het!'), en tegenwoordig ploos ze de kleine advertenties na op zoek naar een nieuwe club om zich bij aan te sluiten. Het liefst zou ze zien dat Martin een vreselijke ziekte opliep of ergens aan verslaafd raakte – desnoods aan verboden middelen –, zolang er maar een steungroepje bij hoorde, en bij voorkeur in de buurt, want ze mocht 's avonds niet autorijden. De laatste tijd liet ze haar medicijnen op het aanrecht rondslingeren, alsof ze hem in verleiding wilde brengen.

'Moet je zien,' zei ze, wijzend naar een advertentie. 'Er is een bijeenkomst van PFLAG aan Lawrenceville Highway.' Met hoopvol opgetrokken wenkbrauwen keek ze hem over de krant heen aan.

Martin voelde zijn ziel verpieteren als een biologisch afbreekbare piepschuimkorrel in een plas water. PFLAG was een steungroep voor ouders en vrienden van homo's en lesbiennes.

'Er staat dat er versnaperingen worden geserveerd.' Haar ogen schitterden. 'Zijn dat soms lekkere hapjes?' Ze kraaide het uit bij de gedachte. 'Wedden dat ze donuts hebben?'

Ergens, uit een afgelegen, geheime plek, diepte Martin een laatste grammetje waardigheid op. 'Ik ben geen homo, moeder.'

Ze keek hem strak en uitdagend aan.

'Echt niet.'

Ze sloeg een vouw uit de krant. 'Ook goed,' schamperde ze. 'Wat maakt het trouwens uit? Alsof je de laatste tien jaar nog een beurt hebt gehad.'

Martin smeerde een vleugje cholesterolverlagende nepboter op zijn wafel. Het spul dreef op de ribbels als lotion op de huid van een dode.

Voor iemand die niet goed op de hoogte was van Martins privéleven (en eerlijk gezegd was dat op Evie na iedereen) zou het merkwaardige feit dat hij wist hoe lotion op de huid van een dode eruitzag enige toelichting behoeven. Maar Martin moest naar zijn werk en hij was al aan de late kant, en bovendien dacht hij liever niet aan zijn vader, want dat leidde alleen maar tot een mallemolen van zinloze veronderstellingen, en voor hij het wist, was hij weer helemaal van de kook.

Stel dat zijn vader er geweest was toen Martin opgroeide, en hem had beschermd tegen Evies getreiter?

Stel dat zijn vader er geweest was om Martin voor te lichten, in plaats van dat zijn moeder hem een pot Vaseline Intensive Care toewierp, met de waarschuwing dat het niet op de bank mocht komen?

Stel dat zijn vaders dood als een ongeluk was beschouwd?

Martin dacht over al die dingen na terwijl hij zijn koffertje en zijn sleutels van het haltafeltje pakte. Hij wierp een blik in de spiegel om te zien of zijn das goed zat, trok de knoop recht en probeerde niet naar zijn zwabberende kin te kijken. Hij kon het toch niet laten, keek even over zijn schouder om er zeker van te zijn dat Evie nog in de keuken zat, nam de huidplooien aan weerskanten tussen zijn vingers en trok ze naar zijn oren, zodat ze strak tegen zijn kaak aan lagen. Hij bestudeerde zichzelf nu zijn kalkoenlellen verdwenen waren, en vroeg zich af of er ooit iemand door zijn talloze gebreken heen zou kunnen kijken en de echte Martin zou zien: de zachtaardige man die van boeken hield, de boekhouder die zo verbijsterend accuraat was en een bovennatuurlijk talent bezat voor het opmaken van de balans.

'Ben je daar nog?' riep zijn moeder.

Adem je nog?

'Ik ga nu,' antwoordde Martin. Toen hij de huidplooien losliet, vormden ze weer een zak, die aan de krop van een meeuw deed denken. Hij zocht in de kast naar een jasje, eentje dat niet naar zijn moeder stonk: een geurenpalet van sigarettenrook en White Diamonds-parfum met een gistig zweempje mozzarella. Hij hield elk jasje tegen zijn neus en koos ten slotte zijn jack, dat nog het minst stonk. Terwijl hij het dichtknoopte, keek hij even achterom in de spiegel, naar zijn profiel.

Eigenlijk hield hij zichzelf voor de gek als hij beweerde dat hij niet in alle opzichten op George Clooney zou willen lijken. De elegantie en charme van de man zou hij nooit kunnen bezitten, maar dankzij de magie van de plastische chirurgie was hij erin geslaagd zijn neus te jatten. Drie jaar geleden had Martin een hoop geld neergeteld voor een neusoperatie, en het was de bedoeling geweest dat zijn kin daarna aan de beurt zou komen. De ingreep was geslaagd, maar de reacties op het werk waren rampzalig. Zijn oude schoolgenoten kenden Martin niet anders dan met een grote neus. Niet voor niets was hij zijn hele leven al 'Snavel' genoemd. Nu de snavel in kwestie niet langer aanwezig was, leek de bijnaam nog toepasselijker. Het gepest werd alleen maar erger toen het verband eraf ging, en ook al had hij bij hoog en bij laag volgehouden dat de operatie diende om een afwijkend neustussenschot te corrigeren, er was niemand die hem geloofde. Een kinoperatie zou alleen maar tot meer gehoon hebben geleid.

Maar als Martin nu alle bizarre aspecten van zijn leven de revue liet passeren, kwam hij nog te laat op zijn werk.

Hij deed de voordeur op slot en liep de verandatrap af. Zijn Camry stond bij de brievenbus geparkeerd, en het woordje 'lul' dat op het rechterportier was gekrast, glinsterde in de ochtenddauw. De schade-expert van de verzekering had gezegd dat het een hele tijd zou duren voor alle papierwerk rond was en de plek overgespoten kon worden. Ben Sabatini, zo heette de man, was op de middelbare school een van de grootste treiterkoppen geweest, en Martin had de stellige indruk dat hij er alle tijd voor nam.

De kras was de week ervoor aangebracht. Martin was 's ochtends het huis uit gelopen, net als nu, en had gezien dat zijn auto onder handen was genomen. Evies lach gorgelde nog na in zijn oren als hij aan het incident dacht.

De politieagent die proces-verbaal had opgemaakt, had gezegd: 'Dit is duidelijk het werk van een bekende.'

Martin nam zijn koffertje in zijn andere hand en liep de oprit af. Het was licht gaan regenen en de druppels kriebelden op het puntje van zijn neus. Hij keek naar de bloemen in de tuin – merkwaardig genoeg kon Evie uitstekend tuinieren. Langs het gazon aan de voorkant stond het vol met exotische bloemen. Vóór het tuiniersclubje haar had verzocht om op te stappen en haar er vervolgens uit had geschopt, had Evie de meeste lintjes van de hele staat verzameld met haar kleurige pioenen.

Martin deed de Camry met zijn sleutel van het slot (hij had ergens gelezen dat autosloten met afstandsbediening teelbalkanker konden veroorzaken) en gooide zijn koffertje op de achterbank. Hij zat al half in de auto toen het hem opviel dat er iets mis was met de voorkant. Langzaam liep hij om de wagen heen en toen zag hij dat de bumper erbij bungelde.

'Verdomme,' mompelde hij. Hij wierp een blik op het huis, waar in de voorkamer het gordijn bewoog. Onwillekeurig klonk Evies gelach weer in zijn oren. 'Natuurlijk is dat het werk van een bekende,' had ze tegen de agent die het proces-verbaal opmaakte gezegd. 'Hebt u ooit van uw leven een grotere lul gezien?'

Martin had geen zin in weer zo'n vernederend politierapport, en bovendien beantwoordde Ben Sabatini zijn telefoontjes niet meer als hij belde over dat 'lul'. Er was geen enkele reden om te geloven dat het deze keer anders zou gaan. Met twee handen trok Martin aan de kunststof bumper en wrikte het losse stuk heen en weer tot het doormidden brak. Pas toen hij de beschadigde bumper in de kofferbak wilde leggen, zag hij het bloed op zijn handen. Dunne streepjes, alsof hij zich aan papier had gesneden, liepen kriskras over zijn handpalmen. Martin haalde zijn zakdoek tevoorschijn en veegde zijn handen af. Hij hoefde niet naar het huis te kijken om te weten dat zijn moeder alles volgde.

Als hij Tom Clancy niet had gelezen vlak nadat hij *Fatal Vision* had herlezen, dan zou het bloed op zijn handen hem eraan hebben herinnerd dat Jeffrey McDonald, de hoofdpersoon in het waargebeurde misdaadverhaal, veroordeeld was voor de moord op zijn hele gezin op basis van bloed dat op de plaats delict was aangetroffen. Nu had hij slechts visioenen van Clancy's held Jack Ryan, terwijl hij de hoogstwaarschijnlijk stomdronken gangster vermoordde die op de voorbumper van Martins Camry was geknald.

Na met een blik over zijn schouder naar sluipschutters te hebben gespeurd, deed Martin het portier open en stapte in de auto.

1

Waarin we Martins collega's ontmoeten,
of: de hel van de werkende man

Southern Toiletbenodigdheden was zestig jaar geleden begonnen als een familiebedrijf. In de loop van de jaren was het Southern-complex uitgegroeid van een metalen schuur tot een grote, moderne fabriek. Aan het eind van de jaren negentig had een Duitse firma het bedrijf overgenomen. *Spreckels Popobello Papier und Spritz* was eveneens een familiebedrijf, maar de behandeling die de nieuwe verwant ten deel viel was niet veel beter dan de manier waarop Evie met Martin omging, en de dag nadat de handtekeningen waren gezet, werd de helft van het personeel ontslagen. De Duitsers lieten hun gezicht zelden zien, maar ze stuurden dagelijks missives naar Norton Shaw, waarin ze in gebrekkig Engels betere resultaten eisten.

'Waarom is het zo dat de 2300 zich niet kan meten met de hogere verkoopniveaus?'

Niet dat het zo moeilijk was om rollen toiletpapier voor grootverbruik te slijten, maar de Southern Superrol 2300 was van beduidend mindere kwaliteit dan de Scott 500 of de Georgia Pacific 2-92, de gouden standaard in de openbare-toiletbenodigdhedenbranche. Gebruikers van de 2300 klaagden nogal eens over scheuren bij de eerste veeg, gevolgd door rampzalige mislukkingen bij elke volgende poging. Testgroepen waren halverwege de proef opgestapt, en liepen liever vijftig dollar mis dan nog langer zo'n gebrek aan hygiëne te moeten verduren. In de begindagen van het toiletbenodigdhedenbedrijf was dat geen punt geweest. Niemand had destijds uitgerekend dat je meer velletjes nodig had naarmate het papier dunner was. Jarenlang had Southern daar munt uit kunnen slaan, maar de laatste tijd was de klant wat slimmer geworden. Waarom zou je acht dollar uitgeven aan een goedkope rol toiletpapier die maar één dag meeging, als je er voor tien dollar eentje kreeg die twee dagen meeging?

Zelfs op de toiletten van Southern zelf werd het eigen product niet gebruikt, en dat wist Martin omdat zijn bureau toevallig vlak bij het damestoilet stond en hij ze altijd hun eigen rol zag meenemen, pal onder de ogen van de directie. Martin was geen klikspaan en hield dan ook zijn mond. Trouwens, hij hield zijn mond over heel veel dingen die hij op kantoor zag en die in de meeste gevallen tot het ontslag van menig kwelgeest zouden hebben geleid. Dat was nou eenmaal zijn lot: hij was zo edelmoedig dat hij zichzelf tekortdeed.

Vaart minderend reed hij de Camry door de poort. De bewaker zat in zijn hokje naar het ochtendnieuws te kijken. Martin ving een vleugje marihuana op toen hij langs het open raam reed, maar hij hield zijn blik naar voren gericht, speurend naar een parkeerplek tussen de zee van pick-ups en suv's. Toen Martin zijn Camry net had, merkte iemand op dat de auto hem deed denken aan het nieuwe meisje in het footballteam.

Tijdens het ritje naar zijn werk was het bloeden van zijn handen opgehouden. Hij stopte een puntje van zijn zakdoek in zijn mond om het nat te maken en veegde wat bloed van het stuur. Hij kreeg het nepleer niet schoon. Dan moest hij het maar met een schoonmaakmiddel proberen. Southern SchoonWeg was speciaal ontwikkeld voor milieurampen. Na de lunch zou hij een monsterflesje pakken en de smeerboel verwijderen.

'Lunch,' mompelde hij. Hij was zijn lunchpakketje vergeten.

Martin stapte uit de auto en sloot het portier met zijn sleutel. Toen zag hij dat zijn koffertje nog in de auto lag, en hij deed het weer van het slot.

'Hé, Snavel!'

Onwillekeurig schoten zijn schouders omhoog.

'Snavel!' Elke ochtend sinds Martins achtste, toen hij op de Tucker Basisschool was overgestapt, begroette Daryl Matheson hem al op die manier. Martins vader was pas overleden en Evie was gedwongen om met haar gezin naar een minder gewild deel van de stad te verkassen. In Martins dromen bood de nieuwe school hem kansen op vriendschap en populariteit die op zijn vorige school ondenkbaar waren geweest.

Daarin had hij zich vergist.

'Snavel? Hé, Snavel! Hoe gaat ie?'

Hij zou net zo lang blijven roepen tot Martin antwoordde. Die trad de pestkop met open vizier tegemoet, zo langzamerhand een vertrouwd patroon. Daryl wilde niet onsympathiek overkomen, want dat zou betekenen dat hij een slecht mens was. Zolang Martin reageerde, bleef hij in de waan dat een man van zesendertig die nog bij zijn moeder woonde het leuk vond om 'Snavel' genoemd te worden.

'Snavel? Snavel, hoe gaat ie? Wat is er aan de hand, man?'

'Hé, Daryl,' zei Martin. Daryl schonk hem een tevreden glimlach en gaf hem zo'n harde stomp tegen zijn arm dat Martin zijn koffertje liet vallen. De papieren vlogen alle kanten op en Martin graaide ze bij elkaar, waarbij hij ze in de juiste volgorde probeerde te houden.

Daryl ging op zijn hurken zitten, maar maakte geen aanstalten om te helpen. 'Er zit bloed aan je handen.'

Hij had gelijk, besefte Martin. De sneetjes van de kunststof bumper waren weer opengesprongen. Hij wilde zijn zakdoek pakken, maar bedacht toen dat hij die in het dashboardkastje had gestopt.

'Wat een zooi,' mompelde Martin, terwijl hij de blaadjes probeerde te stapelen zonder dat er bloed op kwam. Hij zag grafieken en cirkeldiagrammen; al het werk waarop hij had zitten zwoegen voor zijn presentatie op de bedrijfsbeurs voor toiletbenodigdheden lag nu op straat.

Daryl had iets interessanters gezien. 'Jezus, man, er is iemand tegen je auto op geknald.'

'Weet ik.'

'De hele halve voorbumper is eraf.'

'Weet ik.'

'Dat wordt een duur grapje. Nog duurder dan dat "lul". Zeg, wanneer laat je dat nou eens wegspuiten?'

Martin klemde zijn kaken zo hard op elkaar dat hij een kies voelde bewegen.

'Snavel?' Daryl zat nu op zijn hurken voor de bumper. Hij droeg een grijze overall, met zijn naam in rode geborduurde letters over zijn hart. Daryl werkte als kwaliteitscontroleur aan de lopende band. Elke tiende spuitbus met PlasWeg moest getest worden. Acht uur per dag pakte hij flesjes en drukte pompjes in tot er een dun neveltje blauwe vloeistof uit spoot, en toch werd Martin – die op kantoor zat en een das droeg – als de loser beschouwd.

'Ik heb het aangegeven,' loog Martin. Hij stopte de rest van de papieren in zijn koffertje. 'De politie neemt dit soort vergrijpen heel hoog op.'

'Weet je bij wie je moet wezen?' Daryl ging staan, in navolging van Martin. 'Bij Ben Sabatini. Die heeft mij mooi gematst met mijn pick-up. Weet je nog dat ik die boom schampte en een kras op de lak had? Nou, de volgende dag had hij het al voor me geregeld. Ik kreeg zo'n Chrysler 500 als leenauto. Goddorie, wat een lekker wagentje. Ben heeft het zelfs voor elkaar gekregen dat het niet onder eigen risico viel.'

Daar stond Martin en hij wist niet wat hij moest zeggen. 'We moeten maar eens aan de slag.'

'Ja,' beaamde Daryl. 'Zeg het maar als je Ben z'n nummer wilt. Op dat gebied is er geen betere.'

'Bedankt,' antwoordde Martin, en hij klemde het handvat van zijn koffertje zo stevig vast dat het zweet tussen zijn vingers door droop.

Daryl wierp een blik op Martins hand. 'Nou bloed je alweer, man.'

'Ja,' zei Martin. 'Ik zal er iets aan doen.'

De mannen gingen ieder een kant op: Daryl naar de ingang van de fabriek, Martin naar het kantoor. Maar in plaats van naar zijn bureau liep Martin naar het herentoilet. Terwijl hij zijn handen waste, vroeg hij zich af aan wat voor infecties hij zich blootstelde met die open wonden. De werknemers werden geacht hun eigen troep op te ruimen, en het was dan ook geen wonder dat de hygiëne veel te wensen overliet.

In een kast bij de deur vond hij een fles SchoonWeg. Martin goot wat op een papieren handdoekje en probeerde het bloed van het handvat te boenen. Tot zijn ontsteltenis liet het leer los. Hij stopte onmiddellijk met wrijven, maar het chemische goedje vrat zich steeds verder in het handvat. Hij moest aan een tor op een lijk denken toen het nepleer af-bladderde en het botachtige wit van het kunststof eronder bloot kwam te liggen. Als Martin niet bijna driehonderd dollar voor het koffertje had neergeteld, zou het fascinerend zijn geweest.

Voorzichtig raakte hij de openliggende rand van het kunststof hand-vat aan. Die was messcherp en maakte een oppervlakkig sneetje op zijn vingertopje. Martin zag het bloed uit het vleeswondje naar buiten sijpe-len. Doodbloedend uit duizend wonden.

Martin was nooit een echte vloeker geweest, ondanks Evies goede voorbeeld. Binnensmonds mompelend en met zijn koffertje tegen zijn borst gedrukt liep hij de toiletruimte uit en de fabriek door. Omdat de machines nog niet waren opgestart, hoorde hij zijn voetstappen boven zijn hoofd weergalmen. Met een omweg, om Daryl te vermijden, liep hij langs lange rijen schappen, voorbij de opgestapelde Sani-Lady-maandverbandcontainers, en door de achterdeur naar buiten.

Achter het gebouw bruiste een beekje, en hoge bomen deinden in de wind. Toen hij pas bij Southern werkte, kwam Martin hier vaak om even te pauzeren en alleen te zijn. Nu er in het gebouw niet meer gerookt mocht worden, was het gedaan met het kleine beetje rust en stilte. Het hele bedrijf kwam hier in de pauze naartoe, getuige de talloze sigarettenpeuken waarmee het beton bezaaid lag. Op een gammele picknicktafel stonden twee koffiebekertjes, tot de rand toe gevuld met nog meer peuken. Weken geleden had Martin voorgesteld om een deel van het gebied te reserveren voor niet-rokers. Zoals te verwachten was, werd zijn voorstel met gehoon begroet. Toen hij benadrukte dat de ideeënbus anoniem hoorde te zijn, was het gelach oorverdovend.

Meestal zat de vuilcontainer boordevol, en het verbaasde Martin dan ook dat hij nu leeg was. Hij opende zijn koffertje, haalde er zijn rapport, twee pennen, zijn visitekaartjes en een notitieblok uit en legde die op het enige stukje beton dat bij benadering schoon was. Hij probeerde het metalen deurtje van de vuilcontainer open te maken, maar dat zat vastgeroest. De rand stak ruim een meter boven zijn hoofd uit. Martin wierp een blik om zich heen, zette zich schrap en gooide het koffertje met een ouwewijvenworp de lucht in. Het ging recht omhoog en viel weer recht naar beneden. Struikelend over zijn eigen voeten week hij uit toen het met een noodvaart op zijn gezicht afkoerste. Vloekend deed Martin een nieuwe poging; hij probeerde geconcentreerd te richten en duwde het koffertje bij de hoeken omhoog. Deze keer plofte het voor zijn voeten op het beton, en een van de hoeken begaf het.

Daar stond hij, met zijn handen in zijn zij, en een heel leven aan mislukkingen borrelde in hem op toen hij naar het koffertje op de grond staarde. Niet alleen had hij zich kunststof voor leer laten aansmeren. Het was ook dat 'lul' op zijn auto. Het was de kapotte bumper. Het was Daryl die hem Snavel noemde en zijn moeder met haar münchhausen-by-proxysyndroom, die een homo van hem wilde maken.

Martin gaf een schop tegen het koffertje. Het was zo lekker om zich af te reageren dat hij nog een keer schopte. Al snel sprong Martin op en neer op het koffertje, dat binnen de kortste keren helemaal uit elkaar lag. Hij raapte het gehavende ding op en sloeg er een paar maal mee tegen de zijkant van de container, tot hij helemaal uitgeput was. Hijgend boog hij zich voorover. Hij zweette als een otter in zijn jack. De druppels liepen hem tappelings over de rug.

De deur ging open. Een van de productiemedewerksters verscheen, met een sigaret in haar mond en een aansteker in haar hand. Ze hadden nooit officieel met elkaar kennisgemaakt, maar de vrouw had de brutaliteit om te vragen: 'Wat spook jij daar in godsnaam uit?'

'Bemoei je met je eigen zaken,' zei hij, terwijl hij nog een paar brokstukken van het kapotte koffertje verzamelde. Hij keek naar de vuilcontainer, maar met een getuige erbij waagde hij geen nieuwe poging. Hij raapte zijn rapport en de overige spullen op en liep om het gebouw heen. Even later stond hij bij zijn auto. Hij maakte de kofferbak open en legde het gehavende koffertje naast de bumper. Martin keek op naar de bewolkte, grijze hemel. Nog geen negen uur, en hij had al twee tegenslagen te verwerken gehad. Hij was benieuwd naar de derde.

Plotseling openden de wolken zich en een zonnestraal gluurde ertussendoor. Martin sloot zijn ogen tegen het licht. Zonder enige waarschuwing vulden zijn oren zich met de vreugdevolle klanken van het Harlem Gospel Choir. *'Lord, lift me up! Take me hi-yi-yi-igher!'*

Het gezang stopte abrupt toen een zwarte Monte Carlo naast Martins Camry tot stilstand kwam en de motor werd uitgezet.

'Wat doe jij hier, Gek?' Unique Jones sloeg het portier dicht. Aan haar ene hand rinkelden haar sleutels en in haar andere hield ze een grote *mocha latte* van Dunkin Donuts. Haar tas had het formaat van een voederzak, en de riem sneed in haar vlezige blote schouder. Ondanks de frisse ochtendlucht droeg ze een strakke, feloranje zomerjurk met bijpassende oranje schoenen. Unique was een dikke zwarte vrouw, wier donkere huid contrasteerde met haar kleurige sjaals en glitternagellak. Soms droeg ze een tulband, of ze liet haar kunstig gevlochten haar rond haar schouders zwieren. Vanaf de allereerste dag dat ze het gebouw binnenstapte, was Martin doodsbang voor haar geweest.

'Ik, eh, ik...' stamelde hij.

'Mond houden, Deegbal. We moeten aan het werk.'

Ze sloeg een toon tegen hem aan alsof ze zijn baas was, in plaats van andersom. De enige keer dat ze hem enig respect had getoond, was tijdens haar sollicitatiegesprek. 'Het is Unique, met de klemtoon op de "e",' had ze hem beleefd gecorrigeerd. Martin had een blik op haar sollicitatieformulier geworpen. Er stond Unique Jones, en hij snapte het niet helemaal. Zou het Frans zijn? En dan ook Jo-nai-se?

'Joe-nie-kee,' had ze lachend uitgelegd. 'Geeft niet, schat, niemand snapt het de eerste keer, maar als je het eenmaal weet, vergeet je het nooit meer.'

Hij had haar glimlachend aangekeken en bedacht dat dit de eerste keer was dat iemand hem met 'schat' had aangesproken zonder het denigrerend te bedoelen. Een van de weinige dingen die Martin zich van zijn vader kon herinneren, was dat hij hem altijd een unieke jongen had genoemd.

Deze Unique was een schoolverlater zonder enig diploma op zak. Ze had een maand lang op een secretaresseopleiding gezeten en twee maanden lang een boekhoudcursus gevolgd. 'Ik heb alles geleerd wat ik moet weten,' zei ze. 'Je hebt het of je hebt het niet.' Bij die laatste woorden tikte ze tegen haar slaap, en Martin zag dat er een gouden dollarteken op de glanzend rode nagel van haar wijsvinger zat geplakt.

'We hebben nogal veel sollicitanten,' liet hij haar weten, hoewel dat een leugen was. Weken eerder, toen hij de advertentie had geplaatst, had hij de vergaderruimte al gereserveerd, in de verwachting dat hij het ene sollicitatiegesprek na het andere zou moeten voeren. Hij had *Solliciteren voor Dummies* gelezen, zodat hij scherpe vragen kon stellen, zoals: 'Noem eens paar van je beste eigenschappen?', of: 'Als ik een goede vriend van je zou vragen of hij een slechte eigenschap van je zou kunnen noemen, wat zou hij dan zeggen?'

De enige andere sollicitant was een man die een uur te laat kwam opdagen en Martin op luide toon liet weten dat hij niet moest verwachten dat hij een prikklok zou indrukken; een merkwaardige uitspraak, temeer omdat niemand van het kantoorpersoneel geacht werd in te klokken.

'Hoeveel sollicitanten zijn er?' vroeg Unique.

'Tja, ik... eh...' Martin slikte moeizaam. 'Heel veel. Verscheidene – veel.' Hij sprak de woorden uit alsof er streepjes tussen stonden, en ze kneep haar ogen samen alsof ze recht in zijn ziel kon kijken.

Toen schudde ze haar hoofd. 'Nee-nee,' klonk het. 'Je geeft me nu die baan. Denk maar niet dat ik thuis bij de telefoon ga zitten wachten. Ik heb wel wat anders te doen.'

'Ik wil alleen...'

'Hoe laat moet ik beginnen? Niet om acht uur, want dit soort schoonheid moet 's ochtends een handje geholpen worden. Snap je?' Na die laatste opmerking zwiepte ze haar vlechtjes naar achteren. De kralen ketsten ratelend tegen elkaar, en Martin moest denken aan die keer dat hij tijdens zomerkamp een ratelslang in zijn bed had gevonden. Toegegeven: het ding bleek nep te zijn (en helaas kwam Martin daar pas achter toen hij het hele kamp wakker had gemaakt om iedereen te waarschuwen voor het gevaarlijke beest), maar de kralen in zijn staart hadden hetzelfde ratelgeluid gemaakt.

Ze wroette in haar tas naar haar sleutels, terwijl Martin probeerde uit te leggen dat alle personeelsleden geacht werden om klokslag halfnegen aan hun bureau te zitten. 'Tot vrijdag om een uur of negen dan maar,' zei ze, en ze stond op. 'Maar dan moet ik al vroeg naar huis, want mijn nicht is in de stad. Oké? Tot dan.'

Nog voor hij kon antwoorden, was ze al weg, en hij staarde naar de kring die haar halfvolle mocha latte van Dunkin Donuts op de vergadertafel had achtergelaten. Haar parfum hing nog in de ruimte – een weeïg zoet goedje dat naar suikerspin en cola rook en het moest opnemen tegen de verontrustende gistlucht die was vrijgekomen toen ze haar gekruiste benen vaneen had gedaan. Het was dat vrouwenaroma dat Martin niet had kunnen vergeten, en hij ving er weer een vleugje van op nu Unique het parkeerterrein overstak.

'Laat je dat "lul" nog overspuiten?' vroeg ze.

Martin had moeite om haar bij te benen. Voor een dikke vrouw was ze verbazend snel.

'Ik heb al gebeld met...'

'Die Sabatini gaat je echt niet helpen, Gek. Hij moest zo hard lachen toen hij hier was dat ik bang was dat hij in zijn broek zou schijten.'

Martin zweeg. Die laatste opmerking was naar zijn idee volkomen overbodig.

'Je moet zijn baas eens bellen.'

Ze zei altijd wat hij moest doen. Meestal begonnen haar zinnen met 'Je moet eens...' Maar Martin moest het niet wagen om haar te vertellen wat zíj moest doen. Hij was in alle opzichten haar meerdere, maar Unique had het voor het zeggen op kantoor: ze bracht kamerplanten mee en zette de gemeenschappelijke ruimte vol kaarsen, luchtverfrissers en foto's van haar schoothondje.

Wel kon ze razendsnel typen en ze maakte niet al te veel fouten, maar als het aankwam op facturen en incasso's voor de afdeling Nietvloeibare Producten en artikelen voor verkoopautomaten, dan liet ze het afweten. KotsOp-korrels en Kietel-condooms stonden dan ook in geen verhouding tot de gigantische orders voor toiletpapierrollen en wc-brilhoesjes die Martin moest verwerken. Het was alsof je appels met peren vergeleek, zoals hij geregeld tegenover Norton Shaw opmerkte.

Wat het nog erger maakte, waren haar afgrijselijke werkgewoonten. Vanaf het moment dat ze binnenkwam, zat haar mobiel tegen het ene en de bedrijfstelefoon tegen het andere oor geplakt. Ze voerde een gesprek met haar zus, die op de administratie van een kerk werkte, terwijl klanten op de andere lijn konden meeluisteren. Ondertussen rikketikten haar glanzende vingernagels over de toetsen als een chihuahua over een tegelvloer, en ratelden haar haren als een rubberen slang met kralen in zijn staart. Zo'n zestig keer per dag smeerde ze haar handen en vaak ook haar voeten met crème in. De enige keer dat Martin haar beleefd had verzocht om een geschiktere plek op te zoeken om zich in te wrijven, had ze gekrijst: 'Kan ik het helpen dat ik een droge huid heb!', en daarmee kon hij het doen.

Met haar grote borsten en omvangrijke taille wurmde ze zich moeizaam om haar bureau heen. In het begin had Martin geboeid toegekeken hoe borst, buik en arm zich samenplooiden als ze bij het toetsenbord van haar computer wilde komen. Ze had zijn wetenschappelijke belangstelling voor tomeloze begeerte aangezien en vermanend gezegd: 'Liefie, je hebt de puf niet eens om dit klokje te luiden!' Vervolgens had hij moeten aanhoren hoe ze het verhaal aan haar zus vertelde, wier 'amen' door het hele kantoor schalde.

Dit waren geen losse incidenten, maar dagelijks terugkerende voorvallen. Martin was als de dood voor haar opmerkingen, die meestal in het openbaar en op de meest ongelegen momenten werden gemaakt. Hij nam bijvoorbeeld een tijdkaart door met een van de ploegarbeiders, en dan riep ze: 'Je snapt niet eens wat hij zegt, Gek!' Of Norton Shaw kwam langs om de debiteurenrekening te controleren, en dan zei ze op luide toon: 'Hij is wat winderig van de lunch. Laten we dit buiten maar afhandelen.'

Soms deed ze hem denken aan de Flip Wilson-pop die zijn moeder hem ooit met kerst had gegeven, toen hij klein was. Op de ene kant stond Flip Wilson, en op de andere zijn alter ego, Geraldine de travestiet. Als je aan het koordje trok, kwamen er zinnetjes uit als: 'Het was alsof de duivel in me zat!', of: 'Je weet niet half hoe heet ik ben!'

Wat misschien nog het ergste was, en nog vernederender dan naar haar te moeten luisteren terwijl ze tegen haar zus zat te klagen over menstruatiepijn en ondertussen haar schoenen uittrok om haar voeten in te smeren, was dat ze zichzelf voortdurend promotie gaf. Op haar eerste werkdag was Martin zo dom geweest om haar haar eigen visitekaartjes te laten bestellen. In de afgelopen drie jaar was haar functie veranderd van 'assistente boekhouding' in 'manager boekhouding' en ten slotte in 'senior manager boekhouding'. Nog even en hij zou een kaartje aantreffen waarop stond: 'Unique Jones, hoofd afdeling Financiën.'

Ondertussen stond er op Martins eigen kaartje simpelweg 'boekhouding'. Toen hij begon, had hij er duizend besteld. Nu waren er zestien jaar verstreken en de doos was nog halfvol.

Inmiddels was Unique het parkeerterrein overgestoken en voor de voordeur blijven staan. 'Heeft je mammie je niet geleerd dat je de deur moet openhouden voor een dame?'

Terwijl Martin de deur voor haar openhield, schoot hem opeens een gevatte repliek te binnen, maar voordat hij die over zijn lippen kreeg, was ze al halverwege de weg naar haar bureau.

'Mompel toch niet zo, Gek,' zei ze, en ze liet haar tas op het bureaublad vallen. Toen ze ging zitten, maakte haar stoel een geluid dat aan twee kletsende poolballen deed denken.

Zachtjes legde Martin de stapel visitekaartjes, de pennen, het notitie-blok en zijn rapport op zijn eigen bureau. Zijn stoel maakte geen geluid toen hij ging zitten en zijn computer aanzette. In zijn begintijd bij Southern was het enige geautomatiseerde op het hele kantoor een IBM Selectric geweest, die vastliep op de 'g' en de 'l', ongeacht hoe vaak hij het ding schoonmaakte.

De grootboeken werden toen nog handmatig bijgehouden – door Martin. De hele dag was het een komen en gaan van mensen uit de fa-briek, die even naar Martin zwaaiden of glimlachten. De eigenaar, me-neer Cordwell, kwam af en toe een praatje maken en vertelde dan over een vistripje of een tochtje dat hij dat weekend met zijn gezin op het meer had gemaakt. Martin knikte wat, waarop meneer Cordwell naar het toilet ging (de enige toegang was via Martins kantoor) en bij zijn vertrek het papieren handdoekje waarmee hij zijn handen had afge-droogd op Martins bureau wierp. Het was een opwindende tijd toen Cordwell het bewind voerde – maar ook een vredige tijd. Het was nog voor de Duitsers kwamen en Martin dwongen om een assistente in dienst te nemen. Sinds het vertrek van de oude heer was alles anders geworden.

Voor de komst van Unique had zijn bureau tegen de muur aan de andere kant gestaan, zo ver mogelijk van de toiletten verwijderd (dat had ze op haar allereerste dag al veranderd). Daar had je een beter uit-zicht, want je kon via het raam de hele fabriek overzien. Het gaf je het gevoel dat je erbij hoorde. Af en toe had Martin opgekeken naar al die mensen op hun werkplek, en dan had hij gedacht: ah, mijn collega's. Nu zat hij over zijn bureau gebogen uit angst dat Unique zijn blik ver-keerd zou uitleggen en zou roepen: 'Geen denken aan, Gek. Je kent niet eens genoeg woorden om mijn boekje te kunnen lezen!'

Unique keek hem nu aan. 'Ik vroeg je iets, Gek.'

'Wat is er?' vroeg Martin, zich pijnlijk bewust van het feit dat hij zo langzamerhand gewend was geraakt aan dat 'Gek'. Hij ging het al bijna als zijn naam beschouwen.

'Waar is Sandy, vroeg ik.'

Martin wierp een blik uit het raam. De trap naar het directiekantoor was verlaten. Meestal kwam Sandy vóór het werk even naar beneden om naar het toilet te gaan en een babbeltje met Unique te maken. Het was vreemd dat ze nog niet was komen opdagen, en al helemaal na die spannende aflevering van *Dancing With the Stars* van de vorige avond. Zelfs de juryleden waren geschokt geweest.

Reikhalzend keek Unique naar boven. 'Wie is dat?'

Martin dacht precies hetzelfde. Hij zag een voet boven aan de trap. Die stak in een witte tennisschoen. Zijn blik volgde de lichtbruine panty langs de kuit naar boven, tot aan de beige rok die over de knie viel. Van wie was die kuit? Van een schoonheidskoningin? Een vertegenwoordigster van een pulpgroothandel? De vrouw daalde de trap af en hij moest denken aan die schitterende passage uit *The Great Gatsby*, waarin we kennismaken met mevrouw Wilson: *Ze was een jaar of vijfendertig en aan de mollige kant, maar haar rijpe vormen hadden iets sensueels, zoals je dat soms zag bij vrouwen.*

'O-o,' zei Unique. 'Foute boel.'

Haar gezicht... bezat geen sprankje schoonheid, maar wel een tastbare vitaliteit, alsof de zenuwen in haar lichaam voortdurend gloeiden.

'Wat is er met jou, Gek?'

Martin besefte dat zijn mond openhing.

'Dat is de politie.'

Ze beklemtoonde elke lettergreep: po-li-tie. Op zoek naar sporen van diefstal liet Martin zijn blik door het kantoor gaan en keek naar de dozen die tot aan het plafond stonden opgestapeld. Er was al eens ingebroken bij Southern. In 1996, vlak voor de Olympische Spelen, hadden vandalen de achterdeur ingetrapt en toiletpapier over de hele fabrieksvloer verspreid. Martin had het misdrijf ontdekt; hij kon zich de lafhartige wandaad nog goed herinneren, en ook hoe hij 2300 uit de machines had gepeuterd. Was het opnieuw gebeurd? Wie had het deze keer op Southern Toiletbenodigdheden gemunt? Welke schurk had zich durven vergrijpen aan een klein Amerikaans bedrijf, dat in handen was gevallen van een grote multinational?

Hij zag dat er achter de vrouw een man de trap afdaalde, een grijze man met vierkante schouders, zo'n type dat waarschijnlijk een luchtje op had en telkens knipoogde om zijn woorden kracht bij te zetten. De man werd gevolgd door Norton Shaw, met een gezicht als een donderwolk.

'O-o,' herhaalde Unique. 'Norton kijkt helemaal niet blij.'

Martin stond op en balde zijn vuisten. Wie had het op dit eenvoudige bedrijfje voorzien? Wat was er deze keer gebeurd?

De deur ging open. De vrouw stond in de deuropening, en het licht viel van alle kanten langs haar naar binnen. Haar blonde haar was iets te vaak gepermanent, of misschien waren die gespleten punten te wijten aan het winterse weer. Haar gezicht zat onder de droge vlekjes, en in het gleufje bij haar rechterneusgat zag hij een op sterven na dood puistje. Ze was ouder dan hij op het eerste gezicht had gedacht, waarschijnlijk achter in de veertig, maar om de een of andere reden was ze daardoor nog mooier (als jongen had Martin zich al tot oudere vrouwen aangetrokken gevoeld). Ze had gewoon iets – een soort innerlijke schoonheid, het besef dat ze alle aandacht naar zich toe trok.

Ze keek het kantoor rond, naar de opgestapelde dozen, de vetplanten in hun potten. De man achter haar vroeg: 'Ben jij die lul?'

Unique liet een blaffende lach horen die pijn deed aan Martins trommelvliezen. 'Dat is hij daar. Die Gek daar.' Ze wees met een lange rode vingernagel naar hem.

Na een argwanende blik op Martin draaide Norton Shaw zich om en ging zonder een woord te zeggen de trap weer op.

De vrouw haalde een portefeuille uit haar jaszak. Ze klapte hem open en toonde Martin een gouden penning. 'Ik ben Anabahda.'

In een poging de woorden te rijmen met de klanken die hij zojuist had gehoord, tuurde Martin naar het identiteitsplaatje boven haar penning. Ze sloeg de portefeuille echter meteen weer dicht.

'Dit is mijn collega, rechercheur Bruce Benedict.'

De man knipoogde naar Martin, maar al zijn aandacht ging uit naar Unique, die hij verslond met zijn blik. Ze glimlachte vereerd en het scheelde niet veel of ze begon naar hem te lonken. Met zijn vette, naar achteren gekamde haar, dure pak en paarse zijden das deed hij Martin aan een romanpersonage van Stuart Woods denken. En als onversneden woodsiaan had hij zich een houding aangemeten alsof elke vrouw die zijn pad kruiste hem wilde pijpen.

'Bent u Martin Reed?' vroeg Anabahda.

'Ja.' Snel voegde hij er 'mevrouw' aan toe, om haar te laten weten dat hij zijn plaats kende. 'Bent u hier in verband met mijn auto? Ik hoop dat u de onverlaat gepakt hebt.'

'Zullen we even ergens rustig gaan zitten praten? Uw chef zei dat we van de vergader–'

'Hebt u een kaartje?' onderbrak Unique haar.

Martin keek glimlachend naar Anabahda. 'Let u maar niet op…'

'Gek, dat zijn rechercheurs. Ze sturen heus geen rechercheurs als iemand "lul" op je auto heeft gekrast.' Vingerknippend richtte ze zich tot Benedict. 'Kaartje alsjeblieft.'

Met een veelbetekenende, scheve glimlach naar zijn collega overhandigde de man zijn kaartje aan Unique.

'Moordzaken!' krijste ze, en ze viel bijna van haar stoel. 'Martin, niet met Moordzaken praten. Mijn neef heeft ooit een keer met ze gepraat en hij kon meteen voor twintig jaar de bak in!'

'Hoe heet uw neef?' vroeg Anabahda.

Met een uitdrukkingsloos gezicht pakte Unique haar tas. 'Ik geloof dat ik de oven aan heb laten staan.' Op een drafje ging ze de deur uit, en het enige wat nog aan haar aanwezigheid herinnerde, was een vage geur van knoflook en mocha latte.

Martin slikte. Nu was hij alleen met haar, op Benedict na. 'Mag ik uw kaartje zien, alstublieft?'

Ze haalde haar portefeuille weer tevoorschijn en zocht in een van de vakjes. 'Dit is maar een routineverhoor, meneer Reed. U hoeft zich geen zorgen te maken.'

Hij pakte het kaartje en toen zijn vingers langs de hare streken, trokken er schokjes door zijn lichaam. Martin zag dat ze op haar nagelriemen beet, net als hij.

'Meneer Reed?'

Martin besefte dat hij haar stond aan te staren. Hij sloeg zijn blik neer en las het kaartje: Rechercheur Anther 'An' Albada, afdeling Moordzaken. 'An', niet 'Anne' of 'Ann', maar 'An'. De eenvoud was adembenemend en verleidelijk tegelijk. En dat Albada… zo exotisch, zo buitenlands… Hij wilde de reliëfletters aanraken om te zien of dat tintelende gevoel terugkwam.

'Meneer Reed?' Met haar armen over elkaar leunde ze tegen het bureau van Unique. Hij zag een gouden Timex om haar pols – sober, praktisch, net als zijzelf.

Ze maakte een vermoeide indruk. Hij vroeg zich af hoe het zou voelen als ze haar hoofd op zijn schoot legde. Martin bloosde bij het idee, want stel dat ze zijn gedachten kon lezen, dan zou ze concluderen dat hij uit seksuele motieven naar haar hoofd op zijn schoot verlangde, wat absoluut niet het geval was – hij wilde alleen maar haar haar strelen, haar vragen hoe haar dag was geweest. Dan zou hij misschien vissticks en gebakken aardappeltjes voor haar maken (Martins lievelingsgerecht), en als de kinderen thuiskwamen, zou hij ze helpen met hun huiswerk, en hij zou haar naar bed dragen om een zalig potje te vrijen en dan zou ze hem in zijn ogen kijken en…

'Meneer Reed?'

Martin keek haar weer aan. 'Ja?'

'Kunt u ons vertellen waar u gisteren was?'

'Op mijn werk.'

'Na het werk, bedoel ik.'

'Ik ben met mijn moeder naar de pioenclub geweest. Ze had haar goede plantenschepje laten liggen.'

'En daarna?'

Martin bloosde. Zijn keel werd dichtgesnoerd. Hij had zijn moeder naar huis gebracht, en toen had hij iets vreselijks gedaan, zo vreselijk dat de woorden in zijn keel bleven steken. Eindelijk vroeg er eens iemand wat hij de vorige avond had gedaan, en uitgerekend nu had hij ook inderdaad iets gedaan, maar kon hij er niet over praten. En al helemaal niet met deze prachtige bloem van een vrouw. O, alsof de duvel ermee speelde! En het was ook zo gênant allemaal!

Het toilet werd doorgetrokken. Verbaasd keken ze allemaal op. Daryl Matheson deed de rits van zijn overall dicht terwijl hij het kantoor binnenstapte, en zei: 'Shit, Marty, geef me de spuitbus eens. Je wilt niet weten wat er uit m'n…' Hij zweeg toen hij Martins bezoek zag. 'Wat doen die smerissen hier?'

Martin opende zijn onderste la en pakte de StankieFoets (een van Southerns populairste producten). 'Ze zijn hier in verband met mijn auto,' zei Martin. 'Zeg dat maar tegen Ben Sabatini als je hem nog eens tegenkomt.'

Schuddend met de spuitbus stapte Daryl het toilet weer in. Het was zo stil in het kantoor dat ze hem konden horen spuiten, waarna hij begon te hoesten. Martin hield zijn adem in (Southern had een schikking getroffen met een klant die beweerde dat StankieFoets het slijmvlies van haar slokdarm had aangetast) en glimlachte naar An.

Daryl kwam het toilet weer uit, zwaaiend met zijn hand om de dampen te verdrijven. Met schorre stem zei hij: 'Verdomme, sorry, jongens.' Hij hoestte een paar keer achter elkaar, en toen nog eens. En nog eens. Martin keek An verontschuldigend aan, terwijl hij een paar tissues uit de doos op zijn bureau trok en aan Daryl gaf.

'Jezus!' Daryl stikte bijna. Hij schraapte zijn keel, spuugde in een tissue en gaf die aan Martin. 'Bedankt, man.' Met de rug van zijn hand veegde hij zijn mond af en toen richtte hij zich tot de rechercheurs. 'Zijn jullie hier vanwege dat bloed op zijn auto?'

Plotseling was de StankieFoets niet het enige wat alle zuurstof aan de lucht onttrok.

An vroeg: 'Hoezo bloed op zijn auto?'

Daryl knikte naar Martin. 'Van vanochtend. Zijn handen zaten ook al onder het bloed. Ik dacht dat hij een hert of zo had aangereden, maar er zat haar op de bumper – van een mensenhoofd, leek het.' Hij haalde zijn schouders op. 'Even later zag Darla hem bij de vuilcontainer, waar hij zijn koffertje in elkaar hengstte.' Hij wierp weer een blik op Martin. 'Man, je moet eens met iemand over die driftbuien van je gaan praten.' En met die woorden verliet hij het kantoor.

Martin voelde zijn mond bewegen, maar er kwam geen geluid.

Benedict stak zijn hand achterlangs onder zijn jasje en haalde een stel handboeien tevoorschijn. 'Martin Reed, ik arresteer u in verband met de moord op Sandra Burke.'

'Sandy?' vroeg hij, en terwijl hij zijn hals uitstrekte om de trap op te kijken, slingerde Benedict hem rond alsof hij een zak citroenen was. Was ze daarom niet naar beneden gekomen voor een babbeltje over *Dancing With the Stars*? 'U snapt het niet!' protesteerde Martin. 'Waarom zou ik Sandy iets aandoen? Waarom zou ík iemand iets aandoen?'

'Meneer Reed,' begon An. 'Waarom maakt u niet meteen schoon schip en vertelt u ons waar u gisteravond was?'

Martin hapte naar adem en zijn gezicht liep weer rood aan. Dit was vreselijk, gewoonweg vreselijk. Was er niet precies hetzelfde gebeurd in *De gevangene* van John Grisham: een of andere arme sloeber die op het verkeerde moment op de verkeerde plek was geweest?

'Meneer Reed?'

Grisham was advocaat. Hij wist hoe dit soort dingen in hun werk gingen. In gedachten liep Martin de juridische adviezen na die de schrijver in talloze boeken had verpakt. *De cliënt. De deal. De aanklacht.* 'Volgens mij,' zei Martin, 'heb ik het recht om te zwijgen.'

2

Waarin we ontdekken dat er meer achter Anther schuilt,
of: de andere An

An keek door de confrontatiespiegel naar Martin Reed. Hij zat in zijn eentje in de verhoorkamer, met zijn bolle gezicht samengeknepen tot een bal van angst. De plukjes haar op zijn ronde hoofd deden haar aan Charlie Brown denken. Zijn handen lagen voor hem op tafel en hij spande en ontspande ze voortdurend, alsof Lucy hem weer eens had overgehaald om de bal weg te trappen. Zo had Martin ook met zijn vuisten zitten hannesen toen ze zijn kantoor waren binnengelopen – of wat Martin als zijn kantoor scheen te beschouwen. Met de twee bureaus en de opgestapelde dozen debiteuren- en crediteurenadministratie van de afgelopen vijftien jaar deed het An eerder aan een wachtkamertje denken. Als iemand het al vreemd vond dat de afdeling Boekhouden zich pal naast de toiletten bevond, dan werd er niks over gezegd.

Bruce deed de deur open en liep de kamer in. 'In zijn huis is niks gevonden.'

An was er al van uitgegaan dat de huiszoeking weinig bewijsmateriaal zou opleveren.

'Zijn moeder is doodsbang, ze zegt dat hij zich de laatste tijd vreemd gedraagt. Misschien is hij weer aan de drank.'

'Weer?'

'Volgens haar praat hij er liever niet over. Waarschijnlijk probeert hij eraf te komen.' Bruce haalde zijn schouders op; menig agent probeerde van de drank af te komen. 'Wat een kletsmajoor is die vrouw trouwens. Ze zei dingen waar ik nog van moest blozen.'

En dat zei een man die zelf om het andere woord 'kut' in de mond nam. Dan moest het wel heel erg zijn. An kon er zelf ook wat van. Ze was behoorlijk grof in de mond tegenover gedetineerden, die gewoonlijk beter op dreigementen reageerden dan op zoete praatjes.

'Je zou zijn slaapkamer eens moeten zien,' vervolgde Bruce. 'Overal boeken langs de wand, en dan nog eens dozenvol in de garage. En dan hebben we het over tienduizenden boeken. Die vent doet vast niks anders dan lezen.'

An keek nog eens goed naar Martin. Op haar maakte hij niet echt een intellectuele indruk. 'Wat voor boeken?'

'Vooral thrillers. James Patterson, Vince Flynn, dat soort spul.'

An hield wijselijk haar mond. Ze weigerde de telefoon op te nemen als Columbo op tv was. Niet dat haar telefoon vaak overging, maar ze werd wel eens om haar mening gevraagd voor allerlei enquêtes. Als je eenmaal met die lui aan de praat raakte, dan lieten ze je niet meer met rust. 'Had de moeder een alibi voor hem wat gisteravond betrof?'

'Ze zei dat hij met haar om een boodschap was geweest en dat ze toen weer naar huis waren gegaan. Daarna is hij vertrokken, en ze heeft hem pas weer gezien toen ze vanochtend wakker werd.'

An knikte en liet de informatie bezinken. Aan de andere kant van de spiegel zag ze Martins mond bewegen, alsof hij in zichzelf zat te mompelen.

'Wat een sukkel,' was Bruce' commentaar.

Daar kon An weinig tegen inbrengen, maar was deze sukkel een moordenaar?

Het was of Bruce haar gedachten kon lezen. 'Op de voorbumper en in de kofferbak is een mix van Reeds bloed en dat van het slachtoffer aangetroffen.'

'Je hebt zijn handen gezien. Wat hij over die sneetjes heeft gezegd, zou een verklaring kunnen zijn voor het bloed.'

'Als hij onschuldig is, waarom heeft hij zijn koffertje dan met zuur schoongemaakt?'

'Misschien is hij toch achterbakser dan hij eruitziet,' moest ze toegeven.

'Hij is smoorverliefd op je.'

'Alsjeblieft, zeg.' Mannen werden niet smoorverliefd op Anther. Ze was bepaald geen zwoele verleidster.

'Hoor eens, als je het nou eens vanuit die hoek aanpakte. Geef hem de indruk dat hij een kans maakt. Zo'n vent heeft waarschijnlijk geen poesje meer gezien sinds hij er zelf uit is gekropen.'

An reageerde niet. Ze was nu bijna twintig jaar bij de politie. In het begin had ze er een gewoonte van gemaakt elke seksistische opmerking of schunnige grap van haar overwegend manlijke collega's te pareren. Dat had haar hooguit de reputatie opgeleverd dat ze lesbisch was. Toen ze bij hoog en bij laag had volgehouden dat ze niet homoseksueel was, gaven ze haar op haar kop omdat ze zich schaamde voor haar geaardheid. Ze was destijds nog getrouwd, en toen ze daarop had gewezen, hadden ze treurig het hoofd geschud, alsof ze zich afvroegen hoe ver ze zou gaan met het verdringen van haar heimelijke gevoelens. In de loop van de jaren had An zo veel rottigheid over zich heen gekregen dat ze, om zichzelf te beschermen – en eigenlijk om haar beroep goed te kunnen uitoefenen – aan het verzinnen was geslagen.

Verzinsel. Dat was een mooi woord voor een leugen. An was niet geneigd tot liegen. Haar vader had liegen altijd verafschuwd en haar al vroeg geleerd dat de straf voor een leugen veel zwaarder was dan de straf die je kreeg als je iets opbiechtte. En moest je zien hoe ze nu vrolijk het ene verzinsel op het andere stapelde. Vrolijk werd ze er zeker van, maar alleen als ze onwillekeurig in haar eigen verhalen ging geloven.

Zo was het begonnen: Charlie, haar man, was pas gestorven. Dat was nu vijftien jaar geleden. Ze had niemand meer voor wie ze moest koken, wassen, overhemden strijken. Er was net een grote zaak opgelost – een kindermoordenaar was tot de elektrische stoel veroordeeld. Iedereen was in feeststemming. An besloot naar de politiestamkroeg te gaan om iets te drinken met haar collega-blauwhemden.

Ze dronken allemaal te veel, maar An kon er het beste tegen. Of misschien ook niet. Iemand begon met haar te flirten. Iemand anders zei dat hij geen moeite hoefde te doen. Een derde schold haar uit voor pot, en een vierde noemde haar frigide. Misschien kwam het door het woordje 'frigide', want zo had Charlie haar altijd genoemd als ze om de een of andere krankzinnige reden geen seks met hem wilde nadat hij haar geslagen had.

Hoe het ook zij, op dat moment werd Jill geboren.

Jill was verpleegster en ze werkte met kinderen. Ze was vriendelijk en zorgzaam. Er was pas borstkanker bij haar geconstateerd. Ze was Ans grote liefde en ze was ten dode opgeschreven. Iedereen had medelijden met An. Niemand die zijn mond nog opendeed.

De volgende ochtend werd An met barstende koppijn wakker. Toen ze op haar werk verscheen, was iedereen heel rustig en respectvol. Een enkeling vroeg hoe het met Jill ging. 'Jill?' had ze herhaald, en toen kwam het allemaal weer boven, al die halfdronken verzinsels van de vorige avond. Ze had haar hoofd gebogen en gemompeld: 'Ik wil er liever niet over praten.' Daarna was ze weggevlucht naar het damestoilet, waar ze haar tas had uitgemest, haar nagels had gevijld en een dutje had gedaan. Toen ze terugkwam, werd ze met bezorgde blikken begroet. 'Kop op,' zeiden haar nieuwe vrienden.

Het was nieuw voor An om ergens bij te horen. Niet dat ze nooit vrienden had gehad, maar als dochter van Nederlandse immigranten was ze een vreemde eend in de bijt gebleven. 's Zomers, als de meeste meisjes naar zomerkamp waren, ging zij bij familie in Hindeloopen op bezoek, waar ze door de smalle straatjes en over de houten bruggetjes van haar zeevarende voorvaderen liep, en er door haar Amerikaanse accent en manieren weer niet helemaal bij hoorde. Haar ouders verging het al niet beter. Zoals veel immigranten vóór hen waren ze naar Amerika gekomen om een nieuw leven te beginnen. En net als bij de immigranten van weleer had hun leven niet veel verschild van hun leven thuis, alleen nu in een ander land. Ze gingen naar feestjes van de Nederlands-Amerikaanse Vereniging. Ze dronken Heineken en zogen op honing- en muntdrop die hun liefdevol werd toegezonden door de achtergebleven familie. De meesten van hun vrienden waren kinderloze, Nederlandse immigranten, op een paar schichtige Noren na, die tijdens feestjes altijd in een hoekje bij elkaar kropen.

Wie huize Albada binnenliep, kon niet vermoeden dat hij zich in het zuiden van de Verenigde Staten bevond. Ans moeder, lerares creatieve vakken, was met hart en ziel het samengaan van stof en stijl toegedaan. Elke kamer was kleurig ingericht, met felrood, geel en groen. De eetkamer was gewaagd blauwgestreept. Ze hadden kasten van thuis meegenomen: blad- en bloempatronen en zwierige krullen, die kunstig in elke vierkante centimeter hout waren uitgesneden en vervolgens in contrasterende kleuren geschilderd. Op Halloween trok haar moeder haar sitsen wentke aan en – als concessie aan haar onwetende leerlingen – een paar houten klompen dat ze bij een souvenirwinkel op Schiphol had gekocht.

Haar vader had een zeer gedegen opleiding genoten, zoals in Nederland de gewoonte was, en hetzelfde wilde hij voor zijn dochter. Als An niet met haar huiswerk bezig was, werkte ze aan projecten waarmee ze extra punten kon verdienen, of ze hielp haar vader in zijn laboratorium (Eduard Albada was als botanicus in dienst van de staat Georgia). Hij had een schuurtje in de achtertuin – haar moeder noemde het 'het likhus', naar de kleine huisjes in Hindeloopen waar vroeger de gezinnen van de zeekapiteins woonden – en in het weekend zat An urenlang toe te kijken als hij met zijn vaste, stevige handen verschillende planten kruiste, in de hoop dat hij ooit een tulp zou creëren die bestand was tegen het grillige klimaat in het zuiden.

Zo groeide An op, als dierbaar bemind enig kind en met erg weinig vriendjes en vriendinnetjes van haar eigen leeftijd. Ze was nooit echt eenzaam geweest – ten minste, ze dácht dat ze dat nooit was geweest –, maar toen Jill in haar leven verscheen, besefte An dat ze wel degelijk eenzaam was geweest. Zelfs tijdens haar huwelijk met Charlie had ze het gevoel gehad dat ze niet echt bij hem hoorde, dat hij haar niet echt zág als ze een kamer binnenkwam of een vraag stelde.

Maar dat was verleden tijd. Daar was een eind aan gekomen op de dag dat An het damestoilet uit liep en als een gelijke door haar collega's werd begroet. Wanneer was dat precies gebeurd? Wanneer was Jill van droombeeld veranderd in een levend, ademend deel van Ans leven? Terwijl ze losse papiertjes en allerlei pluizige troep uit haar tas stond te plukken, was het niet bij An opgekomen dat Jill in haar gedachten fysieke vorm aannam.

Oké, An gaf toe dat ze er in het begin behoorlijk misbruik van had gemaakt. Ze had vrij genomen, had gezegd dat ze bij Jill wilde zijn als ze weer een kuur moest ondergaan, terwijl ze in werkelijkheid last van krampen had en er bovendien een filmmarathon met John Wayne op TBS was. Ook had ze zich een keer verslapen en een belangrijke vergadering gemist. De smoes dat Jill ziek was van de chemo en dat ze met haar naar de dokter moest, was slechts een leugentje om bestwil. Wat hadden die stomme vergaderingen trouwens voor zin? Ze waren politiemensen. Ze hoefden heus niet in een stinkende vergaderruimte gedreven te worden om te horen dat ze boeven moesten vangen.

Wel was het een knoeperd van een leugen geweest toen An een weekje naar Florida ging onder het mom van een reis met Jill naar de Mayo Clinic, voor een afspraak met een wereldberoemd specialist. Een paar mensen hadden iets over haar bruine kleur opgemerkt, en An had zich eruit gered door te zeggen dat ze met alle geweld bij Jill had willen blijven toen ze bestraald werd. Misschien was het ook wel geen leugen, want zo langzamerhand voelde An een echte band met Jill. De gedachte aan lesbische seks was niet buitengewoon aanlokkelijk (ze kon zich er geen concrete voorstelling van maken, want wat deden twee vrouwen eigenlijk met elkaar?), maar het ging An om de kameraadschap, de verbondenheid met een ander mens.

Kortom, ze werd verliefd.

De daaropvolgende maanden begon de mythe Jill geleidelijk aan steeds reëler te worden. An zat al drie jaar bij de recherche, maar vóór de komst van Jill had niemand ooit de moeite genomen om een gesprek met haar te beginnen. De wetenschap dat An een zieke geliefde had, had haar op de een of andere manier een menselijk gezicht gegeven voor deze mannen. Ze kreeg vrienden, vrienden voor het leven. Sommigen van hen hadden een vrouw die borstkanker had gehad. Ze gaven An boeken over patiënten die het hadden overleefd. Op een dag waren ze allemaal om haar bureau heen komen staan en hadden haar een handtekeningenlijst gegeven. De tranen waren in haar ogen gesprongen toen ze zag dat het hele team zich in naam van Jill had opgegeven voor de Avon-sponsorloop tegen borstkanker.

Op dat moment wist ze dat Jill zou moeten sterven. Er was te veel gebeurd. An verzon zo veel verhalen dat ze zelf het spoor bijster raakte. Het ergste was nog dat mensen Jill wilden ontmoeten. Ze wilden kennismaken met deze sterke vrouw, die de dood in de ogen had gezien. Het rare was dat An, op de dag dat ze haar chef belde met de mededeling dat Jill was overleden (handig genoeg op dezelfde dag dat Macy's zijn grote jaarlijkse uitverkoop hield), zo volschoot dat ze moest ophangen.

Daar was het echter niet bij gebleven. De condoleancekaarten moesten beantwoord worden. Voor de bloemen moest worden bedankt. Natuurlijk werd er een geïmproviseerde wake gehouden in dezelfde bar waar de legende van Jill was ontstaan. Ze dronken op haar, op de verpleegster, de vriendin, de geliefde. Ze hadden droevige liederen gezongen en An had verteld over die keer dat Jill een dakloze man uit een brandend gebouw had gered, en over haar gewoonte om tandpasta op Ans tandenborstel uit te knijpen, zelfs aan het eind, toen ze bijna te ziek was om haar hoofd op te tillen. Eén keer had ze overwogen om vreemd te gaan – had ze dat ooit verteld? Er was niets gebeurd, hoewel het een moeilijke tijd voor hen beiden was geweest, maar uiteindelijk waren ze er naar Ans idee sterker uit gekomen.

Het ergste was dat An de naam Jill had gekozen omdat ze fan was van Gillian Anderson van de *X-Files*. Haar dikke rode haar, puntige kin en slanke taille waren allemaal kenmerken die An heel graag zelf had willen bezitten. Ze wist nu dat het een grote vergissing was geweest om Jill op een bestaande persoon te baseren. Soms, als An de actrice een PBS-special zag introduceren of reclame zag maken voor een van haar vele goede doelen, kreeg ze een brok in haar keel, alsof ze een geest zag uit een periode in haar leven toen ze gelukkiger was geweest.

'Hé,' zei Bruce. 'Ben je er nog?'

An knikte. Ze keken allebei naar Martin, die in zichzelf zat te mompelen.

'Zeker zware dag voor je, hè?'

Weer knikte An. De moeder van Bruce was aan borstkanker overleden toen hij nog een kind was. Die ochtend had hij bloemen voor An meegebracht, omdat het vijf jaar geleden was dat Jill was gestorven.

'Jullie hebben acht mooie jaren gehad,' merkte Bruce op. 'Dat kunnen de meeste mensen niet zeggen.'

'Ja.' An vocht tegen het verdriet dat gepaard ging met alle valse herinneringen: Jill die haar voeten masseerde. Jill die voor haar kookte. Jill die haar bad vol liet lopen. (An kon er niet omheen dat Jill in veel van haar fantasieën een uitgesproken onderdanige rol speelde.)

'Je kunt altijd bij mij terecht, pop.' Bruce klopte op haar schouder. 'Dat weet je, hè?'

Zijn hand was warm en An dacht weer aan die krankzinnige avond zes jaar geleden toen ze zich om de een of andere reden had laten verleiden door de beperkte charmes van Bruce Benedict. Ze werkten heel hard aan een bepaalde zaak, en het kwam erop neer dat An smachtte naar een mannenhand. Ze miste de barsheid, de warmte, het gevoel boordevol te zitten met een man die wist wat hij deed. Het was een vreselijke, stomme vergissing geweest om te denken dat Bruce die man zou kunnen zijn (en ze waren het erover eens geweest dat Jill het niet mocht weten: het zou haar hart hebben gebroken).

Bruce liet zijn hand zakken. 'Ik weet het niet, An, het is een heel vreemde gast, die vent. Als hij dit niet heeft gedaan, dan heeft hij wel iets anders op zijn kerfstok.'

Ze knikte voor de derde keer, blij dat hij zijn aandacht weer op Martin Reed had gevestigd. Die bleekscheet scheen de wet op zijn duimpje te kennen. Hij had geweigerd met hen te praten zolang er geen advocaat bij was, en wilde alleen maar verklaringen ondertekenen die hij zelf had geschreven. Wat speelde hij toch voor spel?

'Probeer jij het eens met hem,' zei Bruce. 'In de auto kreeg ik helemaal geen vat op hem.'

Dat kwam waarschijnlijk doordat Bruce, toen hij Martin in de boeien sloeg, had opgemerkt dat het vet op Martins polsen net deeg leek dat uit de donutmachine bij Krispy Kreme droop.

An beet op haar nagelriemen. Ze dacht aan Sandra Burke, aan haar gebroken lichaam dat in een afwateringsgreppel was gedumpt. De auto had de vrouw praktisch vermorzeld. De banden hadden haar hersens geplet en de grijze troep was over de weg gespoten.

Achter hen zoemde de intercom. Bruce drukte op de knop. 'Ja?' vroeg hij.

'Reeds advocaat is er.'

'Ik kom eraan.' Bruce deed de deur open en wilde vertrekken, maar An hield hem tegen.

'Laat me een paar minuten met hem alleen,' zei ze, met een knik naar Martin.

'Oké.'

'Heb je de foto's van de plaats delict al?'

'Die kunnen elk moment binnenkomen.'

'Neem ze maar mee als je de advocaat hiernaartoe brengt. Ik wil eens proberen of ik iets uit hem los kan krijgen.'

Bruce knikte en liet de deur achter zich dichtvallen. De lesbienne uithangen had als nadeel dat mannen niet langer de deur voor haar openhielden.

Onderweg naar de verhoorkamer bond An haar haar losjes in een paardenstaart. In de deur zat een reepje glas en ze zag Martin nog steeds bij de tafel zitten, nog steeds met gebalde vuisten. Toen ze binnenkwam, stond hij op, alsof het een Jane Austen-film was. Het zou haar niet hebben verbaasd als hij 'Voorwaar' had gezegd, maar hij bleef daar maar staan met zijn samengeknepen handen, en zijn donkergroene ogen keken haar aan.

'Ga zitten,' zei ze, en ze nam tegenover hem plaats. 'Uw advocaat komt eraan.'

'Is hij ervaren?'

De vraag overrompelde An. 'Geen idee,' bekende ze.

'Want mensen krijgen heel vaak een pro-Deoadvocaat toegewezen die nog helemaal geen ervaring heeft,' vertelde Martin. 'Ik heb erover gelezen: zaken waarin onschuldige mensen een luie advocaat krijgen, die blind, letterlijk blind is, in de zin van dat hij niets ziet. Sommigen zijn zelfs aan de drank of lijden aan narcolepsie!'

'U meent het!'

'Het is zeer verontrustend. Over dit onderwerp zijn al heel veel boeken geschreven.'

An had nooit veel op gehad met pro-Deoadvocaten, maar ze was rechercheur, en zo verbijsterend was die opvatting dus niet. 'Mijn ervaring met pro-Deoadvocaten is dat je krijgt waarvoor je betaalt.'

'Dat vermoedde ik al. Ik stel uw eerlijkheid zeer op prijs.'

'Is er nog iets wat u mij wilt vertellen, meneer Reed?'

'Niet zolang mijn advocaat er niet bij is. Ik hoop dat u het niet bot van me vindt, maar dit is een zeer ernstige situatie. Weet u wel dat ik zelfs nog nooit een bon heb gehad voor te hard rijden?' Hij schudde zijn hoofd. 'Natuurlijk weet u dat al. U hebt mijn antecedenten nagetrokken. Zijn jullie mijn huis aan het doorzoeken? Duurt het daarom zo lang? Zitten jullie op een huiszoekingsbevel te wachten?'

'Wat denkt u dat we in uw huis zullen aantreffen?'

Hij mompelde wat, maar ze verstond hem wel degelijk. 'Een razende vrouw van drieënzestig.'

'Uw moeder schijnt te denken dat u alcoholicus bent,' zei An.

'Dat zou ze wel willen,' sputterde hij.

An keek naar zijn handen, die ineengeklemd op tafel lagen. Bruce had de boeien om gelaten, en An moest toegeven dat hij gelijk had wat die donutmachine van Krispy Kreme betrof. 'Kom eens hier met uw handen,' zei ze, en ze haalde haar sleutels tevoorschijn. Ze probeerde hem niet aan te raken toen ze de boeien afdeed, maar er was geen ontkomen aan. Zijn huid voelde zo klam dat ze er kippenvel van kreeg.

'Dank u,' zei hij, en hij wreef over zijn polsen om het bloed weer te laten stromen. 'Albada, is dat Duits?'

'Nederlands.'

Met een buitengewoon slecht accent zei hij: '*Pardonnez moi.*'

'Dat is Frans.'

'*Oui.*'

'Weer Frans.'

Hij knipperde een paar keer met zijn ogen.

An slaakte een zucht en vroeg: 'Zou u me willen vertellen waar u gisteravond was?'

'Ik heb al gezegd dat ik samen met mijn moeder haar plantenschepje heb opgehaald.'

'Weet u dat de pioenclub van Lawrenceville een verzoek heeft ingediend om uw moeder een straatverbod op te leggen?'

Hij slikte moeizaam. 'Dat was gewoon een misverstand.'

'En hoe zit het dan met de Baptistenvrijwilligsters in het Ziekenhuis?'

Geschokt gingen zijn natte lippen vaneen. 'Hebben die ook al een aanklacht ingediend?'

'Heeft uw moeder dat niet verteld?'

Zichtbaar aangeslagen schudde hij zijn hoofd.

'Kennelijk vinden ze haar nogal agressief.'

'Ze is niet agressief. Hooguit… wat intimiderend.'

Een intimiderende moeder. Dat was interessant. 'Heeft ze u ooit geslagen?'

'Ze heeft een keer een schoen naar mijn hoofd gegooid, maar volgens mij was dat omdat ik met de koptelefoon op naar de tv zat te kijken. Kent u die draadloze modellen?' An knikte. 'Op de een of andere manier gaf dat storing in haar gehoorapparaat.'

'En daarom gooide ze u een schoen naar uw hoofd?'

'Alleen om mijn aandacht te trekken.' Het klonk alsof dat de normaalste zaak van de wereld was. 'Wat heeft mijn moeder hier trouwens mee te maken?'

'Ik ben rechercheur, meneer Reed. Ik probeer verbanden te leggen. Ik zie een man voor me die uit een gewelddadig gezin komt. Iemand die bloed op zijn auto heeft zitten – bloed dat afkomstig is van een dode vrouw.'

'Tja, oké, ik moet toegeven dat het er niet al te best uitziet.'

'Dat klopt.'

'Ik beantwoord ongetwijfeld aan het profiel, hè?' Hij begon al bevestigend te knikken. 'Een eenling die nog bij zijn moeder woont. Veel te hoog opgeleid voor het werk dat hij doet.'

Dat laatste had ze zelf nog niet bedacht.

'Ik hoop niet dat u me voor een chaotische moordenaar aanziet. Ik ben heel ordelijk. Vraag maar aan mijn collega, Unique Jones. Ze zegt vaak dat ik in de anale fase ben blijven steken.'

An zou maar wat graag een babbeltje met Unique Jones willen maken. Ze had een aanhoudingsbevel op haar naam staan wegens winkeldiefstal. Het adres dat ze aan Southern Toilet had opgegeven was een stuk braakliggend terrein. 'Bent u een moordenaar, meneer Reed?'

'Nee, natuurlijk niet!' Weer leek hij beledigd. 'Ik heb u toch verteld wat er vanochtend met mijn auto is gebeurd, en hoe ik mijn handen heb opengehaald? Ik ben zelf in deze zaak het slachtoffer. Iemand wil me erin luizen.'

'Waarom zou iemand u erin willen luizen?'

'Dat is het nou net!' was zijn repliek, en hij ramde met zijn wijsvinger op de tafel, alsof ze de spijker op de kop had geslagen.

'Waar was u gisteravond, meneer Reed?'

Hij staarde naar zijn handen. Er zaten nog steeds rode striemen op van de boeien. Aan de zijkant van zijn duim zag ze een merkwaardig paars randje. Dat was haar ook al opgevallen tijdens het proces-verbaal, en toen had hij iets gemompeld over een ongelukje op het werk.

'Is "Anther" ook Nederlands?' vroeg Martin.

'Het is het deel van de plant waar stuifmeel wordt aangemaakt.' Ze leunde achterover, opeens doodmoe. 'Mijn vader was botanicus. Hij had op een jongetje gehoopt.'

Martin begreep het niet en knipperde met zijn ogen.

Toegegeven: het was niet haar meest geslaagde grap, maar een dergelijke reactie viel haar tegen. Aan de andere kant: de man zat wel in een verhoorkamer op het politiebureau, waar hij ondervraagd werd over zijn betrokkenheid bij een gruwelijke moord, dus misschien verwachtte ze te veel.

Een van de redenen waarom Charlie, haar overleden echtgenoot, altijd zo kwaad op An werd, was dat hij haar grapjes niet helemaal snapte. Hij verweet haar dat ze veel te bijdehand was, vond dat ze schermde met haar betere opleiding (alsof een bachelor in de kunstgeschiedenis zoveel voorstelde). Hij begon nogal ingehouden, zoals zo'n sirene die je met de hand moet aanzwengelen, maar hoe meer het uit de hand liep, hoe harder hij ging schreeuwen, tot hij zich brullend op haar stortte en haar lichaam met zijn vuisten bewerkte – maar nooit haar gezicht.

Eigenlijk was het gênant: een vrouw van drieëntwintig, die elke dag haar uniform aantrok en haar pistool bij zich stak om de orde te handhaven, terwijl ze zelf bijna elke avond helemaal verrot werd geslagen. Toch verweerde ze zich nooit, ook al had Charlie dat dubbel en dwars verdiend. Wat was het toch voor karaktertrek waardoor An zich als slachtoffer opstelde? Tijdens haar werk zag ze zo veel huiselijk geweld dat het al bijna gewoon werd. Die eerste jaren dat ze bij het korps was, betrof de helft van de oproepen dronken kerels die hun agressie op een vrouw hadden botgevierd. Ze kreeg een waas voor ogen als ze hun gejank over liefde en alle smoesjes die ze verzonnen moest aanhoren. En wanneer ze thuiskwam, nam Charlie haar onder handen.

Eigenlijk was het een geluk dat hij in het bad was uitgegleden en zijn hoofd tegen de rand had gestoten. Toen An hem daar had aangetroffen, was het enige wat ze zich afvroeg of ze de kraan open moest laten staan terwijl hij langzaam doodbloedde. Ze was een kind van Nederlandse ouders, en water verspillen was zonde. Daarop had ze de douche dichtgedraaid en was naar *Wheel of Fortune* gaan kijken.

Dat was in de tijd dat je van je winst spullen moest kopen. An kon zich de vrouw nog goed herinneren die die avond had gewonnen. De ene camera gleed over alle exotische, dure voorwerpen, en de andere bracht het opgewonden gezicht van de winnares in beeld terwijl ze de artikelen opnoemde die ze wilde kopen. 'Ik neem de eethoek van vijfhonderdnegenennegentig dollar en het bijpassende dressoir van driehonderdvijftig.' Er bleef altijd een paar honderd dollar over, waarvoor de winnaar steevast de witte keramische windhonden moest aanschaffen. An had altijd al zo'n windhond willen hebben. Ze was er nog nooit eentje in een winkel tegengekomen. Attent als ze was, zou Jill voor haar op zoek zijn gegaan, als ze de kracht had kunnen opbrengen om uit haar bed te komen (niet dat ze veel geld hadden; Jills arbeidsongeschiktheidsuitkering van het ziekenhuis dekte amper haar deel van de hypotheek).

Bruce klopte op de deur en kwam de verhoorkamer binnen. Hij had een map bij zich: de foto's van de plaats delict. Hij legde de map op tafel en net toen hij hem naar An toe schoof, kwam er een keurig in het pak gestoken jongen van een jaar of twaalf achter hem aan naar binnen.

Nou ja, de pro-Deoadvocaat was natuurlijk niet echt twaalf, maar zo zag hij er wel uit. Toen hij door het vertrek liep, piepten zijn schoenen. Ze zag dat zijn haar aan de bovenkant nat was, waarschijnlijk omdat hij een kruin had platgekamd. In de manchet van zijn colbertje zat nog het labeltje van de fabrikant.

'Ik ben Max Jergens,' zei hij, en An moest bijna lachen toen ze bedacht dat die naam eerder bij een groot geschapen pornoster paste. Onwillekeurig ging haar blik meteen naar zijn kruis. Jergens zag het uiteraard. Er speelde een glimlachje om zijn mondhoek.

An probeerde haar toon zo professioneel mogelijk te houden en niet naar zijn kruis te kijken toen ze zei: 'Ik ben rechercheur An Albada. We willen uw cliënt een aantal vragen stellen in verband met een van zijn collega's, Sandra Burke.'

Hij legde zijn koffertje op tafel, klikte de slotjes open, pakte een notitieblok en sloot het koffertje weer, waarna hij het op de vloer zette, een pen uit zijn borstzakje haalde, de dop van de pen schroefde, die op het uiteinde plaatste en de naam opschreef. 'Anabada.'

Martin schoot hem te hulp. 'Dat had ik zelf eerst ook fout,' zei hij, en hij pakte de pen van zijn advocaat, streepte de naam door en schreef in een zwierig meisjeshandschrift: 'Rechercheur van politie Anther Albada.' Op de 'i's' zette hij een rondje in plaats van een punt.

An hoorde Bruce achter zich grinniken. Ook zonder zich om te draaien wist ze dat hij met over elkaar geslagen armen misprijzend naar Martin stond te kijken.

'Wat hebt u voor bewijs tegen mijn cliënt?' vroeg Jergens.

'Eigenlijk is het te gek voor woorden...' begon Martin, maar An snoerde hem de mond met een blik die zoveel zei als: 'Had hij het soms tegen jou?'

'Op de auto van de heer Reed hebben we bloed aangetroffen dat vermengd was met dat van het slachtoffer,' vertelde ze. 'We beschikken over onomstotelijk bewijs dat de auto van de heer Reed mevrouw Burke heeft overreden.'

Martins gezicht werd nog bleker dan het al was. 'Ik heb mijn handen opengehaald,' legde hij uit. 'De bumper hing er aan de voorkant af. Toen heb ik mijn handen opengehaald.' Hij hield zijn handpalmen omhoog en ze zag de wirwar van dunne streepjes. Tijdens het proces-verbaal waren er foto's van de wondjes gemaakt, en net als toen dacht An ook nu weer: als Sandra Burke door een dodelijk snijwondje aan haar einde was gekomen, dan was het een uitgemaakte zaak geweest.

'Waar is haar lichaam gevonden?' wilde Jergens weten.

'Op nog geen kilometer van het kantoor van de heer Reed – op de route die hij altijd neemt wanneer hij naar huis gaat.'

'Klopt dat?' vroeg Jergens verbaasd.

'Volgens ons heeft hij zijn moeder naar huis gebracht en toen de vrouw opgezocht die hem twee dagen eerder had vernederd.' An keek Martin aan terwijl ze het scenario uiteenzette. Hij zag er niet uit als iemand die zich door haat liet verteren, maar aan de andere kant was ze zelf een volwassen vrouw die acht jaar lang een relatie had onderhouden met een denkbeeldige vriendin, dus wie zou het zeggen?

'Heeft hij een alibi?' vroeg Jergens.

'Nee.'

'Oei,' zei Jergens gnuivend. Hij keek naar zijn notitieblok, waarop hij met zijn pen Ans naam had nagetrokken. Toen hij merkte dat ze keek, gaf hij haar een knipoog en veranderde een cirkeltje in een hartje.

'Bent u narcolepticus?' vroeg Martin aan zijn advocaat.

Treurig schudde Jergens zijn hoofd. 'Was het maar waar.'

An sloeg de map open die Bruce haar had gegeven. Ze hield hem schuin, zodat Martin en zijn jeugdige verdediger niet konden meekijken. Het waren grimmige, gruwelijke foto's. Sandy was niet simpelweg overreden. Haar lichaam vertoonde afgrijselijke kneuzingen van slagen die met een stomp voorwerp waren toegebracht. Op de plaats delict had de lijkschouwer het vermoeden geuit dat het een stuk hout was geweest of iets anders met een bot uiteinde. Toen An de kofferbak van Martins Camry had geopend en de verbrijzelde hoek van zijn koffertje had gezien, had ze dat bij de lijst van mogelijke moordwapens gevoegd.

De lijkschouwer had het al snel gezien: de vrouw was met de auto omvergereden. Ze was overleden aan de klappen die hierop volgden. Daarna was de moordenaar weer in zijn auto gestapt en over haar hoofd gereden. Vervolgens over haar romp. En nogmaals over haar hoofd.

Heimelijk moest An toegeven dat ze niet veel sympathie voor het slachtoffer kon opbrengen. Sandra Burke had twee kinderen, die door de staat werden opgevoed. Ze had een verleden vol drugs- en alcoholmisbruik. Ooit was ze opgepakt omdat ze een van haar bejaarde buren tien dollar had afgeperst voor sigaretten.

Al met al was het niet eens zo opzienbarend – het was zeker niet Ans eerste zaak waarbij een slechte, alcoholische moeder op brute wijze vermoord was – maar één ding irriteerde An mateloos aan Sandra Burke: het mens was een belabberde huisvrouw. Ze had borden zo lang in de gootsteen laten staan dat de etensresten waren gaan schimmelen. Was het nou zo'n moeite om ze even in de afwasmachine te zetten? En zou de vrouw eraan bezweken zijn als ze af en toe de stofzuiger over het kleed in de gang had gehaald? God nog aan toe, en dat terwijl de stofzuiger in de gangkast stond.

'Sorry?' zei Martin.

An besefte dat ze al heel lang niets had gezegd. Ze kuchte en probeerde het beeld van de smerige borden van zich af te zetten en Sandra Burke als een menselijk wezen te zien in plaats van als een walgelijke slons. 'Meneer Reed, hebt u ooit een vrouw geslagen?'

'Natuurlijk niet,' zei hij bits. 'Mannen zijn sterker dan vrouwen. Dat zou toch niet eerlijk zijn?'

Bruce grinnikte. 'Als je ze wilt slaan, moet je eerst alleen met ze zijn, hè Marty? Was dat het?' Hij sloeg met zijn handen op tafel en zei met luide stem: 'Vertel eens wat er gebeurd is, Martin! De waarheid, graag!' Hij boog zich naar hem toe. 'Je probeerde het met Susan aan te leggen en toen zei ze dat je op moest rotten! Zo is het toch gegaan?'

Martin en An wisselden een blik. Hij klonk mild toen hij Bruce verbeterde. 'Ze heet trouwens Sandy.'

Jergens streepte de naam 'Susan' door en schreef: 'Sandee.'

An voelde hoofdpijn opkomen, die zich vanuit haar nek naar haar hersenstam verspreidde. Ze vroeg: 'Meneer Reed, waar bent u gisteravond naartoe gegaan nadat u uw moeder thuis had afgezet?'

'Ik heb gewoon wat rondgereden,' zei hij binnensmonds.

'Praat toch eens wat harder,' mopperde Bruce.

'Ik zei dat ik gewoon wat heb rondgereden,' herhaalde Martin met klem. 'Dit is echt krankzinnig. Waarom zou ik in godsnaam Sandy iets willen aandoen?'

An gaf Bruce een schop tegen zijn voet ten teken dat hij weer snel met zijn chagrijnige kop bij de muur moest gaan staan. Tegen Martin zei ze: 'Volgens uw collega's werd u behoorlijk gepest door Sandy.'

'Nee, dat is niet zo,' wierp Martin tegen. 'Tenminste, niet op een respectloze manier. Niet uit gemeenheid, bedoel ik. Nou ja, misschien was het wel een beetje gemeen, maar ze bedoelde er niks kwaads mee...'

'Twee dagen geleden heeft ze de intercom gepakt en u "lamlulletje" genoemd, waarna ze met tiensecondelijm een vibrerende rubberen dildo van vijfentwintig centimeter aan uw bureau heeft vastgeplakt.'

Martin kuchte. 'Ze hield van een geintje op z'n tijd.'

'Blijkbaar.'

'Bovendien wist Sandy dat tiensecondelijm er weer makkelijk af gaat met Smurrex. Het is een van de populairste producten van Southern.' Hij schudde zijn hoofd. 'Ze is nota bene aan de lopende band van Smurrex begonnen.'

An probeerde het beeld te verdringen van Martin die een vibrerende dildo van vijfentwintig centimeter vastgreep, met oplosmiddel insmeerde en van zijn bureau bikte. 'Sommige vrouwen met wie we hebben gesproken, zeiden dat u hen afluisterde als ze zaten te plassen.'

Jergens vertrok walgend zijn mond. 'Echt waar, man?'

'Mijn kantoor is pal naast de toiletten,' legde Martin uit. 'Ik luisterde niet met opzet. Ik had geen keus.'

'Juist ja.' Jergens begon weer te krabbelen. An zag dat hij een galg had getekend waaraan een figuurtje bungelde dat verdacht veel op Humpty Dumpty leek.

'Meneer Reed,' opperde An, 'u kunt dit tot een oplossing brengen door ons te vertellen waar u gisteravond was.'

'Ik zei toch dat ik wat aan het rondrijden was. Om acht uur was ik weer thuis, toen kwam er een programma op tv dat ik wilde zien.'

Jergens leefde op. 'Waar heb je naar gekeken?'

Martin sloeg blozend zijn blik neer. Hij mompelde iets onverstaanbaars.

'Wat?' vroegen An, Bruce en Jergens als uit één mond.

Martin hief zijn hoofd en rechtte zijn schouders. '*Dancing With the Stars.*'

Jergens keek Bruce even aan en beide mannen grinnikten. 'Heb je daar samen met je mammie naar zitten kijken?'

Om de een of andere reden had An het gevoel dat ze de verdachte in bescherming moest nemen, en ze schonk de advocaat een woedende blik.

'Ja,' antwoordde Martin, 'ik heb er samen met mijn moeder naar gekeken.' An hoorde aan zijn stem dat hij zich uit alle macht aan het laatste greintje waardigheid vastklampte.

'Hebt u het helemaal uitgekeken?' vroeg ze.

Martin knikte. 'Mijn moeder is naar bed gegaan toen Mr. T de rumba danste, maar omdat ik al mijn hele leven fan van het A-team ben, wilde ik zien hoe het afliep.' Hij voegde eraan toe: 'Er is trouwens niks verwijfds aan als je graag naar dansende mensen kijkt. Mr. T is heel lichtvoetig. Hij is een fantastische sporter. Heel veel sportlieden gaan op dansles. Dat houdt ze lenig.'

Met een zucht liet An zich weer achteroverzakken. Sandra Burke was rond kwart over acht vermoord, en als An het zich goed herinnerde, was dat ongeveer het tijdstip geweest waarop een van de juryleden van *Dancing With the Stars* had opgemerkt dat sportlieden vaak lichtvoetige dansers zijn.

Martin bleef maar hameren op zijn manlijkheid. 'Er is niks mis mee als je een brede belangstelling hebt. Ik ben in heel veel dingen geïnteresseerd. In heel veel interessante dingen.'

'Zoals in boeken?'

Martin glimlachte – een oprechte glimlach. 'Ik ben gek op lezen.'

'Welke genres vindt u het boeiendst?'

'Nou, moordverhalen bijvoorbeeld. En sciencefiction, maar dan liever iets met een maatschappelijk aspect dan met ruimteschepen.' Hij keek wat bedeesd naar zijn handen. 'Ik ben vooral gek op Kathy Reichs. Haar hoofdpersonage is heel... aantrekkelijk. Ze gaat recht op het doel af, net als, nou ja... net als u.'

An voelde dat ze bloosde. Ze had nog nooit een aflevering van *Bones* overgeslagen. Vergeleek hij haar nu met Tempe Brennan?

Bruce liet zich niks wijsmaken. 'Kom op, Reed. Dokter Brennan is forensisch antropoloog.'

'Dat klopt, man,' beaamde Jergens, die scheen te vergeten dat Martin zijn cliënt was. 'Andi is rechercheur.'

'Anther,' verbeterde Martin hem. 'Rechercheur Anther Albada.' Met zijn blik op An gericht drukte hij zijn pafferige vinger op de plek waar hij haar naam had opgeschreven. 'Anther.'

An zat weer op haar nagelriem te bijten, en ze moest zichzelf dwingen om ermee te stoppen. Het ging helemaal de verkeerde kant op, maar ze had geen flauw idee hoe dat zo gekomen was. 'Leest u ook waargebeurde misdaadverhalen?' vroeg ze aan Martin.

'Jazeker. Maar alleen van Ann Rule, geen troep. O, en ik kijk nooit naar de plaatjes.'

An deed de map open, zodat Martin de foto's kon zien. 'Dit soort plaatjes?' vroeg ze. Ze sloeg de ene foto na de andere om en liet hem Sandra Burke in al haar naaktheid zien, haar geplette lichaam nadat de auto telkens weer over haar heen was gereden. 'Er zijn stukjes tand in uw rechterachterband gevonden.'

Martin deed zijn mond open en kotste de tafel onder.

3

Wat Martin die avond echt deed,
of: glitter alleen voor de prikkel

Martin zei vaak dat hij van elk racisme verstoken was. Hij had Barack Obama gesteund, dat zei hij althans (Martins leven werd geregeerd door sterke vrouwen, en van verandering moest hij eigenlijk niet veel hebben). Zijn naaste collega was zwart. Hij luisterde wel eens naar rapmuziek en hield van de humor van Chris Rock. Kortom, doorgaans zag hij het verschil niet tussen blank en zwart. Als hij naar iemand keek, dan zag hij een mens, niet een huidskleur.

Ondanks zijn schitterende staat van dienst op dit gebied kon het Martin niet ontgaan dat hij de enige blanke was in de arrestantencel van het huis van bewaring in Atlanta. Ook zijn medearrestanten was het kleurverschil opgevallen. Toen hij de cel binnenkwam, had iemand na één blik op Martins overhemd met korte mouwen en klipstropdas gezegd: 'Moet je kijken, een republikein.'

Hij kon nog steeds niet geloven dat hij vastzat op grond van zulk flinterdun bewijsmateriaal. Inderdaad was zijn bloed vermengd met dat van Sandy, maar dat had niks te betekenen. Of toch wel? Je hoefde maar één goed boek van Patricia Cornwell te lezen om te weten dat bloed geen stempeltje had met een tijdstip en datum. Technisch kon niet bewezen worden dat Martin de bumper pas de dag na het ongeluk had aangeraakt. Wat een ellende!

Hij hield zijn adem in toen de stank van verse poep de ruimte vulde. Er waren twee toiletten, allebei in het volle zicht. Een grote, kale man zat een tijdschrift te lezen terwijl hij zijn behoefte deed, alsof het de gewoonste zaak van de wereld was. Vrijwel zijn hele volwassen leven had Martin met toiletten te maken gehad, en bij binnenkomst was hij in de verste hoek weggedoken, maar de stank leek door de muren teruggekaatst te worden en hem van alle kanten te omhullen. Hij zat met opgetrokken knieën op de vloer, en het enige waaraan hij kon denken was dat je zo in een beest werd veranderd. Hoelang zou het duren voor hij het niet meer hield en zich zou moeten ontlasten in aanwezigheid van volslagen vreemden? Hoe lang zou het duren voor zijn waardigheid tot nul was gereduceerd en hij ook op de vloer zou spugen en zich zou krabben, net als de andere kontneukers? Of heetten ze poppetjes? Martin had het jargon nog niet onder de knie.

O, had hij zijn vader maar kunnen bellen in plaats van zijn waardeloze moeder toen hij dat ene telefoontje mocht plegen. Ze had niet eens opgenomen. Hij had het antwoordapparaat horen zoemen, waarna Evies botte stem hem verzocht om een bericht in te spreken. Ze moest thuis zijn – vanwege haar staar kon ze zelf niet rijden – en ze wist maar al te goed dat Martin in het huis van bewaring zat –, dat hij daar zat weg te rotten!

Zijn vader zou zijn enige zoon niet tussen al deze monsters hebben laten zitten. Zijn vader zou… Ach, wat probeerde hij zichzelf nou wijs te maken? Tijdens zijn leven was Marty Reed al even nutteloos als na zijn dood. Hij was boekhouder geweest, net als zijn zoon later zou worden, en hij had de registers en balansen voor een groot advocatenkantoor in de stad verzorgd. Zijn moeder had het stelselmatig 'het ongeluk' genoemd, tot op het moment dat de verzekering had gezegd dat ze het zo mocht blijven noemen, maar dat de officiële doodsoorzaak van Martin Harrison Reed senior zelfmoord was.

Het was als volgt gegaan: na een heerlijke lunch van hamsalade en gevuld ei had Marty iets op de achterkant van een systeemkaartje geschreven en toen had hij zijn bril afgenomen. Beide had hij op zijn bureau gelegd. Op dat moment had niemand het vreemd gevonden om Marty blind om zich heen tastend en tegen stoelen en muren op botsend (zonder bril kon hij vrijwel niks zien) door het kantoor naar de gang te zien lopen. Hij had het zakje met de laatste restjes van zijn lunch in zijn hand terwijl hij op zijn gevoel naar de vuilstortkoker liep. Iemand zei dat hij gegiechel had gehoord toen de deur openknarste, hoewel dat dan het laatste geluid zou zijn geweest dat hij maakte. Marty schreeuwde niet eens terwijl hij door de koker naar beneden tuimelde en achtendertig verdiepingen lager neersmakte, naast zijn ineengepropte lunchzakje.

Pas uren later, nadat de chauffeur van de vuilniswagen het lijk had gevonden, las iemand het briefje. 'Schenk mijn bril aan de Aloude Arabische Orde van de Edelen van het Mystieke Heiligdom.'

'Wat aardig van hem,' had zijn moeder gezegd, hoewel ze woedend was geworden toen ze vernam dat deze tak van de vrijmetselarij geen vrouwen toeliet op bijeenkomsten. Dat verklaarde volgens Martin het gegiechel. Zijn vader had eindelijk het laatste woord gehad.

'Woehoe!' riep iemand. Er klonk gefluit en wat gejoel. Martin probeerde tussen de benen van de mannen bij het hek door te kijken. Hij zag een tennisschoen… een kuit…

'Kappen, stelletje eikels,' zei An tegen de mannen die hun handen naar haar uitstrekten. 'Handen thuis, godverdomme, of ik laat jullie mijn stroomstok voelen.'

Martin krabbelde overeind en zijn hart bonkte bij het horen van haar stem. De groep week uiteen, en hij liep naar voren, zich bewust van de nieuwsgierige, om niet te zeggen jaloerse blikken van zijn celgenoten.

An knikte naar de agent naast haar, waarop deze de celdeur openmaakte.

'Deze kant op,' zei ze, en ze liep de gang door.

Martin struikelde over zijn eigen voeten in zijn ijver om haar bij te houden. 'Het was daar afschuwelijk,' zei hij. 'U weet niet half wat dat met je doet. Het zijn beesten. Ik voel me zo…'

'U hebt er nog geen halfuur gezeten,' zei ze, terwijl ze een code intoetste op het paneel naast de deur.

'Echt?' vroeg hij, stomverbaasd dat het niet minstens een uur was geweest. 'Het leek wel een eeuwigheid. Reuzebedankt voor…' Eindelijk begon het Martin te dagen. 'Hé, waar brengt u me naartoe?'

'U wordt op borgtocht vrijgelaten.'

'En het bloed dan? En mijn vingerafdrukken?'

'Probeert u me op andere gedachten te brengen?'

'Ik wil… Ik wil niet dat u door mij in de problemen raakt.' Eindelijk kwam de waarheid eruit. Hij zag het beeld weer voor zich van An in de verhoorkamer. Had hij bezorgdheid op haar gezicht gelezen toen hij de hele tafel onderkotste? Het was geen walging geweest – Martin had bij vrouwen vaak genoeg walging gezien om te weten hoe dat eruitzag.

'Waarom zou ik in de problemen raken?' vroeg ze.

'Omdat u me vrijlaat,' zei hij. 'Want we zitten wel met een hele hoop indirect bewijsmateriaal.'

Ze staarde hem aan. Hij zag dat haar ene ooglid meer naar beneden hing dan het andere. In het tl-licht op de gang waren de kringen onder haar ogen donkerder. Hij had haar graag in zijn armen genomen om dat hangerige weg te kussen. Of het er juist in te kussen, want het leek eigenlijk gemakkelijker om een ooglid nog meer te laten hangen door ertegenaan te drukken dan om dat hangerige weg te nemen; het was gewoon een simpel natuurkundesommetje.

'U moet een betere advocaat nemen.'

'Max lijkt me anders best aardig.' Hij had Martin trouwens goede raad gegeven en gezegd dat hij zich bij de blanken aan moest sluiten zodra hij in de cel zat. Als er ook maar één andere blanke was geweest, dan had hij dat beslist gedaan.

'Ik laat u vrij omdat tests hebben uitgewezen dat Sandy's bloed op de bumper eerder was opgedroogd dan het uwe.'

'Kun je dat dan zien?'

'Ja,' zei ze, en ze klonk vermoeid. 'Dat kun je zien.'

Martin krabde over zijn kin en vroeg zich af of hij Kay Scarpetta ooit nog zou kunnen vertrouwen.

'Uw auto staat op het terrein met in beslag genomen voertuigen. Houdt u zich vooral aan de regels,' waarschuwde An. 'U bent nog steeds hoofdverdachte in deze zaak.'

'Ja, dat snap ik.'

'U moet me ook nog vertellen wat u hebt gedaan tussen het tijdstip waarop u uw moeder afzette en het tijdstip waarop u weer thuiskwam.'

Martin perste zijn lippen op elkaar.

'Meneer Reed…'

'Ik zweer dat ik Sandy nooit iets zou aandoen. Ze plaagde me wel eens, maar ik weet dat ze om me gaf. Als mensen de pik op je hebben, dan komt dat soms doordat ze alleen op die manier hun genegenheid kunnen tonen.' Martin haalde zijn schouders op. 'Als je het zo bekijkt, dan waren Sandy en ik zelfs bevriend.'

Weer staarde An hem aan. Ze slaakte een diepe, schorre zucht, zo uitgeput was ze. Martin dacht aan alles wat hij zou doen als ze van hem was: haar haar strelen, haar voeten masseren, haar lampen vervangen (zelfs als er spinnen zaten!). Voor haar zou hij leren koken. Hij zou de kunst van het minnespel in een oogwenk onder de knie hebben, net als macramé en modelschepen bouwen toen hij in de derde van de middelbare school zat. Per slot van rekening had zijn moeder nog steeds een paar van zijn schepen op de keukenkastjes staan. Evie zou ze echt niet al die jaren hebben laten staan als ze ze niet mooi vond!

'Meneer Reed?'

Ze had iets tegen hem gezegd, maar hij had het niet gehoord. 'Ja?'

Liefste…

'Naar buiten.'

Hij zag dat ze de deur voor hem openhield. In een soort kooi zat een man, die een envelop had met zijn persoonlijke bezittingen. Martin draaide zich om, want hij wilde Anther bedanken – eigenlijk wilde hij nog één keer goed naar haar kijken –, maar de deur sloeg voor zijn neus dicht.

De man in de kooi begon al te praten toen Martin nog niet eens bij hem was. 'Tel je geld, controleer je spullen en dan hier tekenen.'

Martin deed wat hem was opgedragen: hij telde zijn geld tot op de laatste stuiver en controleerde zijn portefeuille om te zien of een niet-geïncasseerd kraslot er nog in zat. 'Dank u,' zei hij tegen de man, maar kennelijk waren de poppetjes al even onbeleefd als de kontneukers. Of waren het de kontneukers die op de poppetjes moesten passen? En waarom werden ze poppetjes genoemd? Omdat het een stelletje willoze marionetten was?

Martin dacht daarover na terwijl hij door de overvolle wachtkamer van het huis van bewaring liep. Er stonden rijen kunststof stoelen, voldoende om plaats te bieden aan minstens vijfhonderd mensen, schatte hij. Wachtende gezinnen stonden in kluitjes bijeen. Grootouders zaten alleen. Wat een treurnis.

Bij de ingang was een taxistandplaats. Martin stapte in de eerste de beste auto, die vaag naar braaksel rook. Of misschien rook hij nu pas zichzelf, nu hij in zo'n krappe ruimte zat. De chauffeur keek niet al te blij. Bij het invoegen op de snelweg zette hij alle raampjes open. Martins haar wapperde woest rond zijn gezicht en striemde zijn wangen, maar hij gaf er niet om. Terwijl de chauffeur de I-20 en vervolgens de I-285 op reed, keek Martin naar de skyline van de stad. Pas toen ze het vliegveld van Atlanta passeerden, besefte hij dat de chauffeur de langst mogelijke route had gekozen.

Nou, dacht Martin, *als de chauffeur op een fooi rekent, dan heeft hij dat mooi mis.*

Precies tweeënvijftig minuten later stopten ze voor huize Reed. Martin had nauwelijks voldoende geld om het bedrag op de meter te betalen. De chauffeur gaf duidelijk te kennen dat hij het niet pikte. Hij reed de taxi achteruit over Evies planten en scheurde de oprit weer af. Waarschijnlijk dacht de man dat hij Martin daarmee strafte, maar in werkelijkheid was Martin zo nijdig op zijn moeder omdat ze hem niet te hulp was gekomen dat het hem niet kon schelen hoeveel bloemen eraan moesten geloven.

'Allejezus, wat kom jij hier doen?' wilde Evie weten. Ze stond in de deuropening, met haar kamerjas open. 'Je hoort toch in de gevangenis te zitten?'

'In het huis van bewaring,' verbeterde hij haar. 'Naar de gevangenis ga je als je veroordeeld bent.'

'Bedankt voor het lesje, meneer Lul de Wijsneus.'

Martin liep het trapje op en ging het huis binnen. Voor de spiegel in de gang bleef hij staan, en het viel hem op dat hij sinds die ochtend een stuk ouder was geworden. Dat kwam er nou van als je je onder gespuis begaf.

'Norton Shaw heeft gebeld. Hij zegt dat je ontslagen bent.'

'Wat?'

'Hij zei dat je na het werk je spullen moest halen en de sleutels in zijn kamer moest leggen. Ik hoop toch niet dat je op mijn centen komt teren. Ik ben een oude vrouw. Ik heb genoeg aan mezelf.'

'Waarom ben ik ontslagen?'

'Geen idee, Martin. Laat ik eens een gok doen: misschien omdat je een van je godvergeten collega's hebt vermoord?'

Martin had pijn in zijn kaken, zo hard klemde hij zijn kiezen op elkaar. 'Ik moet je auto even lenen.'

'Hoezo, ga je weer iemand vermoorden?'

Hij sloot zijn ogen en telde langzaam tot tien. 'Een... twee... drie...'

'Ik heb altijd gedacht dat je wel eens autistisch zou kunnen zijn,' mompelde zijn moeder terwijl ze naar de keuken liep. 'Ik vraag me af of je dat ter verdediging zou kunnen aanvoeren.'

Martin opende zijn ogen. Zijn baan! Zijn broodwinning! Zijn collega's waren de enige vrienden die hij had. Wat moest hij zonder die sociale uitlaatklep? Waar moest hij nu naartoe voor een beetje kameraadschap, wat was nu zijn band met de buitenwereld? Hij bekeek zichzelf in de gangspiegel. De hardheid in zijn ogen was iets nieuws. Was dit de man die An had gezien, deze andere Martin, voor wie de wereld een hopeloos en onbetrouwbaar oord was geworden?

Evie wierp hem de sleutels toe. Ze ketsten van zijn gezicht af en hij probeerde ze te vangen. 'Wel voltanken voor je hem terugbrengt.'

Martin bukte zich om de sleutels op te rapen. 'De tank hoort anders vol te zitten.'

'Ik had wat dingen uit de winkel nodig. Ik ben een oude vrouw met een godvergeten crimineel als zoon. Ik kon toch niet weten hoe lang je in de bak zou moeten blijven?'

Martin probeerde het beeld van zijn moeder achter het stuur te verdringen. Door haar staar kon ze niet zien wat er opzij van haar gebeurde. De vorige week had ze met de grasmaaier de brievenbus geschampt.

Hij wierp een blik op zijn horloge. Southern Toilet was inmiddels dicht. 'Ik ga naar het werk om mijn bureau uit te ruimen.' Hij werd overmand door verdriet. Hoe konden ze hem nu ontslaan? Waarom zou Norton Shaw hem dat aandoen? Martin was nergens voor veroordeeld. Hij had Sandy altijd aardig gevonden. Waarom zou hij haar in 's hemelsnaam vermóórden? Hoe kón hij haar in 's hemelsnaam vermoorden? Hij zou nog geen vlieg kwaad doen.

Evie kneep haar ogen tot spleetjes. 'Als je echt onschuldig was, dan zou je Southern wel aanklagen omdat ze je zonder aanleiding op straat hebben gezet.'

'Ik ben ook onschuldig!' riep hij uit. 'Moeder, je weet dat ik gisteravond thuis was.'

Ze grijnsde raadselachtig. Ze wisten allebei dat dat niet helemaal waar was.

Het was wel toevallig dat Martin met zijn moeders auto naar Southern Toilet reed. Hij voelde zich net een personage in een roman van Janet Evanovich, nu hij evenals Stephanie Plum was aangewezen op de kobaltblauwe Cadillac van een bejaard familielid. Dit was echter geen komisch moordverhaal. Dit was het echte leven. En om dat aspect te benadrukken minderde Martin vaart toen hij het afzetlint naderde bij de plek waar Sandy aan haar eind was gekomen.

Arme Sandy. Arme, geknakte Sandy. Oké, ze had hem getreiterd, maar dat hoefde ze toch niet met de dood te bekopen? Zelfs Evie had dat met zoveel woorden gezegd. 'Wat een moordgrap!' had ze uitgeroepen toen Martin haar over het fiasco met het vastgelijmde seksspeeltje had verteld (Evie was nieuwsgierig geweest naar het stuk rubber dat merkwaardig genoeg door de Smurrex in zijn duim was gesmolten. Twee weken later was de vage paarse streep nog steeds zichtbaar).

Achter hem werd geclaxonneerd. Martin gaf gas en reed weg van de plaats delict. Wel legde hij de afstand naar Southern ruim onder de maximumsnelheid af, Ans waarschuwing indachtig dat hij zich aan de regels moest houden. Hij vond het heel aardig van haar dat ze hem gewaarschuwd had, maar An leek hem dan ook een heel aardig iemand. Hij was nog steeds ondersteboven van haar bezorgde blik in de verhoorkamer, net voor ze van haar stoel was opgesprongen om niet onder de kots gespetterd te worden die over de tafel stroomde. Hij hoopte dat ze nog meer afdrukken had van de bedorven foto's. Die had ze vast nodig voor de zaak.

De auto achter hem zwenkte uit, recht tegen het tegemoetkomende verkeer in, en luid toeterend sneed hij voor de Cadillac langs.

'O, hemel,' mompelde Martin. Met een ruk aan het stuur week hij uit. De wielen hobbelden over de berm, hij nam een scherpe bocht en met zijn handen om het stuur geklemd reed hij het parkeerterrein bij een winkelcentrum op, waarna hij keihard op de rem trapte. De auto kwam schuddend tot stilstand. Toen Martin opkeek, knipperde er net een bordje met neonreclame aan in de avondschemering.

Madam Glitter's. Als dit echt een roman was geweest, dan zou dit moment als een schitterende voorbode hebben kunnen dienen. Of was het een nabode? Want feitelijk was het al gebeurd.

Het zat namelijk zo: Martin had inderdaad zijn moeder naar de opslagruimte van de pioenclub gebracht om haar plantenschepje te halen, en die opslagruimte bevond zich recht tegenover het winkelcentrum waar Madam Glitter's was gevestigd. Martin had in zijn moeders Cadillac gezeten (ze wilde niet in de 'lulmobiel' gezien worden) en had naar de neonreclame gekeken, die opgloeide in het avondlicht. 'Gestrest? Oververmoeid? Zin in een verzetje?' had het bordje gevraagd. 'Professionele massage voor een redelijke prijs! Loop vrijblijvend binnen!'

Martin had nog nooit een massage gehad, en nadat hij drie uur lang de laatste restjes van de vibrerende dildo van zijn bureau had staan boenen, had zijn rug afgrijselijk opgespeeld. Hij had een stijve nek, en vlak onder zijn schouderblad zat een knoop die als een heet mes in zijn ribben stak telkens als hij zijn rechterarm bewoog. Daar was een massage toch goed voor?

De hele terugrit had hij aan de massage zitten denken; hij had niets meegekregen van Evies geklaag over 'dat secreet dat de baas speelt over de tuiniersclub alsof ze de hoofdnazi in Dachau is'.

In zijn verbeelding zou hij bij de voordeur worden begroet door een robuuste jonge vrouw, blootsvoets en met een ring in haar neus. Misschien kreeg hij eerst een lekker kopje thee met koekjes. Er zouden belletjes rinkelen en misschien zou er een fonteintje borrelen. Zou aanraking echt een heilzame werking hebben? In een van zijn tijdschriften had Martin over een onderzoek gelezen waarbij cholesterolmedicijnen werden uitgetest op konijnen. Bij een van de konijnengroepen waren de resultaten verbluffend, en later kwam aan het licht dat de verzorgster van die groep de beestjes bij het voeren altijd over de rug had geaaid. Zou dat ook met Martin kunnen gebeuren? Zouden de liefdevolle strelingen van een medemens iets wezenlijks in hem kunnen veranderen en hem gelukkig maken?

'Ik ben zo terug,' had Martin tegen zijn moeder gezegd toen ze voor het huis stonden, en Evie was nog niet uitgestapt of hij reed alweer weg.

'Wel allejezus...' had ze gezegd, maar door de voorwaartse beweging sloeg het portier op dat moment met een klap dicht.

Onderweg voelde Martin zich ontspannen als hij alleen al aan de massage dacht. Hij trapte het gaspedaal van de Cadillac zelfs in, tot wel acht kilometer boven de maximaal toegestane snelheid. In zijn verbeelding zag hij de nieuwe, roekeloze Martin al voor zich. Wat zou Unique morgen zeggen als hij zich achteloos liet ontvallen dat hij een massage had gehad? Zou hij er een soort metroseksueel van worden? Zou hij geparfumeerde scheercrème gaan gebruiken bij zijn wekelijkse scheerbeurt? Zou hij naar de pedicure gaan, net als Unique? Ha! Dat zou ze grappig vinden. En reken maar dat ze jaloers zou zijn!

Hij reed recht op Madam Glitter's af en parkeerde pal voor de deur. Zodra hij uitstapte, ebde het opgetogen gevoel weg. Voor de ramen hingen zware gordijnen. Op de voordeur zat een grote sticker met een rolstoel en daaronder de tekst: 'Gespecialiseerd in speciale behoeften.' Het ergste was nog wel dat in het aangrenzende pand een cafetaria was gevestigd, en toen Martin bij Madam Glitter's naar binnen stapte, zweefde de lucht van gebraden kip hem tegemoet.

'Kom je voor een massage?' vroeg de vrouw achter de balie. Ze was dik, misschien wel een van de dikste mensen die hij ooit had gezien (en dat wilde wat zeggen – aan Evies kant van de familie zat een stel stevige tantes).

'Ik was, eh...' Martins voeten begonnen opeens terug te schuifelen.

'Vijftig dollar. Geen creditcards.' De vrouw knikte in de richting van een gesloten deur. 'Ga daar maar naar binnen en trek je kleren uit, dan kom ik zo.'

Martin bleef als aan de grond genageld staan.

'Opschieten,' blafte ze, en Martin gehoorzaamde.

In het krappe massagekamertje was de kippenlucht mogelijk nog penetranter. In het midden stond een tafel, met één handdoekje op de plek waar Martin vermoedde dat zijn onderlichaam kwam te liggen. Hij klikte zijn das af en hing hem aan een haakje dat uit de muur stak. Met trillende handen knoopte hij zijn overhemd los, wat eigenlijk belachelijk was, want per slot van rekening was dit een therapeutische massage, geen date.

Niettemin, hoelang was het wel niet geleden dat hij naakt voor een vrouw had gestaan? Hij dook in zijn geheugen. Op de middelbare school was er een meisje geweest, een lieve jongedame met een brace om haar scheve rug. Wendy. Martin dacht met een glimlach aan haar terug, hoe het had gevoeld toen hij zijn hand om haar kromme ruggengraat had gelegd. Jammer dat ze was overgestapt op een school voor slimme kinderen in Atlanta. En dan was er Marcia, de vrouw uit de buurtwinkel bij Martin in de straat. Dat had trouwens op een misverstand berust. Helaas was Martin al helemaal naakt geweest toen hij besefte dat Marcia haar kleren nog aanhad en naar buiten liep.

De deur ging open, en Martin greep de handdoek en bedekte zich.

'Het moet wel snel,' zei de vrouw, terwijl ze zijn broek van de vloer opraapte. Al pratend haalde ze zijn portefeuille tevoorschijn. 'Mijn zoontje heeft griep. Ik dacht dat het een smoesje was om van school weg te kunnen, maar zijn zus belde en zei dat hij koorts had.'

Martin zag haar vijftig dollar uittellen, waarna ze de portefeuille weer in zijn broekzak stopte. 'O, wat vervelend.'

Ze stak haar hand in een open pot lotion. 'Ga maar op je rug liggen.'

Martin klom op de tafel, waarbij hij het handdoekje op zijn intieme delen probeerde te houden.

'Heb je zelf kinderen?' vroeg ze, terwijl ze de lotion in haar handen wreef.

Martin deed zijn mond al open om te antwoorden toen haar hand onder de handdoek verdween en haar vingers zich om zijn lid sloten. 'Jezus christus!' piepte hij.

'Sorry voor m'n kouwe handen.' Met een verveelde blik staarde ze naar de muur, en ondertussen schokte haar schouder heen en weer op het ritme van haar hand. 'Weet je, soms vraag ik me af of de regering ons wel de waarheid vertelt.'

'Mm-mm.' Martin hijgde nu zo hevig dat hij er amper een woord uit kreeg.

'Kijk alleen maar naar die griep die nu rondgaat.' Ruk ruk ruk. 'Iedereen die ik ken en die het gehad heeft gaat voor een week plat, dan krabbelen ze weer een beetje overeind, maar twee maanden later voelen ze zich nog steeds naatje.'

Bang om van de tafel te vallen klemde Martin zich aan de zijkanten vast.

'Zeg nou zelf: de Gezondheidsraad, kun je die echt vertrouwen? Die moeten dit soort shit toch in de gaten houden?'

'Mm-mm-mm…'

'En dan de Inspectie – de ene keer zeggen ze dat medicijnen veilig zijn, en dan halen ze ze opeens van de schappen.'

'O-o-o…'

'Eigenlijk zijn ze voor geen cent te vertrouwen.'

Martin sloot zijn ogen om de vetkwabben niet te zien die aan de achterkant van Madam Glitters arm heen en weer zwabberden terwijl haar hand zijn werk deed. Hij kneep zijn ogen nog stijver dicht en probeerde aan Angelina Jolie, aan Rebecca Romijn te denken… Pas toen zijn brein het beeld van Diane Sawyer in een lila kasjmier trui tevoorschijn toverde, kon hij zich laten gaan.

Het was de lieflijke stem van Diane die hij hoorde in plaats van het barse geluid van Madam Glitter, die vroeg: 'Zal ik nog even in je ballen knijpen?'

'Gggh! Gggh! Gggh!' Hij kwam klaar als een slingerende tuinsproeier met een slag in de slang.

Madam Glitter veegde haar handen af aan het doekje. 'Sorry voor de haast, maar ik moet naar mijn zoontje.'

Nahijgend lag Martin naar het plafond te staren. Pal boven de tafel zat een bruine vochtplek. Vreemd dat hij die nu pas zag.

Ze gaf hem een klopje op zijn bovenbeen. 'Kom op, stuk. Overeind.'

Met moeite ging Martin zitten. De kunststof piepte toen hij bewoog. Hij zweette, en zijn borst zwoegde nog steeds op en neer.

Het laatste wat ze tegen hem zei voor ze hem de deur uit werkte, was: 'Je moet toch eens naar die moedervlek laten kijken.'

En dat zou Martin aan Anther moeten opbiechten: dat hij zijn lid had laten masseren terwijl Sandy vermoord werd? Wat was dat voor alibi? Wat was je voor type als je voor seks betaalde? Nog liever een veroordeling wegens moord dan dat zijn moeder erachter kwam wat hij had uitgespookt. Zou Evie enig idee hebben waar Martin echt was geweest? Ze lag in bed toen Martin terugkeerde van de massagesalon. Gelukkig had hij *Dancing With the Stars* op de dvr staan. Hij had Mr. T de rumba zien dansen met Joan Crawford, en gedacht: ben ik nu zo diep gezonken? Heb ik een moeder van twee kinderen geld gegeven voor seks? Was het eigenlijk wel seks? Gold aftrekken als geslachtsgemeenschap?

Martin was er altijd van uitgegaan dat je bij iemand moest binnendringen – dat werd toch bedoeld met 'gemeenschap'? Gemeenschap? Hij fronste zijn wenkbrauwen. Dat klonk bepaald niet sexy.

Martin zette de Cadillac in z'n achteruit en reed weg van de plek waar hij een echte misdaad had begaan. Het hek van het parkeerterrein bij Southern Toiletbenodigdheden stond omhoog, wat tegen alle bedrijfsregels indruiste. Strikt genomen hoorde Martin niet meer bij het bedrijf, dus eigenlijk zou hij zich er geen barst van aan moeten trekken. Het probleem was dat hij zich er wel degelijk een barst van aantrok. Iedereen kon nu zomaar inbreken. Misschien dat die nieuwe lui, die geen 2300 uit de machines hadden hoeven peuteren, geen idee hadden wat een puinhoop een stelletje vandalen kon aanrichten, maar Martin wist het uit eigen ervaring.

Hij zette de Cadillac op zijn vaste plek, en tot zijn verbazing zag hij dat er nog een auto stond, die van Unique. Ze was niet het type dat overuren maakte, maar misschien had haar geweten gesproken. Martin was vast van plan om de debiteurenadministratie nog even af te maken nu hij er overdag niet aan toe was gekomen. Hij mocht dan ontslagen zijn, maar dat was geen reden om zijn verantwoordelijkheden uit de weg te gaan.

Terwijl hij op de ingang af liep, pakte hij zijn sleutels, maar algauw ontdekte hij dat de deur van het slot was. Op weg naar zijn kantoor deed hij geen licht aan. Dat was overbodig. Hij kende hier alles op zijn duimpje: de opstelling van de machines, de indeling van de schappen. Zijn halve leven was dit Martins thuis geweest, de plek waar hij zich gewaardeerd en nuttig had gevoeld. En nu was het allemaal weg – als een sok die in de wasdroger was verdwenen en nooit meer werd teruggevonden.

'Wat doe jij hier, Gek?' Met rappe handen liet Unique kantoorbenodigdheden in haar tas verdwijnen.

'Ik ben ontslagen.'

'O-o,' mompelde ze, terwijl ze haar nietmachine in een zijvak propte. 'Norton zei al dat hij een aanleiding zocht om je de zak te geven.'

'Om me de zak te geven?' herhaalde Martin. Dat kon niet kloppen. Tijdens zijn functioneringsgesprek had Norton Shaw zijn werk 'redelijk' genoemd. Je vond iemand niet redelijk als je hem de zak wilde geven.

'Waarom zit je trouwens niet in de bak?' wilde ze weten. 'Ik dacht dat je zo langzamerhand al op de elektrische stoel zou zitten.'

'Tegenwoordig gaat dat met een dodelijke injectie,' verbeterde Martin haar. 'Ben je kantoorbenodigdheden aan het stelen?'

'Pikken wat je pikken kan, en dan wegwezen,' zei ze, terwijl ze een pak papier in haar tas probeerde te wurmen. 'Unique weet wanneer de rapen gaar zijn.'

Martin kromp ineen. Ze sprak alleen in de derde persoon over zichzelf als ze zich bedreigd voelde. Hij wist nog goed wanneer hij het voor het eerst had gehoord. Martin had geopperd dat zij eigenlijk het damestoilet zou moeten schoonmaken, zoals hij geacht werd de troep van de mannen op te ruimen. 'Unique schrobt geen plees!' had ze gekrijst.

Nu zei hij voorzichtig: 'Unique...'

'Ik wil geen gedonder met de po-li-tie,' liet ze hem weten. 'Als de politie vragen gaat stellen, is Unique pleite.'

'Wat voor vragen?'

'Misschien over die keer dat ik kleren had gekocht in het winkelcentrum en was vergeten te betalen?'

'Heb je gestólen?' vroeg Martin ontzet.

Ze wees naar haar felpaarse zijden broekpak. 'Denk je dat ik me zo kan kleden van wat jullie me betalen?'

Dat dacht hij inderdaad.

'Ik moet aan mijn uiterlijk denken,' zei ze, waarop ze Martin opzijduwde en naar zijn bureau liep. 'Een vrouw moet er netjes uitzien.'

Misschien kwam het doordat hij zelf pas met de politie in aanraking was geweest, maar Martins ontzetting ging al snel over in fascinatie. Drie jaar lang had hij met deze vrouw samengewerkt zonder te weten dat ze een echte dievegge was. 'Ben je betrapt?'

'Ergens loopt er misschien nog een aanhoudingsbevel. Je weet hoe het gaat.'

Had ze naar hem geknipoogd? Martin wist bijna zeker dat ze had geknipoogd. 'Ja,' zei hij. 'Nu ik zelf een tijdje in de bak heb gezeten, weet ik er alles van.'

Met getuite lippen keek ze hem aan. Zag hij respect in haar ogen?

'Ik heb met de poppetjes gevochten,' zei hij, zijn bajesvocabulaire uitproberend.

'Waarover?' vroeg ze sceptisch.

'Nou, je weet wel, in de bak heb je veel onderlinge strijd. Ik moest me bij de blanken aansluiten. Zodra je binnenkomt moet je een posse kiezen.'

'Een posse?'

Hij steunde op de rand van haar lege bureau. 'Je gabbers, zo heten ze ook wel.'

Ze schudde een doos met facturen leeg op de grond en vulde hem met post-it-blokjes van Martins bureau. 'Heb je Sandy echt vermoord?'

'Tja, ik...' hij zocht naar woorden. 'Het was wel een vreselijke treiterkop.'

Unique liet de doos even in de steek. 'Je was woest na dat met die dildo, hè? Ik zag het aan je ogen toen de rubber aan je duim vast smolt.' Ze grinnikte. 'Ik wist wel dat er meer achter je stak, Martin.'

Martin. Ze had hem Martin genoemd. Niet Gek. Niet Deegbal. Martin.

'Je was echt pissig, hè?'

Het enige wat hij kon bedenken, was: 'Wie leeft van de dildo, zal door de dildo sterven.'

Ze zette grote, geschrokken ogen op. 'Heb je haar verkracht?'

Weer haalde hij zijn schouders op, en hij besefte dat ze hem nog nooit zoveel aandacht had geschonken. Ze praatte zelfs tegen hem alsof hij een normaal mens was!

'Vertel eens wat er gebeurd is,' fluisterde ze samenzweerderig. 'Ik beloof dat ik het aan niemand zal vertellen. Vertel eens, alleen maar aan mij.'

'Nou, ik...'

'Het ging allemaal om seks, hè?'

Dat wimpelde Martin weg, want bij de gedachte aan verkrachting werd hij niet goed, vooral nu hij zo kortgeleden bijna een heel halfuur in een kooi vol woestelingen had gezeten. 'Voor dat soort behoeften heb ik een meisje.'

Ze hapte naar adem. 'Betaal je voor seks? Ga je naar de hoeren? Martin, dat deed Ted Bundy ook!'

Martin had *Mijn vriend de seriemoordenaar* vijf keer gelezen, en hij wist zeker dat ze ongelijk had, maar hij kon het niet over zijn hart verkrijgen om haar uit de droom te helpen, en daarom zei hij: 'Ja, ik ben al net als Ted Bundy.'

'Waar ga je dan naartoe?' wilde ze weten. 'Ga je ervoor naar het centrum? En laat je ze ranzige dingen doen?'

Weer haalde Martin zijn schouders op, en hij hoopte maar dat ze zijn rode kop niet zag. 'Er is een bepaald meisje, Glitter heet ze. Ik maak gebruik van haar om mijn lusten te bevredigen.'

'Om je woede op af te reageren, hè?' Ze deed een paar stappen in zijn richting. 'Je barst echt van de woede, hè. Deeg?'

'Ik ben inderdaad nogal opvliegend.'

'Ik heb gehoord dat je je koffertje in elkaar hebt getrapt,' zei ze. 'Heb je haar daarmee vermoord?'

Voor zo ongeveer de zestigste keer haalde hij zijn schouders op. Lag het aan hem, of was Unique nog dichterbij gekomen? Als hij zijn hand uitstak, kon hij haar aanraken. En dat deed hij dan ook.

'O, schatje,' fluisterde ze, alsof hij haar hele huid liet tintelen. 'Doe dat nog eens.'

Hij raakte haar blote arm aan, en zijn roombleke vingers staken scherp af tegen haar zwarte-koffiekleurige vel. Opeens omklemde ze zijn hoofd met beide handen. Ze trok hem met een ruk van het bureau en duwde zijn gezicht tussen haar omvangrijke borsten. Martin kreeg geen lucht meer. Toen hij zich aan haar probeerde te ontworstelen gleden zijn voeten uit over de tegelvloer.

'Kom hier!' gromde ze, en haar lange, rode vingernagels schraapten over zijn buik terwijl ze zijn broek naar beneden rukte. Martin dook, nee, hij viel in haar. Ze klemde zijn billen zo stevig tussen haar vuisten dat het leek alsof zijn reet tot een handvat werd gekneed. En zo gebruikte ze hem ook, duwend en trekkend, duwend en trekkend, tot Martin als een boorhamer erin en eruit ging.

Er was geen houden meer aan, en na een paar honderd stoten wilde hij haar ook niet meer tegenhouden. Zijn knieën werden slap. 'O-o-o!'

'Toe dan, schat!' riep ze. 'Zeg mijn naam!'

'Joe-nie-kee! Joe-nie-kee!'

'Toe dan, Deegbal! Nog harder!'

'Joe! Nie! Kee! Joe! Nie! Kee!'

'Ja!' gilde ze. 'Kom op, schat! Neuk Unique! Neuk dat lekkere stuk!'
Ze rukte en trok en sloeg hem tegen zich aan. Martin klampte zich aan
haar schouders vast, terwijl zij zijn lichaam heen en weer ramde.

'O! Jezus! Jezus! Jezus!' riep hij.

'Nee, waag het niet!' waarschuwde ze, en haar handen stopten meteen.

Het was te laat. Hij kwam klaar, in een enorme vloedgolf, grote,
machtige pluimen die in gewicht per kubieke centimeter niet voor die
van Old Faithful, de geiser, onderdeden. Zijn hele lichaam schudde van
zijn manlijke ontlading, en zijn spieren spanden zich toen de ene golf
na de andere door hem heen schoot.

'Nee, nee,' mompelde Unique. 'Zo makkelijk kom je er niet vanaf,
Papzak.'

Weer sloeg ze haar hand om zijn achterhoofd, en ze trok zijn gezicht
tussen haar benen, in de spelonkachtige kloof van haar spleet. Unique
was voor geen kleintje vervaard. Met haar nagels in zijn achterhoofd
duwde ze Martins neus tegen haar vochtigheid aan. Hij probeerde zich
aan haar te ontworstelen, maar ze drukte hem steeds dichter tegen zich
aan. Vervolgens begon ze tegen zijn gezicht op te rijden, en zijn neus
gleed op en neer, zodat Martin moest niezen; hij stikte bijna en wilde
schreeuwen om lucht, maar hij hield zich in. Hij hyperventileerde, zijn
hersens tolden rond in zijn hoofd, en nog steeds hield ze zijn gezicht
tegen haar heuvel gedrukt, als een sinaasappel op een pers, en daarna
als kaas op een rasp. Tegen de tijd dat ze varkensvlees door de molen
haalde, zag hij sterretjes, en niet van het mooie soort. Hij knipperde
met zijn ogen. Net voor hij flauwviel, kwam ze klaar, dat dacht hij tenminste. Hoe dan ook, Unique duwde hem van zich af alsof hij een hond
was die van haar bord wilde eten. Martin viel achterover, en zijn handen gleden over de tegelvloer. Zijn gezicht glom van de nattigheid. Met
hernieuwde walging keek ze op hem neer.

'Zoveel stel je nu ook weer niet voor,' merkte ze op, terwijl ze haar slip omhoogsjorde. Haar buik puilde over de rand als een muffin over zijn papieren vormpje.

'Ik was...'

'Bek houden, Gek.' Ze stak haar hand in haar tas, alsof ze iets controleerde. 'Oké,' mompelde ze.

Martin was inmiddels overeind gekrabbeld, maar hij was zo duizelig dat hij zich niet durfde te bukken om zijn broek op te hijsen. Zoekend naar steun legde hij zijn hand op het bureau. Nu zou hij haar misschien een etentje moeten aanbieden of vragen of ze iets met hem wilde gaan drinken, zoals het een heer betaamde. 'Unique, misschien kan ik...'

'Trek je broek eens aan, Gek. Dat lulletje van jou is ook al niet om aan te zien.'

'O, sorry.' Martin wist niet hoe snel hij moest gehoorzamen.

'Breng die doos maar naar mijn auto,' beval ze. 'En kijk me niet zo aan. Dat je aan mijn poesje hebt mogen ruiken, wil nog niet zeggen dat je de kater mag uithangen.'

4

Martins probleempje met Unique,
of: Ans Mary tot in eeuwigheid

An snoot haar neus in een tissue terwijl de tranen over haar wangen stroomden. Ze had beter niet naar *The House of Mirth* kunnen kijken nu ze ongesteld was. Of misschien was ze gewoon gevoelig aangelegd. Wat ze ook probeerde, ze kon de gedachte aan Martin Reed niet van zich afzetten. Zoals hij haar met Tempe Brennan had vergeleken... zoals hij had gekotst bij het zien van de slachtofferfoto's (An had zich altijd al aangetrokken gevoeld tot mannen met een zwakke maag. Haar vader had zijn hele leven aan maagzweren geleden). En die blik waarmee hij haar had aangekeken toen ze hem vrijliet uit de arrestantencel: deels verward kind, deels sadistisch monster. Zou ze de echte Martin ooit leren kennen?

An probeerde haar aandacht weer op de film te richten, want ze was zich er terdege van bewust dat het nergens toe leidde om voortdurend aan Martin Reed te denken. Eerlijk gezegd was An na de dood van Charlie niet in staat geweest een relatie met een andere man aan te gaan, voornamelijk omdat ze diep in haar hart altijd bang bleef dat ze geslagen zou worden. Ze durfde het amper toe te geven (dat was een van de dingen die ze alleen aan Jill zou hebben toevertrouwd), maar ze was al heel lang geleden tot de conclusie gekomen dat de ideale man voor haar waarschijnlijk iemand was die haar niet kon aanraken of dicht genoeg kon naderen om haar op wat voor manier dan ook kwaad te berokkenen.

Kortom, haar ideale partner was Jill, maar dan met een penis.

'Bah,' kreunde ze. Ze was te oud om weer te veranderen, en ze wist vrijwel zeker dat het haar niet zou lukken om de bumpersticker met de homovlag van haar auto te krabben zonder een stuk lak mee te nemen.

Met de tissuedoos op schoot deed An opnieuw een poging zich op de film te concentreren. Op het moment dat Gillian Anderson als Lily Bart in bed lag en die laatste, fatale dosis laudanum nam, ging Ans telefoon.

'Hallo?' snotterde ze.

'O, shit,' zei Bruce. 'Ik wist dat ik je niet alleen naar huis had moeten laten gaan. En dat nog wel op Jills sterfdag.'

An keek naar het stilgezette beeld van Gillian Anderson in bed. Zelfs voor de poort van de dood was ze nog beeldschoon. Onwillekeurig dacht An dat Jill er zo zou hebben uitgezien als ze echt had geleefd en ook echt was gestorven. Was laudanum geen opiumderivaat? Jill zou ongetwijfeld iets tegen de pijn hebben gekregen.

'An?'

'Het gaat wel,' zei ze, nog steeds snotterend. 'Wat is er?'

'De bewaker van Southern Toiletbenodigdheden heeft zojuist gebeld. Hij heeft een lijk op het toilet gevonden.'

'Wat?' An hapte naar adem, en haar hart stond bijna stil van schrik. Bruce vertelde wat er gebeurd was, maar Ans brein kon er niks van maken. Zelfs terwijl ze zich aankleedde, in haar auto stapte, naar Southern reed, bij de politieafzetting haar penning toonde en het toilet binnenging, kon ze nog steeds niet helemaal bevatten wat Bruce haar had verteld.

Maar toen ze het lichaam van Unique Jones languit op de grond had zien liggen, was het eindelijk tot haar doorgedrongen.

De vrouw lag op haar buik, met haar jurk omhoog en haar benen gespreid. Een dweilstok stak tussen haar benen uit. Rond haar hoofd had zich een plas bloed gevormd. Merkwaardig genoeg rook het hele toilet naar bloemen.

'Wat is er gebeurd?' vroeg An.

De lijkschouwer zette zijn theorie uiteen. 'Ik vermoed dat ze hiermee geslagen is,' zei hij, en hij hield een doorzichtige plastic bewijszak omhoog. An zag een toiletverfrisser, zo'n muurmodel, met bloed en haren aan het vermorzelde uiteinde.

'Die komt daarvandaan,' zei Bruce, en hij wees naar de lege houder, die aan de muur zat geschroefd. 'Lavendel.'

Dat verklaarde de geur.

'Het was een fatale klap,' legde de lijkschouwer uit.

'Is ze verkracht?'

Hij ging op zijn knieën zitten en strekte zijn hals om tussen haar benen te kunnen kijken. 'Ik vermoed dat hij 'm niet overeind kon krijgen, tenzij hij een penis ter grootte van een dweilstok heeft,' merkte de man op. 'Typisch een zedendelinquent. Ze zijn niet tot penetratie in staat, daarom straffen ze het slachtoffer, en dán pas krijgen ze hun seksuele bevrediging. Er zit hier genoeg geil om het hele Capitool mee in te smeren.'

An schudde haar hoofd om het beeld van zich af te zetten. 'Wie heeft het lijk gevonden?'

'De bewaker,' zei Bruce. 'Hij was in zijn hokje in slaap gevallen.' Bruce kneep zijn duim en wijsvinger samen, bracht ze naar zijn mond en maakte een zuiggeluid. 'Die knaap houdt van een joint op z'n tijd.' Hij haalde zijn schouders op; hetzelfde gold voor het halve politiekorps. 'Goed, hij werd wakker, zag dat de auto van Jones er nog steeds stond, ging naar binnen en trof haar zo aan.'

'Waren er nog andere auto's op het parkeerterrein?'

'Hij heeft de band van de beveiligingscamera er voor ons uit gehaald,' zei Bruce. 'De enige andere auto die hier is geweest en weer is weggereden, was een kobaltblauwe Cadillac.' Hij zweeg even om de spanning op te voeren. 'We hebben het nummer nagetrokken. De auto staat op naam van Evelyn Reed.'

'Shit,' fluisterde An. Martin had nog zo beloofd dat hij zich geen problemen op de hals zou halen.

'Toen hij die dag op het werk kwam, maakte hij een nogal opgewonden indruk,' getuigde Daryl Matheson voor de rechter. 'Ik vroeg hem naar het bloed op het spatbord, en toen beet hij behoorlijk van zich af.'

'Hij stond op dat koffertje te rammen,' verklaarde Darla Gantry, nadat ze op de Bijbel had gezworen dat ze de waarheid en niets dan de waarheid zou spreken. 'Ik vroeg hem nog wat hij aan het doen was, maar hij zei dat ik me met mijn eigen zaken moest bemoeien.'

'Tja,' begon Norton Shaw, en met enige aarzeling vertelde hij zijn verhaal aan de jury. 'Martin liep altijd over Unique te klagen. Ik heb er nooit veel aandacht aan geschonken. Hij klaagde wel vaker over mensen.'

'Ik was bang voor hem,' bekende Gloria 'Madam Glitter' Koslowski. 'Ik zei dat hij weg moest gaan. Ik wilde niet alleen met hem zijn.'

'Unique is altijd bang geweest voor Deegbal. Hij zat de hele tijd naar haar te koekeloeren, dan keek hij naar haar borsten en zo.' Renique, de zus van Unique, was spijkerhard, maar kalm (ze had zo haar eigen problemen: het bleek dat de boekhouding van de kerk waarvoor ze werkte niet helemaal klopte).

Snikkend zei Evelyn Reed: 'Ik wist niet wat ik met hem aan moest! Hij was gewoon onhandelbaar!'

Uiteindelijk sloeg Martin Reed zelf de laatste spijker in zijn doodskist. Tussen allerlei achterovergedrukte kantoorspullen in de tas van Unique had An een taperecorder gevonden. Uit gegevens van het mobiele-telefoonnetwerk bleek dat ze met verscheidene plaatselijke tv-stations had gebeld om haar verhaal te slijten. En het zou inderdaad een klapper zijn geweest.

Op de band klinkt Uniques stem gejaagd, bijna opgewonden. 'Betaal je dan voor seks? Ga je naar de hoeren? Martin, dat deed Ted Bundy ook!'

'Ja,' luidt Martins antwoord, en hij klinkt rustig en zelfverzekerd. 'Ik ben al net als Ted Bundy.'

Zelfs Max Jergens had overtuigd geleken toen An de band in de rechtszaal had afgedraaid. 'Geen denken aan,' had hij geantwoord op de vraag van de rechter of hij de getuige aan een kruisverhoor wilde onderwerpen. 'Man, heb je gehoord wat hij zei?'

Tijdens het hele proces zat Martin lijdzaam naast zijn advocaat. Tenminste, hij maakte een lijdzame indruk – wie kon zeggen wat er in de verwrongen, zieke geest van Martin Reed omging?

Het sierde An dat ze haar best had gedaan om ook maar iets te vinden wat in Martins voordeel pleitte. Hoe meer informatie ze over hem inwon, hoe verder hij afgleed. Zijn collega's schenen hem te beschouwen als een kruising tussen Baby Huey en Charles Manson. Voeg daar het forensisch bewijs bij – Martins sperma dat in Unique werd aangetroffen, zijn speeksel en sperma op de vloer van het kantoor en in zijn schoen – en er zat voor An niet veel anders op dan te gaan zitten wachten tot de rechtershamer viel. En die viel met een klap.

'Martin Harrison Reed junior, ik veroordeel u tot de doodstraf, die voltrokken zal worden door middel van een dodelijke injectie.'

De doodstraf! Het kwam wat hard aan, maar misschien had An een zwak voor Martin opgevat tijdens al die maanden waarin ze hem had verhoord. Ook al hadden ze talloze uren in elkaars gezelschap verkeerd, ze had het gevoel dat ze hem nauwelijks kende. Hij had zelfs geprobeerd Nederlands te leren (ze kon het niet over haar hart verkrijgen hem te vertellen dat haar familie eigenlijk uit Friesland stamde – Nederlands was al moeilijk genoeg, Fries zou hem waarschijnlijk de das hebben omgedaan). Als je niet al te lang naar hem keek of met hem sprak, dan was hij eigenlijk best aardig.

Uiteraard was het op het werk opgevallen dat An zich anders ging gedragen. Bruce was de eerste die het had gemerkt; hij had gezien dat ze haar overhemden streek en haar haar borstelde. Haar collega's waren stuk voor stuk rechercheur, en eigenlijk lag het voor de hand dat een van hen zou hebben geconstateerd dat An alleen zorg aan haar uiterlijk besteedde op de dagen dat ze met Martin Reed ging praten. Aan de andere kant was het een idiote gedachte dat ze was gevallen voor iemand die binnen afzienbare tijd veroordeeld zou worden voor moord (de bal hoefde alleen nog ingekopt te worden).

Was ze inderdaad voor hem gevallen? Misschien. An nam eerst de proef op de som, om te zien hoe het zou voelen. Ze stuurde zichzelf bloemen op het werk (tjonge, dat had voor beroering gezorgd) en op een vrijdag ging ze eerder weg omdat ze een 'date' had voor een etentje. Dat gaf aanleiding tot plagerige opmerkingen, veelbetekenende glimlachjes en klopjes op haar rug. Ergens was ze gekwetst omdat ze Jill zo snel vergeten schenen te zijn, maar toen had Doug, haar chef, haar op een dag bij zich op zijn kamer geroepen en gezegd: 'Weet je, ik ben blij dat je de draad weer oppakt. Jill zou je maar al te graag weer gelukkig hebben gezien.'

An voelde tranen opwellen.

'En,' vroeg Doug, met iets plagerigs in zijn stem, 'hoe heet ze?'

'Mary,' zei ze, en ze streek over haar hals, zoals Jill dat in haar verbeelding altijd had gedaan. 'Ze heet Mary.'

5

Martins dodelijke injectie, of: een stalen hart

Martin zat aan een kunststof tafeltje in de bezoekersruimte te kijken hoe zijn moeder werd gefouilleerd op smokkelwaar. Ze kletste aan één stuk door terwijl handen haar van onderen tot boven beklopten en de scanstaaf langs haar lichaam werd gezwaaid. Kennelijk zei ze iets grappigs, want alle bewakers moesten lachen. Evelyn Reed was een van de populairste bezoekers in de gevangenis. Sterker nog: een van de populairste moeders van het hele land. Ze was in alle talkshows geweest en had op de voorpagina van zo ongeveer elke krant gestaan. Ze was een selfmade beroemdheid, een ster van podium en scherm. Zelfs de Vrijwilligsters in het Ziekenhuis hadden haar gesmeekt om terug te komen.

In de bijna afgeladen bezoekruimte verstomde het geroezemoes toen Evie naar Martin toe liep. Sommige vrouwen hieven hun vuist om hun solidariteit te betuigen. Anderen keken beduusd toe, terwijl er ook figuren waren die van de gelegenheid gebruikmaakten om drugs door te geven die ze in allerlei lichaamsholten hadden verstopt.

'Martin!' riep Evie, en ze zwaaide naar hem, alsof hij haar niet allang had opgemerkt. Haar tred was de laatste tijd een stuk veerkrachtiger. Nadat ze zichzelf bij Oprah had gezien ('Waarom heb je niet gezegd dat ik zo dik ben geworden?'), had ze een personal trainer in de arm genomen, en dankzij die eigen coach en een nieuw oefenschema was ze bijna vijftien kilo afgevallen. Voeg daarbij de facelift en de botox, en het werd duidelijk waarom de drieënzestigjarige vrouw die nu voor hem stond eerder van zijn eigen leeftijd leek.

'Dag, moeder.'

'O, waarom kijk je altijd zo druilerig als ik op bezoek kom?' schimpte ze, terwijl ze een notitieblok en een pen uit haar Prada-tas pakte. 'Je zet ook overal zo'n domper op.'

'Ik zit in de dodencel.'

'Alsjeblieft, zeg,' morde ze, en hij had durven zweren dat ze zich een Brits accent had aangemeten. 'Je wilt niet weten wat die schoenen met de eeltknobbels op mijn tenen doen.' Ze strekte haar been om hem de tien centimeter hoge hak van haar Jimmy Choo te tonen. 'Ik droeg ze laatst bij *Regis and Kelly*, en tegen de tijd dat ik het podium af liep, had ik wel iemand kunnen vermoorden.' Haar ogen schitterden. 'Figuurlijk dan, uiteraard.'

'Uiteraard,' zei Martin. Ze wisten allebei wat er gebeurd was. Martin was niet gek – tenminste niet zo gek als zijn moeder dacht. Zijn hele leven al las hij misdaad- en moordverhalen. Door simpele deductie was hij erachter gekomen. Er waren maar twee personen die deze gruwelijke misdrijven hadden kunnen plegen, en Martin wist dat híj het niet was.

'Goed,' zei Evie, en met haar glanzend gouden pen schreef ze 'Hoofdstuk twaalf' boven aan de pagina. 'Mijn redacteur vindt dat we je jeugd vlak na de dood van je vader nog wat meer moeten uitdiepen. Dat verwijt je jezelf nog steeds, hè?' Ze keek hem hoopvol aan. Martin knikte. 'Weet je nog van die keer dat ik thuiskwam en je mijn ondergoed had aangetrokken?'

'Dat is nooit gebeurd!' riep hij uit, doodsbang dat de andere gevangenen het hadden gehoord. 'Dat mag je niet opschrijven!'

Onmiddellijk verscheen er een bewaker. 'Beetje dimmen, Martin.'

Martin knikte, maar onder de tafel sloeg hij zijn handen ineen. Iedereen hier had partij voor zijn moeder gekozen. Ze had ze volledig ingepakt.

'Moeder,' zei Martin, 'waarom vertel je ze niet dat je altijd kleren voor me kocht die te groot waren, zodat ik weer gepest werd op school?'

Met een perfect gemanicuurde hand wimpelde ze zijn opmerking weg. 'Dat doen alle moeders. Kinderen groeien zo snel dat het niet bij te houden is.'

De bewaker bleef achter Martin heen en weer lopen, blijkbaar om Evelyn te beschermen. Martin klemde zijn lippen op elkaar. Wat hem betrof was dit onderwerp afgehandeld. Het had geen zin tegen Evelyn in te gaan, want dan zou ze er alleen maar op wijzen dat het niet haar schuld was dat Martin niet groeide. De te grote schoenen, de slobberende broeken, de veel te ruime onderbroeken die altijd in zijn bilspleet kropen – op de een of andere manier zou Martin het allemaal op zijn bord krijgen, en dan was het weer zijn eigen stomme schuld.

'Hoe zit het met de mannen?' vroeg ze met haar liefste stem. 'Is er hier iemand met wie je veel omgaat?'

Martin staarde haar alleen maar aan, en ondertussen luisterde hij naar de voetstappen van de bewaker, die heen en weer bleef lopen.

'Ik doe mijn best, Martin. Echt. Ik kom bij je op bezoek, ik praat met je. Ik probeer je nog een klein beetje geluk in je leven te bezorgen…' Ze wachtte tot de bewaker gepasseerd was, boog zich toen naar voren en beet hem toe: 'Hoor eens, eikeltje. Als je het hier zo verschrikkelijk vindt, vertel ze dan wat er echt is gebeurd. Ben je dat soms van plan? Denk je dat die schat van een rechercheur nog steeds in je geïnteresseerd zou zijn als ze wist dat je een doodgewone lul-de-behanger bent van dertien in een dozijn, die nog geen vlieg kwaad doet – en natuurlijk hou ik van je, Martin. Hoe zou ik je kunnen haten? Ik haat alles wat je misdaan hebt, maar je bent en blijft mijn zoon.'

Martin zuchtte. De bewaker was weer terug. Martin wachtte tot de man zich had omgedraaid en de andere kant op liep. 'Vertel eens hoe je het gedaan hebt,' zei hij. 'Toen ik thuiskwam van de massagesalon zag ik je in bed liggen.'

'Massagesalon?' Haar ene ooglid trilde toen haar wenkbrauw een seintje van haar hersens ontving dat hij zich moest optrekken, waarop het bericht terugkwam dat de botox haar zenuw had verlamd. 'Noem je het zo, jongetje: een massage?'

'Een rukbeurt,' verzuchtte hij. Zijn taalgebruik was verruwd in de gevangenis, maar als je een man een mes uit zijn reet had zien trekken om er iemand anders mee neer te steken, zei je geen dingen meer als: 'O jeetje, wat een verdomd goede zet, joh!'

Evie zweeg, met haar lippen tot een strakke glimlach geplooid (hoewel, eerlijk gezegd zat alles strak na die facelift). De bewaker verwijderde zich weer, en ze zei: 'Kussens. Wat je zag waren kussens.'

Martin leunde naar voren. Ze praatte hier zelden over en hij wilde het ijzer smeden nu het heet was. 'En toen ik thuiskwam nadat ik naar mijn werk was geweest?' vroeg hij. 'Je zei dat je hoofdpijn had.'

'Daar stonk je vader ook altijd al in,' zei ze met overslaande stem. 'Ik heb de auto in z'n vrij gezet en hem van de oprit af laten rollen.'

'Hoe heb je het gedaan?' fluisterde Martin. Hij moest het gewoonweg weten. Op dit punt liep het scenario altijd vast in zijn hoofd. Hij had begrepen dat zijn moeder met de Cadillac naar Southern Toiletbenodigdheden was gereden, maar waar hij met zijn verstand niet bij kon, was hoe iemand, laat staan Evie, Unique een loer had kunnen draaien. Die was veel te pienter.

Evie zuchtte en schroefde de dop op haar pen. Ze wierp een blik op de bewaker, die nu met een andere gevangene stond te praten. 'Het was haar eigen schuld, dan had ze maar weg moeten wezen toen ik eraan kwam rijden. Ze stond haar auto vol te laden met StankVrij.'

Martin maakte een afkeurend geluid. Kantoorbenodigdheden waren tot daaraan toe, maar toiletblokjes, dat was iets heel anders.

'Ik vroeg of ze me naar het toilet wilde brengen. Als oude dame heb ik soms een steuntje nodig bij het lopen.' Bij dat laatste gaf ze een knipoog – een totaal overbodig afmakertje, vond Martin. 'Toen we binnen waren, liet ik zogenaamd per ongeluk een twintigdollarbiljet op de vloer vallen en deed alsof ik het niet zag. Ik stapte op de wc af, en toen ze vooroverboog om het op te rapen, heb ik haar met de luchtverfrisser op het hoofd geslagen.'

'Hmm,' zei Martin. Dood door Frisflits. Best toepasselijk, vond hij. 'En de dweilstok?'

'Het moest er een beetje sadistisch uitzien, Martin. Het seksuele element, dát verkoopt.' Ze voegde eraan toe: 'Trouwens, wie zou in de verste verte kunnen vermoeden dat ze al seks met jou had gehad?'

'Ik ben nog nooit zo geschrokken,' moest hij toegeven. 'Maar hoe zat het met Sandy? Wat heeft zij jou in vredesnaam aangedaan?'

'Wie denk je dat er "lul" op je auto heeft gekrast?'

Martin greep naar zijn hart. 'Was dat Sándy?'

'Nee, idioot, dat was ik – maar het was echt iets voor haar.'

Ergens had ze gelijk. Sandy ging soms te ver met haar geintjes.

'Ik wilde gewoon…' Evie schudde haar hoofd en haar stem haperde. 'Martin, ik wilde gewoon een beter leven voor ons. Ik wilde dat je eens een keer in opstand kwam. Ik dacht dat je door dat "lul"…' Weer schudde ze haar hoofd, ze kon geen woord meer uitbrengen. Martin pakte haar hand. 'Je hebt geen idee hoe moeilijk het is om in je eentje een kind op te voeden. Ik heb het gevoel dat ik je niet heb gegeven wat je nodig had. Zeg maar wat ik verkeerd heb gedaan! Zeg maar hoe ik het weer goed kan maken!'

Martin begreep dat de bewaker was teruggekeerd. Hij liet haar hand los.

Evie bette de tranen onder haar ogen en glimlachte naar de bewaker, tot hij zich weer verwijderde. 'Ik dacht dat je eindelijk eens ballen zou krijgen,' snauwde ze. 'Ik dacht dat het je er misschien toe zou brengen om eindelijk iets te dóén met dat miezerige, zielige leventje van je – maar nee hoor, het enige wat je deed, was klagen. "Boehoehoe, iemand heeft mijn auto bekrast. Arme ik. Niemand houdt van me." Als je die Sandy had aangepakt, dan zaten we hier nu niet.'

'Ben je soms gek of zo? Waarom zou ik haar aanpakken voor iets wat jij hebt gedaan?'

'Misschien had ze dan begrepen dat het afgelopen moest zijn met dat getreiter.' Ze ging nog zachter praten. 'Je snapt het niet, Martin.'

Zo langzamerhand begon hij genoeg te krijgen van haar verwijten. 'Wat snap ik niet?'

'Is het ooit bij je opgekomen dat ik je een gunst heb bewezen door haar van kant te maken? Denk maar niet dat het zo gemakkelijk was om haar daarnaartoe te lokken. Als smoes zei ik dat ik drugs in je sokkenla had gevonden.'

'Drugs?'

Evie haalde haar schouders op. 'Ze had een probleempje.'

'Echt?' Martin fronste zijn wenkbrauwen. Hij had nooit kunnen denken dat Sandy aan de drugs was.

'Daar gaat het niet om,' snauwde Evie. 'Ik heb het voor ons gedaan, Martin, om ons een nieuw leven te bezorgen. Toen ik haar de hersens insloeg, deed ik dat voor jou. Ik ben drie keer met je auto over haar heen gereden, Martin. Eén keer voor elk decennium dat ze je heeft vernederd.'

Het rekensommetje klopte, maar niettemin schudde Martin zijn hoofd. 'Het ging niet om mij. Je wilde dat er iets ergs gebeurde, zodat je het slachtoffer kon uithangen. Je kon geen homo van me maken of me een spierziekte bezorgen, en daarom ging je maar iemand vermoorden. Twéé iemanden.'

'Martin...'

'Ik was nog niet gearresteerd of jij belde al naar Vrienden en Verwanten van Geweldplegers.'

'De vvG hebben me zeer voorkomend behandeld, en ik pik het niet dat je op ze afgeeft,' beet ze terug. 'Trouwens, voor hetzelfde geld had ik jou iets aangedaan, heb je daar wel eens over nagedacht, meneer het genie? Ik had je kunnen vergiftigen. Heb je daar wel eens over nagedacht?' Ze wachtte niet op antwoord, en dat was maar goed ook, want hij wist niet wat hij moest zeggen. 'Ik had je een klap op je hoofd kunnen geven zodat je achterlijk werd, of ik had met de grasmaaier over je benen kunnen rijden.' Ze was duidelijk in alle staten. 'Snap je het niet, Martin? Begrijp je niet dat het zo beter is, omdat we nu allebei een tweede kans krijgen?'

Martin hief zijn handen ten hemel. 'Ik geef het op. Ik geef het echt op.'

'Wat is er zo moeilijk aan?' fluisterde ze met hese stem. 'Waarom snap je zoiets simpels niet?'

'Wat is er dan zo simpel?'

'Is het verkeerd om mensen om je heen te willen hebben? Mensen die om je geven? Daarom leg je toch ook al die valse bekentenissen af, zodat An steeds terugkomt om je te verhoren?'

Martin sloeg zijn armen over elkaar, wendde zijn blik af en keek uit het raam.

'Je hebt het hier goed voor elkaar, Martin. Je mag de hele dag lezen. Je zit op het kantoor van de directeur de boekhouding te doen. Eindelijk word je door de andere jongens voor vol aangezien.'

Dat laatste was waar, moest hij toegeven. Martin zat in de dodencel. Hij werd amper nog lastiggevallen (niemand in de gevangenis wilde trouwens seks met hem hebben, maar dat verbaasde hem niet).

Evie ging er nog even op door. 'Je hebt hier echt je draai gevonden. Je hebt het hier stukken beter dan als je nog bij mij had gewoond.'

Hij schudde zijn hoofd en langzamerhand trok de mist op. 'Volgens mij is het duidelijk wie hier het meest bij gebaat is. We hebben hier ook tv, moeder. Ik heb je wel gezien op *Entertainment Tonight*, toen je champagne zat te drinken in de villa van George Clooney.'

Ze streek haar rok glad en plukte een onzichtbaar pluisje van het kasjmier. 'Je gaat me niet zitten vertellen dat je zelf geen misbruik maakt van je situatie.'

'Ik doe in elk geval nog iets nuttigs,' beweerde Martin. Sommige misdaden waarvoor hij met de eer was gaan strijken, waren jarenlang onopgelost gebleven. Hij had in het tijdschrift *People* gelezen dat de moeder van een van zijn 'slachtoffers' op haar sterfbed had gezegd: 'Nu weet ik het tenminste.' Kon Martin het helpen dat hij de dochter van de vrouw niet had verkracht en vermoord? Kon hij het helpen dat hij dat misdrijf niet had gepleegd? Kon hij het helpen dat hij alles zei om maar te zorgen dat zijn geliefde Anther telkens weer bij hem terugkwam?

Ja, daar zat 'm de kneep.

'Martin?' Evie knipte met haar vingers voor zijn gezicht. Ze had haar pen en notitieblok opgeborgen. 'Ik moet ervandoor. Ik heb een afspraak met de producers over je film.'

Martin trok een nors gezicht. Hij vond het maar niks dat Phillip Seymour voor de hoofdrol was uitgekozen.

'O, kijk eens wat vrolijker. Phil is een prachtvent.' Ze stond op en zei op luide toon: 'Geef je moeder eens een lekkere afscheidskus.'

Hij tuitte zijn lippen, en ze hield eerst de ene en toen de andere wang dicht genoeg bij zijn mond om de suggestie van genegenheid te wekken.

'Tot volgende maand.' Ze stak haar vinger naar hem op. 'En bedenk alvast een paar mooie verhalen. Duistere fantasieën. Dwanggedachten. Allesverterende haat. Je weet wel wat ik bedoel.'

Martin keek vertwijfeld. Bob, een van zijn favoriete bewakers, kwam op hem af. Martin stak zijn handen al uit voor de boeien, maar de man zei: 'Je hebt privébezoek.'

'Is het An?' Martins hart maakte een sprongetje. 'Ze heeft helemaal niet gezegd dat ze zou komen.'

'Er is weer een lijk gevonden,' zei Bob. 'Een prostituee van dertig met een speedverslaving.'

'O, juist ja,' mompelde Martin. Hij had zich gespecialiseerd in vermoorde prostituees – al snel had hij ontdekt dat dit type slachtoffer meestal nog maar weinig contact onderhield met familieleden, zodat Martin een mooi achtergrondverhaal kon verzinnen. 'Was deze aan Madola Road?' vroeg hij.

'Aan Abernathy,' vertelde Bob. 'Wat bezielde je toch, man?'

Martin schudde zijn hoofd. 'Ik kan er niks aan doen, Bob. Soms kan ik de neiging niet bedwingen.'

'Maar waarom met een touw?'

Martin zocht naarstig naar een verklaring. 'Mijn vader legde graag knopen in touwen.'

Bob zuchtte om zoveel verdorvenheid. Martin wist dat de man op een boekcontract hoopte (het was verbazend hoeveel mensen schrijversambities hadden). Toch was de relatie niet helemaal eenzijdig. Bob had een politiescanner en bovendien was hij een aartsroddelaar. De meeste bijzonderheden die Martin tijdens zijn bekentenissen noemde, kwamen van hem.

'Kom.' Bob pakte Martin bij zijn arm en loodste hem de zaal uit. Terwijl ze de gang door liepen naar de privékamertjes, die gebruikt werden voor gesprekken tussen advocaten en hun cliënten – en bevallige rechercheurs! –, voelde Martin zijn hart sneller kloppen. De adem stokte in zijn keel toen de deur openging en hij Anther aan de tafel zag zitten. Ze droeg een lichtgele jurk en ze had haar haar opgestoken in een sexy knotje.

Martin zag haar mooie gele jurk en probeerde indruk op haar te maken met het Nederlands dat hij inmiddels had geleerd: '*Het meisje draagt een geile jurk!*'

Ze staarde hem aan, en hij betastte zijn gezicht voor het geval zijn moeder lippenstift op zijn wang had achtergelaten, ook al had ze hem niet echt aangeraakt.

'Ga zitten, meneer Reed,' zei An.

Hij ging zitten.

'We hebben een lijk gevonden.'

'Van een prostituee,' vulde Martin aan. 'Een speedverslaafde.'

'Ze was begraven in de buurt van...'

'Abernathy Road,' was hij haar voor. 'Wat heb je met je haar gedaan?'

Ze klopte wat verlegen op haar knotje. 'Wat we ook hebben gevonden...'

'Een stuk touw,' zei hij. Waarom altijd die schijnvertoning? 'Vertel eens hoe je dag is geweest.'

'Mijn dag?' herhaalde ze, en ze legde haar hand op tafel. Het liefst had Martin zijn eigen hand uitgestoken en haar aangeraakt, haar zachte hand gestreeld, maar de enige keer dat hij het geprobeerd had, had ze hem haar stroomstok voorgehouden.

Zonder er doekjes om te winden – al zijn schaamte was in de gevangenis verdwenen – zei Martin: 'Je weet dat ik verliefd op je ben.'

Ze schonk hem een triest lachje. 'Van liefde kan ik de huur niet betalen.'

'*Ik wil de hoer graag betalen,*' bood hij aan. Heerlijk zoals het Nederlands zijn tong kietelde.

Ze slaakte een zucht. 'Meneer Reed...'

'Ik zou elke dag je huur wel willen betalen!' benadrukte hij, deze keer in het Engels (hij had nog wat moeite met de Nederlandse werkwoordstijden). 'O, An, weet je dan niet dat ik je aanbid?'

Ze bloosde licht. Er viel een pijnlijke stilte. En die duurde maar voort, tot ze na vijf pijnlijk stille minuten vroeg: 'Hebt u dat boek nog gelezen dat ik u gegeven heb?'

'Van Danielle Steel?' Martin hield niet zo van bloemrijke romannetjes, en de gevangenis was niet de meest aangewezen plek om je vrouwelijke kant te tonen. 'Ja, natuurlijk heb ik dat gelezen. Ik doe alles wat je me vraagt.'

'Ze trouwde namelijk met een gevangene.'

Dat deel van het verhaal kon Martin zich niet herinneren. Voorzichtig verbeterde hij haar: 'Maar Marie-Ange was al getrouwd met de Comte de Beauchamp toen ze hem verdacht van de moord...'

'Nee, meneer Reed. Danielle Steel, de schrijfster. Ze is met een gevangene getrouwd. Met twee, om precies te zijn.' An rommelde wat in haar mappen en meed zijn blik. 'Danny Zugelder was de eerste, en de dag nadat ze van hem gescheiden was, is ze met William George Toth getrouwd.'

'Nou, dat vind ik vreemd,' zei Martin, die zich afvroeg waar de jetsettende Steel in 's hemelsnaam criminelen tegenkwam. 'Ik wil wedden dat haar moeder het niet leuk vond.'

'Zou kunnen,' zei An, en ze streek het haar in haar nek glad. 'Maar misschien zei haar moeder ook wel: "Als je maar gelukkig bent."'

Precies hetzelfde zinnetje had Martin vaak genoeg uit de mond van zijn eigen moeder gehoord, maar voor zover hij wist bedoelde zij ermee: 'Doe wat ik zeg, godverdomme, achterlijke lul.'

'Ik denk dat haar moeder blij was om te horen dat haar dochter verliefd was,' zei An.

'Ik denk het ook,' antwoordde Martin, hoewel hij er geen barst van geloofde. Zelf zou hij er niets op tegen hebben als Evie het aanlegde met een moordlustige maniak, maar als het iemand betrof om wie hij werkelijk gaf – Anther, bijvoorbeeld –, dan zou hij daar zeker het een en ander op aan te merken hebben…

Martin schraapte zijn keel en streek zijn gevangenisoverall glad. 'Getrouwd, zei je?'

An knikte en bladerde haar dossiermappen weer door. Hij zag een foto van een onthoofde vrouw in een greppel en wendde snel zijn blik af. (De slachtofferfoto's vormden nog steeds het ergste onderdeel van zijn bekentenissen.)

'Hoe gaat dat eigenlijk in zijn werk, vraag ik me af?' zei Martin.

'Tja, voor de plechtigheid zullen ze de gevangenispredikant er wel bij hebben gehaald.'

'Lijkt me ook,' beaamde Martin, en hij zag het tafereel al voor zich. An zou er prachtig uitzien in haar witte jurk. Misschien konden ze rijst uit de keuken krijgen – of nog beter: misschien kon An wat van thuis meenemen. Die latino-bende die het in de keuken voor het zeggen had, was zo gierig als de pest, vond Martin. God verhoede dat je een extra broodje wilde. Als hij om rijst vroeg, zou de hel pas echt losbreken. Blikkerende messen bij het ochtendgloren!

'Martin?'

Hij liet de naam een paar tellen bezinken. An sprak hem zelden bij zijn voornaam aan, en elke keer probeerde Martin ervan te genieten, als van iets zeer kostbaars. Want dat was het. Want hoe verachtelijk en verfoeilijk zijn moeder ook was, in één ding had ze gelijk: Martins leven was er enorm op vooruitgegaan nu hij achter de tralies zat, vergeleken met toen hij nog met haar onder één dak woonde. Hier was hij een moordenaar, en dat leverde hem zelfs nog wat respect op. Hij had zijn boeken. Hij had werk. En nu... Was het mogelijk? Kwam de droom helemaal uit – had hij nu ook Anther?

'Ik kom hier nooit meer uit,' waarschuwde hij.

Ze had haar blik neergeslagen, maar een glimlach speelde rond haar lippen. 'Dat weet ik.'

'Zelfs als ik strafvermindering krijg, kan ik nooit...'

'Dat weet ik,' herhaalde ze, en nu keek ze hem aan. 'Je komt nooit meer op vrije voeten. Je zult me nooit aan kunnen raken of bij me kunnen zijn of...' Haar stem stierf weg. 'We zullen nooit echt kunnen trouwen, Martin. Niet officieel.'

'Nee.' Hij zag dat ook wel in. An was rechercheur en Martin was een veroordeelde drievoudige moordenaar (binnenkort althans; in het voorjaar moest hij opnieuw terechtstaan, en de belastende bewijzen stapelden zich op). Ze waren als kat en hond, olie en vuur, dag en nacht. Er was te veel dat hen scheidde; alleen al die rijst was een logistieke nachtmerrie.

Ans stem was zacht en zangerig. 'Niemand mag dit ooit van ons weten, Martin. Het is bijna alsof je alleen in mijn verbeelding bestaat.' Ze kreeg weer een kleur, een prachtige rode blos, waaronder het wintereczeem bij haar neus bijna verdween. An vroeg: 'Snap je wat ik zeg, Martin? Snap je wat ik bedoel?'

'Ja!' zei hij. En het was waar. Martin snapte het eindelijk.

DE ZEGEN VAN
HET GEBROKEN ZIJN

Mary Lou Dixon zat op de voorste kerkbank en keek op naar het kruis, dat boven de preekstoel hing en langzaam werd neergehaald. Ze friemelde aan de armband om haar pols en zag hoe het kruis steeds grotere proporties aannam naarmate het als een geknakte vogel verder naar beneden zakte, terwijl het toch zo klein had geleken toen het nog vlak onder het plafond had gehangen.

'Even zo houden,' zei de ploegbaas, en de drie mannen die de takels bedienden stopten. Het kruis schommelde in de lucht heen en weer, en de gebroken rechterarm, die nog maar aan een paar houtsplinters bungelde, tikte onheilspellend tegen de zijkant. Het geluid deed Mary Lou aan een klok denken, die de tijd wegtikte.

'Rustig aan,' beval de ploegbaas, zijn woorden met zijn handen onderstrepend. Hij was de enige van de ploeg van vier die Engels sprak, en het duurde even voor de Mexicanen zijn aanwijzingen snapten. Maar uiteindelijk schenen ze hem te begrijpen, want het kruis zette zijn tocht naar de vloer weer voort en werd ten slotte heel voorzichtig op het tapijt gelegd.

De Mexicanen knielden neer en Mary Lou vroeg zich af of dat eigenlijk wel gepast was in de Christ Holiness Baptist Church, een baptistenkerk in Elawa, Georgia. Het kruis was een eenvoudig houten geval, zonder Jezus, maar prachtig gepolitoerd zodat het glansde in de ochtendzon. Je kon het nauwelijks vergelijken met het opgesmukte icoon dat door de meeste katholieken werd aanbeden, of hoe je het ook noemde wat katholieken deden – eigenlijk had Mary Lou geen idee wat katholieken deden. Ze hoorde al twintig jaar bij de Christ Holiness, en daarvoor bij de Lord and Saviour, wat twee trapjes lager was dan de Primitive Baptist, en één trapje hoger dan die lui die slangen opnamen.

Hoewel de gemeente behoorlijk wat aannemers onder haar leden telde, had niemand van hen aangeboden het kapotte kruis te repareren. Bob Harper, die al tien jaar diaken was, had een eigen bouwbedrijf, maar niettemin was hij meer dan vijfhonderd dollar duurder dan deze zwarte man en zijn ploeg. Het was een karweitje van niks, zonde van zijn tijd, had hij gezegd. Mary Lou had hierop geantwoord dat ze blij was dat Jezus er niet zo over had gedacht toen hij voor Bobs zonden stierf, maar de diaken liet zich door haar opmerking niet op andere gedachten brengen.

Er zat voor Mary Lou dus niets anders op dan deze zwarte ploegbaas en zijn katholieke Mexicanen zover te krijgen dat ze het kruis nog voor paaszondag – en tegen aanzienlijke kosten – repareerden, zonder enige hulp van de competentere leden van de gemeente. Dat soort zaken was de laatste tijd typerend voor de kerk. Het was allang niet meer zo dat men met liefde en geheel vrijwillig de telkens terugkerende onderhoudsklusjes verrichtte of brochures verzond met het verzoek om geld te schenken voor de zending. Niemand ging meer bij de zieken in het ziekenhuis op bezoek. Niemand wilde meer op bijbelretraite als er geen zwembad en vierentwintig uur per dag roomservice bij was. De laatste twee anti-abortusdemonstraties in Atlanta waren afgelast omdat er regen was voorspeld, en denk maar niet dat iemand buiten in de regen wilde staan.

'Mevrouw Dixon?' vroeg de zwarte man. Ze herinnerde zich dat hij Jasper Goode heette. Hij was een wat oudere man met een zeer donkere huid en een kaal hoofd, dat ondanks de airconditioning in de kerk overmatig zweette. Mary Lou vertrouwde dat overdreven gezweet niet, het gaf hem iets stiekems. De hele ochtend had hij alleen maar bevelen staan uitdelen aan de werkploeg, en toch zweette hij alsof hij net de marathon had gelopen.

'Mevrouw?' drong hij aan.

'Ja?' antwoordde Mary Lou, en ze ging verzitten op de harde bank. Haar buik speelde op en kalmerend legde ze haar hand erop.

Jasper liep de trap langs het podium af en kwam naar haar toe. Op nog geen meter afstand bleef hij staan en keek op haar neer.

Mary Lou rechtte haar schouders en dwong zichzelf stil te blijven zitten. Hij was een grote man en daarvan was hij zich ook bewust. Onwillekeurig sloeg ze haar blik neer, maar toen vatte ze weer moed en keek hem aan.

'Neemt u me niet kwalijk,' zei hij, en glimlachend liet hij zich pal voor haar op één knie zakken.

'Wat is er?' snauwde ze, hoewel ze besefte dat dat nergens op sloeg. Eigenlijk vond ze het helemaal niet prettig dat hij zo dicht bij haar was. Alleen al zijn aanblik was meer dan ze kon verdragen.

De man was ooit ernstig verbrand geweest en van dichtbij was zijn gezicht één grote, synthetisch uitziende puinhoop; op sommige plekken zat zijn huid onnatuurlijk strak en het pigment op zijn wangen was een lappendeken van uiteenlopende huidtinten, alsof iemand zijn gezicht weer aan elkaar had genaaid met allemaal verschillende lappen vlees. Wenkbrauwen of wimpers had hij niet, en zijn ogen keken permanent geschrokken de wereld in. Zijn handen waren ook verminkt, en de huid die zich rond zijn polsen had opgehoopt, deed denken aan een afgezakte sok. Zelfs met deze hitte droeg hij nog lange mouwen, die hij bij zijn polsen strak had vastgeknoopt om – zo vermoedde Mary Lou – iets nog gruwelijkers te verhullen.

Hij zei iets tegen de werklui en ze probeerde niet te kijken terwijl hij sprak. Het alleropmerkelijkste aan zijn verschijning waren zijn lippen – ze hadden een onnatuurlijke kleur, als het felle roze van een muizenneus, en zagen er kwetsbaar uit. Je zou ze eerder bij een meisje verwachten dan bij een oude zwarte man met een zo goed als haarloos hoofd. Er lag een permanente glans over die lippen, alsof ze nog maar kortgeleden speciaal voor hem waren gemaakt. Mary Lou had op tv een kinderoor gezien dat op de rug van een levende muis groeide, zomaar uit het niets. Ze vroeg zich af of de lippen van de man onder vergelijkbare omstandigheden waren ontstaan.

De brandwonden waren iets waar je niet omheen kon. Bij hun eerste ontmoeting had de zwarte man ongevraagd aan Mary Lou uitgelegd dat hij een auto-ongeluk had gehad. De auto was in brand gevlogen en zijn vrouw en kind waren in de vlammen omgekomen. Zelf had hij het er amper levend afgebracht, en de operaties die hij daarna had ondergaan, hadden wel zijn lichaam genezen, maar niet zijn hart; hij zei dat hij nog steeds geplaagd werd door de herinneringen aan die avond, en dat hij zich zijn eigen aandeel in de dood van zijn vrouw en kind nooit zou kunnen vergeven, laat staan dat hij het ooit zou vergeten. Dronken, vermoedde Mary Lou, maar ze zei niets.

'We laten het hier liggen, en na de middag nemen we het mee naar het parkeerterrein,' liet Jasper Goode haar weten. Toen Mary Lou met enige nadruk op haar horloge keek, voegde hij eraan toe: 'Op een volle maag werken ze beter.'

'Ongetwijfeld,' antwoordde Mary Lou, en ze hoopte dat hij het ongenoegen in haar toon oppikte.

'Dat ding ziet er minder slecht uit dan ik had gedacht,' zei de zwarte man, alsof het kruis een auto was en niet het symbool van Jezus' offer.

'Nou, mooi dan,' was haar reactie, en ze vroeg zich af of het nu ook minder zou gaan kosten. Ze betwijfelde het.

Alsof hij haar gedachten kon lezen, zei hij snel: 'Maar het wordt toch nog een hele klus.'

'U hebt beloofd dat het zondag klaar zou zijn,' bracht Mary Lou hem in herinnering en ze probeerde haar stem niet te laten beven. Ze vond Jasper Goode niet het type dat 's zondags naar de kerk ging, en als het aan Mary Lou had gelegen, had ze Bob Harper ingehuurd. Vijfhonderd dollar was eigenlijk niet veel als je er iemand voor kreeg die alle belang had bij zijn eigen verlossing.

Jasper staarde haar aan. 'Nog bedankt, mevrouw, dat u mij dit karwei hebt gegeven. Ik krijg niet zo gemakkelijk werk tegenwoordig, en ik ben er erg blij mee.'

Ze knikte, lichtelijk uit het veld geslagen door zijn bekentenis.

Jasper bleef haar aankijken. 'U voelt zich toch wel goed, mevrouw?'

'Ja hoor, vooral als het kruis straks gemaakt is,' deelde ze hem mee.

Hij trok een grimas die voor een glimlach moest doorgaan. 'Dat komt voor elkaar,' verzekerde Jasper haar. Hij haalde een witte zakdoek tevoorschijn en veegde ermee over zijn zwetende kale kop. Hij zei iets in het Spaans tegen de werklui, die zich rap uit de voeten maakten, met een grotere voortvarendheid dan ze tot nu toe bij hun werk aan de dag hadden gelegd.

Weer verschoof Mary Lou op de bank in een poging een gemakkelijker houding aan te nemen. Haar kantoor was boven de oude kapel, inmiddels een sportschool, en de airconditioning daar liet te wensen over. Ze kon zich niet nog een vrije dag veroorloven, anders was ze vandaag gewoon thuisgebleven.

Ze slaakte een diepe zucht en staarde naar de preekstoel. De lege plek waar het kruis had gehangen, gaf de kerk iets hols, alsof het hart uit de romp was gehaald. Het was een raadsel hoe het kruis beschadigd was geraakt. Op een zondag had een gemeentelid opgemerkt dat het kruis er 'raar' bij hing, en Mary Lou en dominee Stephen Riddle waren na de dienst weer naar binnen gegaan en hadden ernaar gekeken tot hun nek zowat knakte. Het kruis helde duidelijk naar één kant over, maar van beneden af hadden ze niet kunnen zien wat de oorzaak was.

Een week later zat Mary Lou in het kerkkantoor brieven in enveloppen te stoppen toen Randall, de koster, binnen kwam stormen en iets mompelde over een teken van God. Het was niet voor het eerst dat Randall, wiens eigen moeder er ronduit voor uitkwam dat hij niet helemaal goed snik was, beweerde dat hij door visioenen werd bezocht, maar Mary Lou was toch met hem mee naar de kerk gegaan, al was het alleen maar om even haar benen te strekken. Daar aangekomen zagen ze dat het kruis bijna scheef hing, en dat de dikke kabels waarmee het aan het plafond was bevestigd, trilden alsof ze onder grote druk stonden. Terwijl Mary Lou en Randall ernaar keken, klonk er een enorm gekraak dat de hele ruimte vulde, gevolgd door een zacht en akelig gekreun, alsof Jezus zelf aan het kruis hing en zijn arm van zijn lichaam werd gerukt. Ze zag het nog steeds in slowmotion voor zich: de arm die van het kruis brak, de kabels die kronkelden en draaiden toen het gewicht zich verplaatste. Soms hoorde ze 's nachts nog steeds het afschuwelijke, zachte gekreun van brekend hout en dan begon ze hevig te zweten, in de wetenschap dat het brekende kruis iets met haar had te maken.

Tijdens haar jeugd was haar oom Buell een zogenaamde lekenprediker geweest, wat betekende dat hij geen speciale wijding van Christus had ontvangen, maar toch bijbelonderricht gaf. Toen Mary Lou opgroeide, werd zijn aanhang steeds kleiner, maar er bleef altijd een harde kern van mensen over die naar zijn schriftlezingen kwamen luisteren. Ze aanbaden Buell alsof hij de Heer zelf was.

Elke zondag en woensdag zaten er zo'n tien tot twintig gelovigen in het souterrain van Buells in ranchstijl opgetrokken huis, en alle waren gekomen om Buell over het Woord te horen preken. Zijn favoriete thema was de verraderlijkheid van de zonde, zoals hij het noemde. De zonde was een zware last, zei Buell, die je uiteindelijk op de een of andere manier zou breken. Een goede man kon zijn vrouw bijvoorbeeld slaan. Of een goede vrouw loog tegen haar man. Het was niet zo moeilijk je door de zonde in tweeën te laten breken. Door een dergelijke breuk drong nog meer zonde, nog meer kwaad moeiteloos je hart binnen. Het was aan de zondaar zelf om Jezus te zoeken en om verlossing te vragen, om Zijn hulp in te roepen en zo weer heel te worden. God gaf een zondaar nooit meer dan hij kon dragen, benadrukte Buell. Dat was Zijn geschenk aan de mens: Hij zou je nooit zo breken dat je niet meer gemaakt kon worden. Bij alles wat er gebeurde in het leven van een mens, zelfs aan het eind, stelde God hem in de gelegenheid verlost te worden.

'Alleen Jezus kan je weer heel maken als de zonde je heeft gebroken,' had Buell gepredikt. 'En dat deel van je dat gebroken is geweest, komt er alleen maar sterker uit tevoorschijn.' Hij noemde dat proces de zegen van het gebroken zijn. Zelfs toen hij in het ziekenhuis doodging aan botkanker had hij behandeling geweigerd, met als argument dat God zijn botten alleen maar had gebroken om ze weer te helen en om Buell sterker te maken. Toen het bijna was afgelopen, was hij er dankzij de morfine van overtuigd geweest dat er engelen in de kamer waren. Of misschien kwam het niet door de morfine. Het was algemeen bekend dat Buell ook zonder hulp van drugs engelen zag.

Mary Lou hoorde voetstappen in het portaal en ze draaide zich op de kerkbank om. Dominee Riddle kwam de kerk binnen, de mouwen van zijn overhemd opgerold, zijn handen in zijn zakken. Stephen Riddle was de tegenpool van haar oom Buell. Hij preekte niet dat je zelf aan je verlossing moest werken, maar dat de verlossing een zegen was. Er was geen last die Jezus niet van je wilde afnemen, er was geen probleem dat Hij niet kon oplossen. Stephens favoriete vermaning luidde dat het zondig was om te tobben, terwijl Buell je aan het eind van elke dienst opdroeg je thuis in getob te verliezen, je leven onder de loep te nemen om er zo achter te komen wat je fout deed en om Jezus te vragen of Hij je wilde helpen je leven te beteren.

Uiteraard ontbrak het Buell nooit aan vrijwilligers voor karweitjes, hoe onbeduidend die ook waren. Zijn kudde was hem zo toegewijd dat als zijn pick-up het had begeven er meteen een monteur verscheen om die te repareren. Toen er een nieuw dak op zijn huis moest komen, staken de mannen van zijn gemeente de koppen bij elkaar en in één weekend was de klus geklaard. Stephen Riddle zou de kerk nog eerder in elkaar laten storten dan dat de gedachte ook maar bij hem opkwam zijn gemeenteleden te vragen hun last naar vermogen te dragen.

'Warm vandaag,' zei Stephen en hij keek haar vanuit zijn ooghoek aan. 'Hou je het nog vol?'

Mary Lou knikte, een zweetdruppel op haar bovenlip. Opeens wilde ze zo graag naar huis en naar bed dat ze de lakens bijna voelde tegen haar huid. Ze had haar ziekteverlof echter al opgebruikt. Ze kon het zich niet veroorloven er geld bij in te schieten. Hoewel ze er niet aan twijfelde dat Stephen oprecht met haar gezondheid was begaan, wist ze ook dat hij het op haar salaris zou inhouden als ze ook maar een minuut eerder vertrok. Na wat er tussen hen was voorgevallen, zou Mary Lou de predikant eigenlijk in haar macht moeten hebben. Ze zou deze macht naar eigen believen moeten kunnen aanwenden. Om de een of andere onduidelijke reden was ze hier niet toe in staat.

'Hoe is het met ons project?' vroeg hij, en hij gebaarde naar de lege plek boven de preekstoel. 'Vertrouw je het eigenlijk wel met deze aannemer?'

Ze wist waar hij op doelde. Mary Lou was de hele dag al niet op haar kantoor geweest. 'Ik vond dat ik een oogje in het zeil moest houden.'

'Zo te zien ben je wat afgevallen,' zei hij, met een beleefd glimlachje.

'Inderdaad,' beaamde ze. Ze verzweeg echter dat ze niet zomaar een beetje was afgevallen, maar heel veel. Voedsel verdroeg ze slecht de laatste tijd. Wat ze ook at, het lag in haar maag als een brandend kooltje dat haar elk moment van binnenuit kon verteren.

Stephen knikte, waarbij hij zijn kin tegen zijn borst duwde en zijn wenkbrauwen optrok. Dat deed hij altijd als hij eigenlijk nog iets zou moeten zeggen, maar er de woorden niet voor kon vinden. Het was een goede truc, zo maakte hij een diepzinnige en beschouwende indruk, terwijl hij in werkelijkheid gewoonweg niet in staat was zijn gedachten onder woorden te brengen. 'Een man van woorden,' zou Buell hebben gezegd, 'maar geen ervan goed.'

'Tja,' zei ze, in een poging Stephen tegemoet te komen, maar toen zag ze hem met verwrongen mond strak naar haar pols staren. De armband was opeens loodzwaar.

Hij keek snel op, een gekweld lachje om zijn lippen. Ook dat lachje was vertrouwd. Hij wist altijd hoe hij met het juiste gebaar compassie kon opwekken onder het mom van begaandheid met de ander.

Mary Lou observeerde hem toen hij naar het kruis liep en er met een zekere eerbied zijn hand op legde. Zijn vingers streken voorzichtig over het hout, zachter dan hij haar ooit had aangeraakt. Ze dacht aan Anne Riddle, zijn vrouw, en haatte haar met een felle, brandende haat die haar vanbinnen verzengde. Anne was sereen en beeldschoon, haar heupen staken naar voren en haar huid was als het fijnste porselein. Ze was de perfecte domineesvrouw: een en al vroomheid, rechtschapenheid en gereserveerdheid.

'Mooi schoongemaakt,' mompelde Stephen.

Mary Lou zei maar niet dat het kruis nog helemaal niet was schoongemaakt. In plaats daarvan knikte ze en ze probeerde te glimlachen toen hij naar haar keek.

Hij vroeg:'Hoe gaat het met Pud?'

'Die zit nog op school,' antwoordde ze, en haar stem klonk even zacht als de zijne.

'Heb je het dak al laten maken?'

Ze fronste haar wenkbrauwen toen ze aan het geld dacht dat de reparatie van het dak haar zou gaan kosten. Ze zou de loterij moeten winnen om zich uit de put te kunnen werken waarin ze zich bevond.

'Denk je dat we die brochures vandaag nog de deur uit krijgen?' vroeg hij, doelend op de antiabortusfolders, de belangrijkste bron van inkomsten voor de kerk. Hun adressenbestand was een van de grootste van het land en tot in Michigan werd er geld voor het goede doel gestort. Dat was de eigenlijke reden waarom Mary Lou die ochtend naar de kerk was gegaan, de wetenschap dat ze, als ze nog één kleurenkopie in een envelop stopte, haar polsen zou willen doorsnijden. Haar maag draaide om als ze aan de foto op de folders dacht, aan de uiteengereten foetus, het hoofdje ingeslagen met een of ander scherp, walgelijk instrument, en daarboven de smekende kop: 'Waarom stond u mijn mammie toe mij te vermoorden?'

'Mary Lou?'

Ze schudde haar hoofd en tranen sprongen in haar ogen.

'Mary Lou,' herhaalde Stephen, maar ze maakte een afwerend handgebaar waardoor de belachelijke bedelarmband rinkelend tegen haar pols sloeg. 'Waarom draag je die nog steeds?' vroeg hij op gelaten toon, want het was duidelijk dat hij wel wist wat ze zou antwoorden.

'Als aandenken,' zei ze, en ze draaide de armband rond haar pols.

'Ze beweren dat die dingen geluk brengen,' zei hij terwijl hij een blik op het kruis wierp en zijn hand weer over het zachte hout liet gaan.

'Dat zal dan wel,' zei ze. Op de dag dat ze het kleinood had gekregen, had ze tevens het slechtste nieuws van haar hele leven vernomen, en Mary Lou huiverde onwillekeurig als ze aan het kwaad dacht dat als giftig gas uit het ding lekte.

Stephen staarde naar zijn hand op het kruis, zijn gezicht een en al ongenoegen. Zoals zo veel tussen hen was de armband een geheim. Stephen had tegen de gemeente gezegd dat hij een tijdje verlof nam om de armen in de Blue Ridge Mountains te gaan helpen, maar in werkelijkheid had hij zich bij zijn broer in Las Vegas gevoegd, waar de regionale bond van afvalverwerkers een congres hield.

Stephen was er niet bepaald trots op dat zijn broer vuilnisman was – volgens sommige verhalen was hij neurochirurg, volgens andere bankier of missionaris – maar Mary Lou was niettemin blij geweest met de bedelarmband die hij voor haar had meegenomen. Hij had gezegd dat hij al het geld dat hij met blackjack had gewonnen had uitgegeven om iets speciaals voor Mary Lou te kopen. De armband had in een van de vitrines in het Venetian Hotel gelegen, en toen hij erlangs was gelopen had hij onmiddellijk aan haar gedacht. Pas later waren haar de gebreken opgevallen: de armband was ooit kapot geweest en daarna zeer ondeskundig gelast; sommige bedeltjes hadden scherpe punten die gaten trokken in haar kleren. De slang bleef voortdurend aan haar mouw haken en het jezusje aan het kruis was niet om aan te zien, zijn gelaat zo gepijnigd dat Mary Lou de aanblik niet kon verdragen.

Desondanks hield ze de armband de laatste tijd ook 's nachts om, en als het haar lukte de slaap te vatten, waren haar dromen gevuld met ijselijke visioenen: een beer die door het duister trok op zoek naar menselijke prooi; een volwassen man die van onderen tot boven was opengesneden; afgehakte handen die zich naar haar uitstrekten alsof ze haar in haar slaap wilden wurgen. Zelfs als ze gillend wakker werd, met het sleuteltje verstrikt in haar haren alsof het een of ander gruwelijk geheim in haar hersens wilde ontsluiten, deed Mary Lou de armband niet af.

Het leek wel of Stephen van dat alles op de hoogte was, want hij opperde: 'Misschien moet je hem niet langer dragen.'

'Waarom niet?' vroeg ze, in de wetenschap dat hij het antwoord schuldig moest blijven. Zo zou ze er altijd aan denken; het was haar eigen brandmerk.

Stephen bleef nog even weifelend staan, maar ten slotte liep hij na een lichte buiging bij haar weg, alsof deze ronde voor haar was. Ze hoorde hoe zijn voetstappen zich van haar verwijderden: eerst een dof geplof op de loper op het middenpad, en daarna scherp geklik op de tegels in het portaal. Toen was hij weg. Stephen kon als geen ander van het toneel verdwijnen.

Brian, de ex-man van Mary Lou, was ongeveer tien jaar te lang blijven hangen. Ze had al een tijdje geweten dat hij haar bedroog, maar oom Buells uitspraak over gescheiden vrouwen drukte nog altijd zwaar op haar. En daarom had ze net zo lang gewacht tot Brian zelf besloot te vertrekken, wat hij haar had verweten, evenals hun zoon. Beide mannen vonden Mary Lou maar een slappeling, een boksbal waarop je naar hartenlust je agressie kon botvieren, en die toch bij je bleef, in afwachting van meer.

Pud was nog erger. Zelf noemde ze haar tienerzoon trouwens geen 'Pud'. Ze had hem bij zijn geboorte William genoemd, en had er altijd op gestaan dat het niet tot iets lomps werd afgekort, zoals Willy of Bill. Twee jaar geleden was William zichzelf Pud gaan noemen, zo rond de tijd dat hij begon te puberen en naar rapmuziek begon te luisteren en broeken ging dragen die zijn bilspleet lieten zien als hij zich vooroverboog. Ze had haar lieve zoontje in een vreemd wezen zien veranderen, met zijn blonde haar in strakke vlechtjes op zijn hoofd, en met kleren die om zijn lijf hingen als natte papieren zakken om een stok. Zijn taalgebruik veranderde ook, ze verstond geen woord van wat hij zei, en bovendien zong hij altijd met die vreselijke muziek mee, het was *nigga* voor en *nigga* na, een woord dat Mary Lou nooit in zijn aanwezigheid had gebruikt en dat ze nu tot haar schande uit zijn mond moest aanhoren. Terwijl William toch een bloedhekel aan zwarten had en geen gelegenheid voorbij liet gaan om denigrerende opmerkingen over ze te maken, zelfs als Mary Lou mensen van de kerk op bezoek had.

Hoewel ze veel van haar zoon hield, had Mary Lou hem voor het eerst in haar leven wel een klap willen verkopen toen William haar grijnzend liet weten dat hij voortaan alleen nog maar met 'Pud' aangesproken wilde worden. Er lag een akelige trek om zijn mond toen hij het woord uitsprak, alsof Mary Lou debiel was en niet wist dat *'pulling your pud'* slang was voor aftrekken. Tijdens Williams eerste levensjaren had ze als invaller bij het onderwijs gewerkt. In de lerarenkamer had ze wel ergere dingen gehoord dan 'pud'.

Het allerergste aan William vond ze zijn woede, hoewel ze geen idee had waarom hij zo kwaad was. Brian verwende hem, ook al wilde hij niet met de jongen in het openbaar gezien worden. De jongen kreeg alles wat zijn hartje begeerde. De tennisschoenen van tweehonderd dollar en het skateboard van tachtig dollar (zonder helm), dat William één keer had uitgeprobeerd en daarna links had laten liggen, waren nog maar een paar van de dingen die Brian als reden opvoerde om minder alimentatie aan Mary Lou te hoeven betalen. Ze waren hierover voortdurend aan het ruziën, en als Brian dan tegen haar tekeerging, begon Mary Lou te huilen, want haar woede was als een strakke knoop in haar binnenste, waaruit ze alleen nog tranen kon persen. Alimentatie voor William was niet het enige wat Brian geacht werd te betalen. Op rechterlijk bevel was hij verantwoordelijk voor de helft van het onderhoud aan het huis. Niettemin lekte het dak als het regende, en in de hele wereld waren niet voldoende emmers om het water op te vangen. Mary Lou kon schoonmaken wat ze wilde, het vocht sloeg uit de keukenkastjes en als je het huis betrad, leek het of je over een beschimmeld brood liep. Godzijdank had Pud zijn tennisschoenen van tweehonderd dollar, zodat zijn voeten de grond niet hoefden te raken.

Buiten de kerk klonken timmergeluiden, en Mary Lou schoof langzaam naar het uiteinde van de bank zodat ze kon gaan staan. De armband raakte de leuning, en nadat ze even om zich heen had gekeken, drukte ze met de punt van de biddende engel een groefje in het zachte hout. Toen ze overeind probeerde te komen, verkrampte haar buik, en Mary Lou besefte dat het tijd werd een arts te raadplegen. Vlug berekende ze hoeveel geld ze nog bezat en ze kwam tot de conclusie dat ze een bezoekje aan de dokter wel kon vergeten, ook al zou ze William bij zijn vader laten eten.

Met op elkaar geklemde kiezen duwde ze zich overeind, kreunend van inspanning. Zweetdruppels liepen over haar rug en ze probeerde aan iets koels te denken. Het eerste wat in haar opkwam was de kerkretraite waar ze de afgelopen kerst aan had deelgenomen, toen haar leven onherstelbare schade had opgelopen door wat zich daar had afgespeeld.

Gatlinburg in Tennessee was wat ze in het Zuiden een skioord noemden, ook al moesten ze het grootste deel van de tijd nepsneeuw tegen de berghellingen blazen om mensen in de gelegenheid te stellen op hun ski's naar beneden te glijden. Brian had wel een week voor William willen zorgen, al een wonder op zich, en Mary Lou had de kerk zover gekregen dat die voor een deel van de kosten opdraaide in ruil voor wat extra hulp met de jeugdgroep.

Ze had niet de illusie gehad dat ze zou skiën toen ze naar Gatlinburg ging. Mary Lou was nooit een atletisch type geweest. Ze was een grote vrouw, die niet veel met het buitenleven op had, behalve als ze ergens op een strand kon liggen met een pina colada en een flodderromannetje bij de hand. In haar verbeelding zou ze met haar voeten omhoog voor een loeiend haardvuur romantische boeken lezen, waarin de vrouwen sterk en de mannen galant waren. 's Avonds zou ze samen met andere gemeenteleden de maaltijd gebruiken en daarna zouden ze gezellige dingen gaan doen. Het hele gebeuren was ook bedoeld als een godsdienstige retraite voor alleenstaanden. Nu ze sinds kort weer alleenstaand was, kwam Mary Lou ervoor in aanmerking, maar ze was er niet naartoe gegaan met de bedoeling een partner te ontmoeten. Haar leven was veel te gecompliceerd om ruimte te bieden aan een nieuw iemand.

Dominee Stephen Riddle was uiteraard een oude bekende, en ondanks de beperkingen die inherent waren aan hun relatie van werkgever en werkneemster had ze hem al heel lang beschouwd als een betrouwbare raadgever en misschien wel vriend. Anne, zijn vrouw, rekende ze ook tot haar kennissen; Mary Lou had wel eens geholpen bij verjaarsfeestjes van hun kinderen en ze had zelfs aangeboden het huis van Annes vader schoon te maken toen deze was overleden. Dat Stephen en zij de derde avond van de retraite op haar kamer waren beland, vervulde Mary Lou nog steeds met verbazing. Eigenlijk waren ze naar boven gegaan om onder vier ogen met elkaar te praten. Mary Lou wist maar al te goed dat haar exman William niet in huis had genomen zonder dat daar iets tegenover stond, en deze nieuwste gunst betekende ongetwijfeld dat ze aan het eind van de maand minder alimentatie voor haar zoon zou ontvangen. Ze had het met de dominee over een eventueel voorschot willen hebben. Ze had gehoopt dat Stephen zou inzien hoe moeilijk ze het had en uit eigen beweging een loonsverhoging zou voorstellen.

Toen Stephen dichter bij haar was gaan staan, had Mary Lou zich overgegeven aan de troost die hij haar bood. Toen hij haar steeds dringender had gestreeld en ze hem hard had voelen worden, was het alsof ze zich in een nevel begaf. Seks met Brian had ze altijd over zich heen laten komen, en hoewel ze in haar vrouwenbladen regelmatig iets over het orgasme had gelezen, had Mary Lou daar op dezelfde manier tegenaan gekeken als tegen recepten en knutselrubrieken: interessant, maar niet iets waar zij ooit aan toe zou komen. Ook Stephen had het op dat gebied laten afweten, maar het was zo heerlijk geweest om in zijn armen te liggen, om zijn stevige lichaam op het hare te voelen, om naar zijn gezicht te kijken toen het verkrampte van genot, dat ze een kreet had uitgestoten en op haar lip had gebeten om het niet uit te schreeuwen.

Stephen had dit voor hartstocht aangezien, en hoewel hij een paar minuten later naar buiten was geglipt met de smoes dat hij op zijn kamer moest zijn voor het geval Anne of een van de kinderen hem nodig had, had hij de volgende avond weer op haar deur geklopt. Ze had hem binnengelaten, lichtelijk opgewonden omdat ze iets slechts deden. Mary Lou had nog nooit iets slechts gedaan. Ze had altijd geprobeerd een zo goed mogelijk leven te leiden uit angst voor de zware straf die haar anders in het hiernamaals zou wachten. Tot haar verbazing ontleende ze een zeker genot aan het verbreken van een kardinale regel: ze had niet alleen seks, maar seks met een getrouwde man. Niet zomaar een getrouwde man, maar haar dominee.

De daaropvolgende avonden, toen Stephen dingen had voorgesteld die hij graag wilde doen, standjes die hij wilde uitproberen, had ze hem aangemoedigd. Eigenlijk had ze hem erom gesmeekt, en de gedachte dat hij al die dingen nooit met Anne had gedaan, maakte haar bijna duizelig van macht. Zelfs als ze op haar ellebogen steunde, met haar achterste hoog in de lucht als een loopse teef, had ze hem nog aangemoedigd, in de bizarre overtuiging dat ze een dergelijke vernedering verdiende.

Na de retraite had Stephen gedaan alsof er niets was voorgevallen, en zijn beleefde gedrag was als een klap in haar gezicht. Twee keer had ze geprobeerd met hem te praten, maar pas toen hij terugkwam uit Las Vegas en de bedelarmband in zijn hand had gehouden alsof hij haar iets geweldigs wilde geven, had ze de boodschap begrepen. Om ieder misverstand te voorkomen, had hij tegen haar gezegd: 'Ik kan dit niet. Ik ben een man van God.'

Toen ze in tranen was uitgebarsten, had hij haar in zijn armen genomen en gesust met zijn kussen, nog tederder dan die paar keer dat ze samen waren geweest. Ze was nog harder gaan huilen, niet omdat ze hem kwijt was, maar omdat ze het nu zonder de tederheid moest stellen die haar deel had kunnen zijn. Ze werd overweldigd door diepe, gekwelde snikken, en ze was Anne gaan haten, want ze begreep dat Stephens tederheid voor Anne was bestemd, en dat Mary Lou slechts zijn hoer was geweest.

'Mevrouw?' Een stem schudde haar wakker.

Geschrokken keek Mary Lou op en ze besefte dat haar ogen vol tranen stonden.

'Ja?' kreeg ze er met moeite uit, en terwijl ze haar ogen droogde, draaide ze zich om en zag de zwarte man achter zich staan. Weer depte hij zijn schedel met de inmiddels niet meer zo witte zakdoek. Achter hem stonden de Mexicanen, in afwachting van zijn bevelen.

'We wilden eigenlijk weer beginnen,' zei hij.

Ze knikte, haar hand op de rugleuning van de kerkbank, en probeerde zich te herinneren waarover hij het had. Het kruis. Natuurlijk, het kruis.

Mary Lou keek op haar horloge, alsof ze iets belangrijks op het programma had staan. 'Hoelang gaat het nog duren?'

'Minuutje of tien, denk ik.' Hij knikte naar de Mexicanen. 'En ongeveer even lang om hem weer op zijn plaats te krijgen.'

'Jullie staan toch op het parkeerterrein aan de noordkant?' vroeg ze, hoewel ze zijn gedeukte oude pick-up daar had zien staan, met het gereedschap ernaast. Ze wist dat ze haar bevelen braaf zouden opvolgen uit angst anders weggestuurd te worden.

'Ja, mevrouw,' zei hij, en weer gaf hij de mannen een knikje.

Ze liepen het middenpad af alsof het een huwelijk was, hun voetstappen traag en bedachtzaam. Mary Lou keek toe terwijl de Mexicanen het gebroken kruis optilden, dat zwaarder leek dan ze had gedacht, hoewel ze zich misschien ook wel aanstelden. Na het nodige gehijs en gekreun hadden ze het kruis ten slotte hoog genoeg opgetild om het te kunnen wegdragen, en Mary Lou vroeg zich af of Jezus ook zoveel drukte had gemaakt toen hij dat stomme ding de berg op moest zeulen.

'Minuutje of tien,' herhaalde Jasper.

Toen ze weg waren, overwoog Mary Lou weer te gaan zitten, maar ze wist dat het haar dan nog meer moeite zou kosten overeind te komen. Daarom liep ze naar het raam, en tegen het glas geleund keek ze naar de mannen, die het kruis naar het parkeerterrein achter de kerk droegen. En ja hoor: ze liepen veel sneller nu ze dachten dat ze niet keek.

Er stonden al zes zaagbokken opgesteld, ongeveer in de vorm van het kruis, en terwijl Jasper ze op de goede plek schoof, lieten de mannen het kruis erop zakken. Hij hield de gebroken rechterarm met één hand vast terwijl hij de zaagbokken een duw met zijn voeten gaf of een ruk met zijn vrije hand. Het kerkraam was een stuk hoger dan het parkeerterrein, en Mary Lou kon alles van bovenaf in de gaten houden. Het kruis leek weer kleiner nu het een eind verderop lag. Zo ging dat met afstand, dan leken de dingen kleiner. De tijd had hetzelfde effect. Als Mary Lou bijvoorbeeld terugdacht aan Gatlinburg, dan leek het voorval veel onbeduidender. Wat eruit was voortgevloeid, nam uiteraard grotere proporties aan, en de afloop was duister.

Oom Buell zei altijd dat een vrouw harder kan lopen met haar rok omhoog dan een man met zijn broek naar beneden, maar hij had er niet bij verteld dat als beiden uiteindelijk hun vluchtpoging staken, het de vrouw is die voor de gevolgen moet opdraaien. Mary Lou was ervan overtuigd dat Stephen Riddle de Heer om vergeving had gesmeekt en dat zijn gebed was verhoord. Mary Lou had om verlossing gebeden en had een kind ontvangen.

Haar menstruatie was altijd al onregelmatig geweest. In de kerk had ze nauw met Stephen moeten samenwerken, en soms moest ze wel twee keer per week naar Williams school om ze te smeken haar zoon niet weg te sturen, en dat alles had haar zoveel energie gekost dat Mary Lou er niets achter had gezocht toen ze al maanden geen bloed meer in de toiletpot had gezien. Bovendien was ze een forse vrouw, en toen haar buik begon uit te dijen, weet ze dat aan al het fastfood dat ze at en aan de chips die ze 's avonds laat voor de televisie naar binnen werkte. Het zou ook de menopauze kunnen zijn, had ze zichzelf voorgehouden. Ze was zelfs blij geweest dat ze in de overgang was, want dat betekende één probleem minder. Toch moest ze het ergens geweten hebben, want toen ze uiteindelijk een arts had durven raadplegen, was ze niet naar dokter Patterson gegaan, die William ter wereld had geholpen, maar naar een arts in Ormewood, twee stadjes verderop, die daar pas een praktijk was begonnen.

'Gefeliciteerd,' had de dokter gezegd toen Mary Lou hem had gebeld voor de uitslag. Vervolgens had hij een lange lijst instructies over voeding en lichaamsbeweging opgedreund, haar de naam gegeven van een goede vroedvrouw en gezegd in welk ziekenhuis ze het beste kon bevallen.

Mary Lou had het allemaal opgeschreven op een stapeltje rekeningen dat bij de telefoon in het kerkkantoor lag, in de vurige hoop dat er niemand zou binnenkomen. Even had ze zich vertwijfeld afgevraagd of de telefoon misschien werd afgeluisterd, maar toen had ze beseft dat de kerk waarschijnlijk te gierig was om daar geld aan te besteden. Dan zouden ze nog eerder Randall voor de deur posteren om haar af te luisteren. Maar voorzover Mary Lou wist, stond er buiten niemand op de loer.

'Hebt u nog vragen?' had de dokter gezegd.

'Zijn er ook...' ging Mary Lou van start, heel zachtjes, want ze was nog steeds bang dat iemand haar ongemerkt afluisterde. 'Zijn er ook andere opties?'

Al op het moment dat ze de vraag stelde, wist Mary Lou precies waarop ze doelde. Ze had de hele dag brieven in enveloppen zitten stoppen, ze had in elke smetteloos witte envelop een kleurenkopie van dat verminkte kind geschoven, er een sticker met een adres uit hun nationale bestand op geplakt en het ding door de frankeermachine gehaald opdat de brief zo snel mogelijk bezorgd zou worden.

'Mevrouw Riddle,' had de dokter gezegd, haar aansprekend met de naam die ze had opgegeven. 'Volgens mij begrijpt u het niet helemaal. U bent in uw derde trimester.'

'En?' had ze gezegd, en ze had zich afgevraagd wat het probleem was.

De dokter had een hautaine toon aangeslagen. 'Abortus in het derde trimester is illegaal in de staat Georgia, mevrouw Riddle.' Vervolgens had hij Mary Lou te kennen gegeven dat hij waarschijnlijk geen plek voor haar had in zijn praktijk en dat ze maar het beste naar iemand aan de andere kant van de stad kon gaan.

Ze had haar hand nog een hele tijd op de hoorn laten rusten, ook toen ze die allang had neergelegd, met stomheid geslagen door de woorden van de dokter. In heel Amerika werden aan de lopende band late abortussen uitgevoerd. Er lagen wel tienduizend brochures op haar kantoor met verhalen uit het hele land over levensvatbare foetussen – baby's, kinderen eigenlijk – die in de baarmoeder waren gedood. Hun schedeltjes waren doorboord om ze te laten inklappen, hun hersentjes waren met vacuümslangen weggezogen en in stukjes aan medische onderzoekers verkocht. Late abortus leek wel een plaag in de Verenigde Staten. Het was aan de orde van de dag.

Na enig nadenken had Mary Lou de deur van haar kantoor op slot gedaan en was op de vloer achter haar bureau gaan zitten, het telefoonboek van Atlanta op haar schoot. Met grote regelmaat organiseerde de kerk protestdemonstraties; dan kropen ze met zijn allen in het kerkbusje en tenzij het onverwacht ging regenen, postten ze bij allerlei abortusklinieken in Atlanta. Ze droegen borden met teksten als MOORDENAARS! en STOP DE BABYMOORD! De artsen die in die klinieken werkten, schaamden zich zo diep dat ze de gemeenteleden niet in de ogen durfden te kijken. Ze liepen met gebogen hoofd voorbij en bedekten hun oren als er leuzen werden gescandeerd. 'Red de baby's! Dood aan de dokters!'

Mary Lou had allereerst deze klinieken gebeld. Toen ze allemaal met hetzelfde verhaal kwamen als de dokter, had ze de beroepengids doorgenomen en elke gynaecoloog gebeld waarvan de naam deed vermoeden dat hij haar misschien wel wilde helpen. Ze was begonnen met de Joodse artsen, gevolgd door een paar met Pools klinkende namen, en toen had ze de praktijk van een Latijns-Amerikaanse arts gebeld; de vrouw die de telefoon opnam, sprak nauwelijks Engels maar slaagde er niettemin in aan Mary Lou duidelijk te maken dat wat ze vroeg niet alleen illegaal was, maar ook indruiste tegen Gods gebod.

Toen ze al die namen had afgewerkt, had Mary Lou een aantal voor de hand liggende klinieken gebeld, alle met het voorvoegsel 'vrouwen' in hun naam, en vervolgens de 'feministische' instellingen. Ze had op het internet gezocht en telefoonnummers verzameld van klinieken in steden die niet al te ver weg waren, in Tennessee en Alabama, maar overal had ze in niet mis te verstane bewoordingen te horen gekregen dat een dergelijke procedure niet uitgevoerd kon worden. Eén vrouw had sympathiek geklonken en haar verteld dat er een handjevol staten was dat abortus in een dergelijk ver stadium toestond, maar dan moest het wel buiten kijf zijn dat het leven van de moeder op het spel stond.

Mary Lou had over die zin nagedacht en was tot de conclusie gekomen dat haar leven inderdaad op het spel stond. Als ongehuwde moeder kon ze niet voor de kerk blijven werken. Ze had nauwelijks genoeg geld om William en zichzelf te voeden, laat staan een klein kind. Bovendien waren baby's altijd ziek, hadden altijd medicijnen en artsen en God nodig; alleen al bij de gedachte kreeg ze het gevoel alsof ze glas had ingeslikt. De kerk was vrijgesteld van de verplichting haar ziekteverzekering te betalen, en de particuliere verzekering die ze alweer jaren geleden had bestudeerd, kostte zeshonderd dollar per maand. Nadat ze de hypotheek en de autoverzekering had betaald – want voor haar werk had ze een auto nodig – bleef er amper zeshonderd dollar van haar loon over. Na het bezoekje aan die arts had ze twee weken lang brood met pindakaas en jam moeten eten.

Na het laatste telefoontje was de maat vol geweest. De vrouw aan de andere kant van de lijn was zowaar tegen haar gaan preken, ze had gezegd dat er voortreffelijke christelijke organisaties waren die haar konden helpen in deze moeilijke tijd. Mary Lou had op het puntje van haar tong gebeten om maar niet uit te schreeuwen dat ze zelf deel uitmaakte van zo'n christelijke organisatie en dat ze op straat zou staan als ze erachter kwamen.

Woedend had ze de hoorn op de haak gesmeten. God nog aan toe, ze was toch geen crackverslaafde? Ze was niet een van die vrouwen die abortus als een vorm van anticonceptie beschouwden. Ze was niet een of andere slet die alleen maar aan haar carrière dacht en geen tijd had voor een kind. Ze was dol op kinderen. Elke laatste zondag van de maand werkte ze als vrijwilligster in de crèche van de kerk. Ze was móéder.

Haar ogen schoten vol tranen en ze betrapte zichzelf erop dat ze haar pols naar haar mond bracht en erop begon te zuigen, zoals ze dat als kind altijd had gedaan. De bedeltjes aan de armband tikten tegen haar tanden en de metalen smaak brandde in haar keel. Ze nam de bedeltjes een voor een in haar mond en zoog erop alsof ze er een soort kracht aan wilde onttrekken. Ze had het ding altijd als iets boosaardigs beschouwd, een akelig aandenken aan haar zonde, maar nu betrapte ze zichzelf erop dat ze de bedeltjes – het medaillon, de balletschoentjes, de vuurtoren, het kruis – aan het aftellen was, als een soort rozenkrans.

Terwijl Mary Lou het puntje van haar tong over het kruis had laten gaan, had ze opeens beseft dat die instellingen natuurlijk nooit iets over de telefoon zouden zeggen waarmee ze problemen zouden kunnen krijgen. Wisten zij veel wie ze was. Ze kon wel een overheidsinspecteur zijn, een rechercheur, of een antiabortusactivist die hun een uitspraak probeerde te ontlokken en ondertussen stiekem het telefoongesprek opnam. Mary Lou zou ernaartoe moeten gaan voor een persoonlijk gesprek. Ze wist zeker dat ze haar dan wel zouden helpen. Ze zouden zo kunnen zien dat ze er niet op uit was hen erin te laten lopen, maar dat ze echt hulp nodig had.

Stephen had verbaasd opgekeken toen Mary Lou om een vrije dag had gevraagd. Elk kwartaal had ze recht op een aantal dagen ziekteverlof, maar in de tien jaar dat ze voor de kerk had gewerkt, had ze niet meer dan een handjevol opgenomen. Niettemin had hij haar aangekeken alsof hij wilde zeggen: 'Als je er maar geen gewoonte van maakt.'

Op dat moment had ze iets over hun affaire kunnen zeggen, iets waarmee ze hem de mond had kunnen snoeren, maar ze wisten beiden dat ze er niet toe in staat was. De kerk was alles wat ze nog had. De kerk was haar leven. Ze werkte er, bezocht de diensten, en de paar vrienden die ze nog over had, had ze ook aan de kerk te danken. Mary Lou bracht meer uren op deze plek door dan in haar eigen huis. Als men lucht kreeg van de affaire, dan zou Stephen er niet op worden aangekeken. Ze zouden allemaal beschuldigend naar haar wijzen. Zelfs toen Brian haar in de steek had gelaten, toen hij haar zo open en bloot had bedrogen dat zelfs zijn eigen moeder hem een waardeloze vent had genoemd, hadden de mensen het aan Mary Lou toegeschreven. Ze had het vast aan zichzelf te wijten dat haar man bij haar was weggelopen. Ze was vast geen goede vrouw voor hem geweest. Het kon toch niet aan Brian liggen? Hij was een prima kerel die altijd goed voor zijn gezin had gezorgd, tot op de dag dat hij vertrok.

Dezelfde soort logica zou ter verdediging van Stephen worden aangevoerd. Hij was niet alleen getrouwd en had twee schattige kinderen, die geen van beiden met Pud wensten te worden aangesproken, maar hij was ook een man van God, een geleerd man. Stephen Riddle had aan het seminarie in Atlanta gestudeerd. Hij had een docto raat in de godgeleerdheid. Hij was niet het type dat door een dergelijke onthulling schade zou oplopen. Mary Lou kende de gemeente maar al te goed en ze vermoedde dat ze nog meer van hem zouden houden als bleek dat hij een dergelijke beproeving had doorstaan en toch trouw was gebleven aan zijn gezin. Ze hoorde de preek al die hij naar aanleiding hiervan zou houden. 'God heeft me op de proef gesteld en ik heb gefaald,' zou hij zeggen, en zo zou hij de verantwoordelijkheid spreiden terwijl hij wachtte tot zijn zonden werden weggewassen.

Spijt sneed door haar heen telkens als ze dacht aan hoe Stephen haar had behandeld toen ze in zijn kantoor had gestaan en om iets had gevraagd waar ze recht op had. Op dat moment was de basis gelegd voor zijn totale macht over haar en het verbaasde haar niets toen hij de zaak veel vaardiger had aangepakt dan zij. 'Is dat alles?' had hij op bitse toon gevraagd, en Mary Lou had alleen nog maar kunnen knikken. Toen had hij zich weer over zijn bureau gebogen, over zijn opengeslagen bijbel, zich van haar afgemaakt door haar de bovenkant van zijn hoofd toe te keren.

De kliniek in Atlanta lag wat achteraf, maar het had Mary Lou geen enkele moeite gekost het gebouw te vinden. Ze was er al meermalen naartoe gereden, altijd met zo'n twintig tot vijftig mensen, meest vrouwen, gewapend met koeltasjes en broodjes en thermoskannen koffie, alsof het een excursie was in plaats van een poging iets tegen te houden wat eigenlijk op moord neerkwam.

Het was ook moord. Daar kon je niet omheen. Mary Lou had niet aan deze fundamentele waarheid willen denken toen ze dat hele eind naar Atlanta reed. Zoals zo vaak de laatste paar maanden, waren haar gedachten afgedwaald naar haar kindertijd. In haar verbeelding zat ze weer in het souterrain van oom Buell en luisterde naar het evangelie. Wat had alles toen eenvoudig geleken, wat was alles zwart-wit geweest. Met hard werken en bidden kon je uiteindelijk alles overwinnen. Er was niets wat de geest niet kon bevatten. Nooit gaf God je meer dan je kon dragen, en zelfs als de inspanning je had gebroken, zou Hij je weer heel maken, sterker dan ooit. Dat was Zijn zegen. Dat was Zijn geschenk.

Mary Lou, die nog nooit in een abortuskliniek was geweest, had versteld gestaan toen ze merkte hoe aardig iedereen was. Vanbuiten had het gebouw er somber en grimmig uitgezien, zoals het een executieruimte betaamde. De tralies voor de ramen en de bewaker bij de deur versterkten deze indruk alleen maar, alsof de vrouwen die door de zware houten poort naar binnen gingen ter dood veroordeelde gevangenen waren. Binnen hingen de in lichte kleuren geschilderde muren vol vrolijke posters van kinderen en dieren. Wat haar nog het meest had verbaasd, waren de brochures over vruchtbaarheidsbehandelingen, adoptie en postnatale zorg. Ze had nooit geweten dat de kliniek ook een gynaecologische praktijk was, waar vrouwen terecht konden voor uitstrijkjes en advies. Maar ronduit verbijsterend waren de kinderfoto's op het overvolle prikbord naast de deur, levende kinderen, ter wereld geholpen door artsen die in de kliniek werkten.

Mary Lou had naar de kinderfoto's gekeken en opeens heel duidelijk beseft dat ze hier niet toe in staat was. Haar maag draaide om, en niet omdat ze zwanger was. Ze werd door angst bevangen, zo hevig dat haar ingewanden verkrampten alsof ze in een bankschroef zaten.

Toen de verpleegkundige 'Mevrouw Riddle,' had geroepen, was Mary Lou de deur uit gestormd en naar adem snakkend was ze de straat overgestoken, naar haar auto. Ze was zich er nog wel van bewust dat ze in Atlanta was en ze hield haar sleutels in haar vuist geklemd, met de scherpste punt naar voren, voor het geval ze werd aangevallen. Ze werd niet aangevallen, maar toen ze bij haar auto kwam, stond er wel een man tegenaan geleund.

Hij had 'Goedemorgen, zuster,' gezegd en haar van top tot teen bekeken, zoals een boer een koe keurt die hij wil kopen. Hij zag er smerig uit en was duidelijk een zwerver. Hij hield zijn armen gekruist voor zijn borst, precies zoals haar vader vroeger altijd deed als Mary Lou iets had uitgespookt wat hem niet aanstond.

'Ga opzij, alstublieft,' had ze gezegd, hoewel haar stem allerminst dreigend klonk. Ze was uitgeput, emotioneel afgemat en kon alleen nog uiting geven aan haar grote verslagenheid.

'U komt daarvandaan, hè?' had hij gezegd, en hij had naar de kliniek gewezen. 'Ik heb u daar uit zien komen.'

'Nee,' had ze gelogen, en ze had geprobeerd door haar mond te ademen toen de wind van richting veranderde en ze hem kon ruiken. 'Wilt u alstublieft aan de kant gaan, want anders zal ik de politie moeten bellen.'

Hij had haar met een bepaald soort blik aangekeken, dezelfde blik waarmee ze haar hele leven al was aangekeken: je bent niets waard. Je kunt me toch niets doen, want je weet dat het je verdiende loon is. Zo keek William haar aan en Brian vroeger ook, en nu Stephen Riddle. Opeens had ze er genoeg van, en ze besloot op dat moment dat ze een dergelijke blik niet van een haveloze vreemde accepteerde. Woede was in haar opgeweld en zonder erbij na te denken had Mary Lou zich op de zwerver gestort, ze was hem als een woesteling met de sleutel te lijf gegaan; een huiveringwekkende oerkreet was aan haar mond ontsnapt toen ze hem in zijn gezicht stak, in zijn hals en in zijn handen, die hij afwerend voor zich hield.

Ze had de beelden van de aanval niet uit haar hoofd kunnen zetten toen ze terug was gereden naar Elawa. Ze had hem tot bloedens toe verwond. Met ongekende felheid had Mary Lou de walgelijke zwerver aangevallen, woede had haar als een vloedgolf overspoeld, haar gezonde verstand ondergraven, en alleen het losse slib van de haat achtergelaten, waarvan ze zich niet kon ontdoen. Ergens had ze de man wel willen vermoorden. Verbazingwekkend genoeg was ze ergens ook in stáát geweest hem te vermoorden. Mary Lou had het nooit voor mogelijk gehouden dat ze over de kracht zou beschikken om zichzelf te verdedigen, laat staan dat ze het soort persoon was tegen wie iemand anders zich zou moeten verdedigen.

Toen ze in de achteruitkijkspiegel had gekeken, had ze tot haar verbazing bloed op haar wang gezien. Ze wist zeker dat het niet van de zwerver was. Het was haar eigen bloed. Mary Lou had zich opengehaald aan de bedelarmband toen ze de sleutel naar achteren zwaaide en op zijn ogen richtte. Als hij in die fractie van een seconde zijn hoofd niet opzij had gedraaid, dan zou ze hem blind hebben gemaakt. Als het hem niet gelukt was onder de dichtstbijzijnde auto weg te kruipen toen ze haar voet had opgetrokken om hem te schoppen, dan zou Mary Lou hem met haar blote handen hebben gewurgd, daarvan was ze overtuigd.

Hoe had het zover kunnen komen, vroeg ze zich af. Wat had haar bezield? Die arme sloeber was waarschijnlijk alleen maar op geld uit geweest, een paar dollar voor een kop koffie of wat voor bocht dan ook dat hem op straat had doen belanden. Wat had zich in haar binnenste voltrokken dat Mary Lou nu tot moord in staat was?

Onder het rijden had ze haar pols naar haar mond gebracht, en het had haar geduizeld, zoveel mogelijkheden waren er. Ze proefde haar eigen bloed, dat aan de bedeltjes kleefde, ze had er als een kind aan gezogen. Er zat iets slechts binnen in haar, iets wat haar in een monster veranderde. Toen dit tot haar doordrong, was ze bijna tegen een gigantische truck opgeknald. Mary Lous hand schoot naar beneden, ze schakelde en onder een kakofonie van claxons reed ze de berm van de snelweg op.

Dat slechte in haar was Stephens kind. Het kind was haar zonde, het zat haar dwars, het probeerde haar te breken. De oplossing was eenvoudig: ze kon zich alleen maar van haar zonde bevrijden door zich van het kind te ontdoen.

Het gebed was als een verlossing gekomen. Rond de tijd dat William werd geboren had ze het contact met God verloren. Het moederschap was de kern van haar leven geworden en alleen in moeilijke tijden had ze het hoofd nog gebogen. Rochelend gehoest dat midden in de nacht uit Williams kamertje klonk. Hoge koorts die niet wilde wijken. Onverklaarbare schaafwonden en blauwe plekken. Een uitbraak van hersenvliesontsteking op een naburige peuterspeelplaats.

Als Stephen vanaf de kansel om stilte verzocht, deed Mary Lou plichtmatig mee, dan boog ze haar hoofd en wachtte, zonder ook maar in de verste verte rekening te houden met de mogelijkheid dat God contact met haar zocht. Ze wierp af en toe een blik op haar horloge en keek wat mensen aanhadden en naast wie ze zaten. Nu ze voor de kerk werkte, was ze meer in de buitenkant dan in de inhoud geïnteresseerd, en het enige waaraan ze tijdens de dienst dacht, was dat de bekleding op de stoelen van de diakens gerepareerd moest worden, of dat ze Randall moest vragen de plint rond het podium schoon te maken.

Na haar seksuele avontuur met Stephen had zelfs de gedachte aan gebed godslasterlijk geleken. Buell had het er al vroeg bij haar ingehamerd dat de dominee het medium was door wie je God kon bereiken. Mary Lou kon Stephen met geen mogelijkheid als een dergelijk medium zien. Als ze hem al in gedachten voor zich zag, dan zat hij altijd achter haar, zoals toen, kreunend van genot; ze had haar ogen opengedaan om te zien wat er zo spannend aan was en slechts een glimp van haar borsten opgevangen, die naar beneden hingen als de uier van een koe die nodig gemolken moest worden.

Daar in haar auto, in de berm van de snelweg even buiten Atlanta, had Mary Lou zich getroost gevoeld door de mogelijkheid van verlossing. Ze had de armband in haar mond genomen, het kruisje veilig op haar tong, en zo had ze tot God gebeden en Hem gevraagd haar van haar zonden te verlossen. Terwijl het voorbijrazende verkeer de auto deed schudden, had zij haar ogen stijf dichtgeknepen en Hem gesmeekt haar niet nog verder te breken. God moest haar toch kunnen vergeven zonder haar helemaal uiteen te scheuren. Ze had gebeden om begrip voor haar situatie, en toen haar gebed niets uithaalde, had ze gebeden om de kracht die ze nodig zou hebben om te doen wat ze moest doen.

In een flits had ze begrepen wat haar te doen stond. Haar enige redding was de dood. Terwijl ze de auto had ingevoegd tussen het verkeer op de snelweg, had Mary Lou haar voornemen voor zichzelf gerechtvaardigd. Ze wist dat William gelukkiger zou zijn als hij bij zijn vader woonde. Brian zou ongetwijfeld dolblij zijn als hij van haar af was, en Stephen was al wanhopig op zoek naar een manier om Mary Lou uit de kerk en uit zijn leven te laten verdwijnen. Ze zou hen toch alleen maar aan hun eigen teleurstellingen herinneren. Ze was geen goede vrouw, geen goede moeder, niet eens een goede minnares.

Onder het rijden had ze gebeden om wijsheid. Haar handen waren gaan zweten toen ze had overwogen van een van de vele bruggen tussen Atlanta en Elawa af te rijden, maar ze was tot de conclusie gekomen dat het ongelooflijk egoïstisch zou zijn als ze met haar auto tegen een ander voertuig op knalde.

In de loop van de daaropvolgende dagen had ze zich in het onderwerp zelfmoord verdiept, en ze had de mogelijkheden die ze tot haar beschikking had op dezelfde wijze afgewogen als toen ze het afgelopen najaar een nieuwe koelkast moest hebben en *Consumer's Digest* had geraadpleegd. De beste manier, had ze besloten, was met een pistool, maar ze had niet genoeg geld om er een te kopen, en bovendien was het in Elawa bijna even moeilijk om een pistool te kopen als om abortus te plegen. Ze wilden je vingerafdrukken hebben. Er was een wachttijd. Eigenlijk waren er zoveel obstakels dat Mary Lou zich was gaan afvragen of de mensen die brochures volschreven over het feit dat Amerika met een noodvaart naar de bliksem ging, wel beseften dat al die zaken waartegen ze waarschuwden veel moeilijker uitvoerbaar waren dan ze dachten.

Pillen zouden ongetwijfeld uitkomst bieden, maar ze wist niet hoe ze aan de juiste moest komen, en ze was bang dat William het door zou krijgen als ze het aan hem vroeg en ze haar misschien wel uit zijn eigen voorraad zou geven. Zelfs als ze geweten zou hebben hoe ze aan pillen moest komen, dan kostten illegale drugs ongetwijfeld heel veel geld, en na twee bezoekjes aan de dokter – de kliniek had contante betaling geëist – had Mary Lou niets meer over. Ze had nog wat valium uit de tijd dat Brian van haar scheidde, maar dat waren maar tien pilletjes, nauwelijks genoeg om het plan ten uitvoer te brengen. Ze had geen garage bij haar huis, anders zou ze de motor van haar auto wel hebben aangezet en de uitlaat de klus laten klaren. Slapend sterven leek haar de gemakkelijkste uitweg, maar misschien was die daarom wel zo moeilijk te realiseren.

Het opensnijden van haar polsen leek haar een goed idee, maar toen ze een uurtje met die gedachte had gespeeld, had ze beseft dat William haar dan zou vinden en al het bloed zou zien. Ze maakte zich niet zozeer zorgen om de emotionele littekens die hij zou kunnen oplopen als hij zijn moeder dood in haar eigen bloed aantrof als om de mogelijkheid dat hij het lekker zou vinden en dat ze door een dergelijke daad de volgende Ted Bundy of Jeffrey Dahmer zou creëren.

Weer had Mary Lou op het kruisje aan de armband gesabbeld, en weer had ze God gevraagd of Hij haar wilde laten zien hoe ze zichzelf van het leven kon beroven. Merkwaardig genoeg was Zijn teken verschenen in de vorm van een brochure. Er waren precies zeven dagen verstreken sinds ze die zwerver bijna had vermoord, en Mary Lou was nog niet helemaal de oude. Meestal gooide ze reclame meteen weg, maar om de een of andere reden was ze alles gaan lezen wat in de brievenbus van de kerk belandde, alsof haar leven ervan afhing.

Ze had alle aanbiedingen, van Reader's Digest tot hypotheekbanken, van voor naar achteren doorgenomen en de jeugdwerker ingeschreven voor een loterij met een hoofdprijs van een miljoen dollar (ook al wist ze dat als hij zou winnen de kerk geen stuiver van het geld te zien zou krijgen). Toen was ze op een felroze, dubbelgevouwen brochure gestuit. Bij het zien van de kleur had Mary Lou nattigheid moeten voelen, maar sinds haar reisje naar Atlanta was haar gevoel finaal afgestompt. Afwezig sloeg ze het document open en onmiddellijk werd haar blik naar de afbeelding van een opengebogen kleerhanger getrokken. De punt zag zwart van de naar alle kanten uitwaaierende strepen, want in tegenstelling tot de kerk konden deze pro-abortusorganisaties zich uiteraard geen kleurenkopieën veroorloven. De kop luidde: 'Moeten vrouwen weer hun toevlucht nemen tot achterkamertjespraktijken?'

Mary Lous mond was opengevallen en het natte bedeltje was tegen haar kin gekletst. Nu wist ze hoe Zijn antwoord luidde. Ze wist wat haar te doen stond.

Het enige waar ze tijdens het hele proces van geschrokken was, was de pijn. Mary Lou had eigenlijk gemeend dat ze erboven verheven zou zijn, maar de pijn was zo intens geweest dat ze halverwege buiten bewustzijn was geraakt. Ze had geen idee hoe lang ze weg was geweest. Toen ze uiteindelijk weer was bijgekomen, was het buiten donker geweest, en Mary Lou had niet op de klok gekeken. Net als bij een splinter was het pijnlijker geweest de kleerhanger er uit te trekken dan hem erin te rammen. Ze bloedde, maar niet zo hevig als ze had verwacht. Het bloed was donker en stroperig, heel anders dan het bloed op de televisie, en daardoor minder echt.

De hele nacht had ze krampen gehad, maar toch kwam het kind er niet uit. Waar ze nog het meest naar verlangde was slaap. Ze had zich afgevraagd of de reden waarom ze er niet in geslaagd was zichzelf te doden was dat God haar wilde laten leven, maar Mary Lou vond dat allang best. Er was maar één ding waaraan ze behoefte had, en dat was aan slaap. Aan rust.

Er was een week voorbijgegaan en ze had al haar verlofdagen opgebruikt. Als het William al was opgevallen dat zijn moeder ziek was, dan zei hij er niets over. Aan de muziek die op volle sterkte uit zijn kamer knalde, hoorde ze of hij thuis was of wegging. Maar misschien had hij de stereo op een tijdklok aangesloten. Van haar zoon kreeg ze al helemaal geen hoogte.

Ze was weer gaan werken omdat het moest, niet omdat ze ertoe in staat was. Uit het vervullen van je plicht viel lering te trekken, dat wist ze, maar die eerste werkdag was zo zwaar geweest dat Mary Lou haar zelfmoordplannen weer in overweging had genomen. Ze voelde een ontsteking vanbinnen, als een smeulend vuur. Ze had niet genoeg bloed verloren. Ze had geen vingertjes of teentjes in de toiletpot gezien. Zo langzamerhand had er toch iets moeten komen, en als dat niet het geval was, dan kon dat alleen maar betekenen dat het er nog steeds zat, dat het nog steeds aan het wegrotten was in haar binnenste.

Wat moest ze doen? In het ziekenhuis zouden ze met één oogopslag zien wat er aan de hand was. Ze kon niet naar haar eigen arts gaan, want hij was diaken van haar kerk. Er zat niets anders op dan naar zijn praktijk te bellen en te zeggen dat ze een voorhoofdsholteontsteking had, maar dat ze geen tijd had om een afspraak te maken. Gelukkig had de assistente een recept voor antibiotica laten uitschrijven zonder verder vragen te stellen. Mary Lou wist echter niet zeker of de pillen werkten. Dat was zo lastig met antibiotica. Je had bepaalde soorten voor bepaalde ontstekingen. Was een voorhoofdsholteontsteking hetzelfde als de ontsteking die in haar onderbuik woedde? Zou deze langzame, rottende ziekte dan uiteindelijk haar dood betekenen? Had ze dat alles moeten doorstaan, haar gezin beschaamd, haar God beschaamd, haar naaste begeerd, doodzonden begaan, allemaal voor niets?

Ze had zielsgraag willen bidden, met God willen praten en Hem nogmaals om hulp willen vragen, maar haar geest had geweigerd. Zelfs toen ze de armband als een sacrament in haar mond had genomen, bleven gedachten uit. Ze had overwogen zich hardop tot de Heer te richten en de kritieke situatie waarin ze zich bevond op te biechten, maar stel je voor dat iemand het hoorde. Stel je voor dat Stephen Riddle haar biecht opving en haar vanaf de kansel verloochende. Of dat de hele kerk erachter kwam wat ze had gedaan en haar uitstootte. Ze zou de paar vrienden die ze nog had verliezen, en William zou haar ontnomen worden. Ze zou niets meer hebben, niet eens een plek om God te eren.

Heel geleidelijk had ze zichzelf voelen vervagen uit het leven dat ze altijd had gekend. Na jaren van mislukte diëten was ze opeens afgevallen. Eten smaakte haar niet meer. Ze las niet meer, ze keek geen tv meer. Toen de school William schorste, had ze nauwelijks de kracht om haar schouders op te halen. Toen Brian haar vertelde dat hij niet in staat was zijn helft van de hypotheek te betalen, had ze zonder nog een woord te zeggen simpelweg opgehangen.

'Mevrouw?' Jasper riep haar vanuit de deuropening en Mary Lou besefte dat ze weer aan het vervagen was. Ze wendde zich van het raam af en terwijl haar vingers de bedelarmband zochten, richtte ze haar blik op de zwarte man. Hij stond achter in de kerk, en als hij een pet had gedragen, dan zou hij die nu in zijn toegetakelde handen hebben gehouden. Ze vroeg zich af of hij zich misschien niet op zijn gemak voelde in een kerk. Die indruk maakte hij wel zoals hij daar stond met zijn tenen tegen de rand van het tapijt, alsof hij de ruimte niet durfde te betreden.

'Ik kom eraan,' zei ze, en met de armband in haar hand geklemd liep ze op hem af. Het leek of hij haar zijn hand wilde toesteken toen ze het portaal had bereikt, maar Mary Lou kruiste haar armen voor haar borst ten teken dat ze geen hulp nodig had. Naar de uitdrukking op zijn verwrongen gezicht te oordelen, zag ze er niet al te best uit. Ondanks de warmte die in het portaal hing, liepen de koude rillingen over haar lichaam en de achterkant van haar benen prikte, alsof duizend naalden tegelijk in haar huid staken.

Ze liepen het parkeerterrein over, en de hitte omhulde hen als een deken. De zon was zo fel dat hij zwart leek tegen de blauwe middaghemel. Mary Lou hield haar blik op de zaagbokken gericht, maar slaagde er niet in de vorm van het kruis te onderscheiden. Ze struikelde en greep Jasper vast om niet te vallen. Zijn huid was warm onder de lange mouwen en ze voelde de pezen van zijn gehavende arm, het aanspannen van de spieren toen hij haar probeerde te ondersteunen. Toch viel ze op haar knieën en met zwaaiende armen tastte ze naar de droge lucht. De pijn in haar buik was nu zo hevig dat ze voorover tuimelde; het warme asfalt sloeg in haar gezicht en drong als hellevuur door haar kleren heen.

Ze werd overweldigd door een verscheurende pijn, alsof er iets levends in haar onderlijf zat dat zich naar buiten klauwde. Ze greep haar buik vast, schreeuwde het uit van ellende, sloot haar ogen tegen het zwarte gat van de zon, en op dat moment verkrampten haar ingewanden, haar baarmoeder trok samen en stootte haar zonde uit op het asfalt. Het bloed dat ze tot op dat moment had vastgehouden, sijpelde nu als honing tussen haar benen door; ze voelde zwaar vocht en weefsel als grote brokken natte klei langs haar dijen druipen.

Mary Lou rolde zich op haar rug en de Mexicanen deden snel een paar stappen achteruit, alsof er zuur over hun voeten was uitgegoten. De hand die ze op haar mond legde was besmeurd met haar eigen bloed en met iets anders waarvoor ze geen naam had. Het lag over de grond verspreid, als gladde zwarte olie. Ze keek op om de zon in de hemel te zoeken, om net zo lang naar die zwarte stip te staren tot het beeld voor altijd op haar netvlies was gebrand, maar het zicht werd haar ontnomen door de gigantische arm van het kruis. Ze hadden het gerepareerd, en slechts een dun naadje gaf aan waar de stukken weer aan elkaar waren bevestigd. De plek waar het gebroken was geweest, was geheeld als een verse wond, en het litteken zou het hout alleen maar steviger, krachtiger maken.

'Heilige moeder,' zei een van de Mexicanen en weer voelde ze iets vloeibaars tussen haar benen naar buiten barsten.

Opnieuw werd Mary Lou door pijn gekliefd, alsof een mes haar van binnenuit opensneed. Ze raakte in de greep van het kloppende gevoel tussen haar benen en schreeuwde zo luid dat het schroeide in haar keel, alsof ze gewurgd werd. Centimeter voor centimeter voelde ze haar vlees uiteenscheuren, voelde ze hoe het van binnenuit opengereten werd.

'Rustig maar,' zei Jasper, en hij stak zijn lelijke handen tussen haar benen. Daar lag ze in al haar naaktheid voor hen, met haar jurk tot boven haar middel opgestroopt, haar natte broekje rond haar knieën. Ze zag een gestalte voor het raam van de kerk. Was dat Stephen? Stond hij naar dit alles te kijken, wilde hij weten wat er gebeurde? Ze riep zijn naam, maar de gestalte trok zich terug.

'Het komt goed,' zei Jasper sussend. Zijn verminkte handen zaten nu in haar en probeerden iets naar buiten te trekken. Voor de laatste keer voelde ze iets scheuren en toen ging de pijn opeens over in een doffe steek, en nu het obstakel was verwijderd, stroomde het bloed naar buiten.

'Lord Jezus,' baden de Mexicanen, in het Engels, alsof ze dat speciaal voor haar deden. Ze namen hun pet af en bogen het hoofd.

Jasper hield een piepklein bundeltje armpjes en beentjes omhoog, alle bevestigd aan een lijfje dat met snelle schokjes op en neer bewoog. Het kind zette het uit alle macht op een krijsen. Zijn kreten waren een beschuldiging, een veroordeling voor de hoer die hem op deze wereld had gezet.

Een van de Mexicanen knielde naast Mary Lou neer en reikte een smerige handdoek aan voor de baby. Voorzichtig nam hij het jongetje in zijn armen en sprak het kirrend toe.

Jasper, die nog steeds naast haar zat, rommelde in zijn gereedschapskist. Ze zag dat hij er een oud, gebutst zakmes uit haalde, en daarmee sneed hij de streng door waarmee Mary Lou aan het kind vastzat. Een van de Mexicanen pakte de streng en bond hem af met een stuk touw. Jasper nam niet eens de moeite het stuk af te binden dat nog aan Mary Lou vastzat. Aan de blik in zijn ogen zag ze dat het bloeden door niets gestelpt kon worden. Haar geest werd tussen haar benen door naar buiten gedreven en alles wat het proces vertraagde, zou alleen maar uitstel van het onvermijdelijke betekenen.

Jaspers grote zwarte hand greep de hare vast en bijna onmerkbaar bewoog hij zijn lippen. De huid op zijn gezicht stond strakker dan ze ooit had gezien en de verkleuring was ook duidelijker dan eerst. Weer werd haar blik naar de onnatuurlijke kleur van zijn lippen getrokken, en op dat moment sloot hij zijn ogen en begon te fluisteren. Ze spande zich tot het uiterste in om te horen wat hij zei, en ze was zo verbaasd door zijn woorden dat ze heel even de pijn vergat. Een plotselinge lichtheid vulde haar borst, en ze voelde de kracht van Jaspers woorden als een zuiverende balsem door zich heen vloeien. Het gebonk van het bloed in haar oren begon af te nemen. Tegelijk met de lucht die ze inademde, zoog ze de woorden van de man in zich op, en ze hield ze net zo lang in haar longen tot die vol genoeg leken om haar weg te kunnen dragen.

'Here God,' zei Jasper met zijn prachtige roze lippen. 'Alstublieft, neem deze vrouw op in Uw huis. Laat Uw licht haar de weg wijzen. Help haar Uw macht en Uw glorie te zien.'

Ze voelde zichzelf al wegglijden, maar toch probeerde Mary Lou hem te bedanken. Ze wilde Jasper laten weten dat zijn woorden haar vrede hadden gebracht. Het kind bleef krijsen en toen ze haar hand naar hem uitstrekte, schuurde de gouden armband over het asfalt. De zon viel op de ketting en verlichtte het gedeelte waar de schakel was gebroken en weer als nieuw was gemaakt.

'Voor hem,' zei ze. Zij was gebroken opdat het kind sterk kon zijn.

'Voor hem,' herhaalde Jasper, en met zijn bloederige handen frunnikte hij aan de sluiting van de armband.

'Nee,' zei ze, maar haar stem was al verdwenen en het woord weerklonk slechts in haar hoofd.

Jasper nam de armband van haar pols en terwijl hij hem naast het jongetje in de deken legde, zei hij tegen Mary Lou: 'Zo zal hij zijn moeder niet vergeten. Dit zal altijd bij hem zijn.'

'Nee,' wilde ze weer zeggen, maar toen keek ze naar het gezichtje van haar zoon en op dat moment was het niet meer belangrijk. Niets was meer belangrijk nu haar zoon in leven was gebleven. Hij had gevochten voor zijn leven, had de wil van zijn moeder getart om de wil van God te eren.

Ja, dacht ze. Hij zou sterk zijn, want de armband zou hem de geboden leren die degenen vóór hem hadden geschonden. Al die bedeltjes zouden tot in lengte van dagen hun verhalen vertellen: de sleutel die tot ijdelheid leidde, de gulzigheid van de aap, de hebzucht van het dollarteken, de jaloerse ballerina, de boze kobold, de begerige tijger en zelfs het kruis, waarvan Mary Lou opeens begreep dat het haar eigen onverschilligheid voorstelde.

Terwijl haar vingers uit de hand van Jasper Goode gleden, voelde Mary Lou een glimlach opkomen. Ze keek op naar de hemel, naar de zwarte zon. Het kind zou goed zijn. Net als Jezus zou het haar zonden wegwassen. Het zou sterk zijn waar het zijn moeder aan kracht had ontbroken. Het zou zich bewust zijn van het geschenk van haar dood, dat hij alleen door het offer van Mary Lou geboren had kunnen worden en telkens opnieuw geboren kon worden. Door haar zwakte zou hij sterk zijn. Op een dag zou hij naar de armband kijken en haar verhaal kennen.

Op een dag zou hij het begrijpen: de zegen van het gebroken zijn.

ONGEZIEN

June Connor wist dat ze vandaag ging sterven.

Het deed haar denken aan het soort pathetische verklaring waarmee een derdeklasser een kort verhaal zou kunnen beginnen dat hij voor school moest schrijven – zo'n zin die bij June meteen op diep gekreun en een onvoldoende kon rekenen – maar het was waar. Vandaag ging ze sterven.

De artsen, die het zo vaak bij het verkeerde eind hadden gehad, kregen op dit punt gelijk: ze zou het weten als het zover was. Toen June vanochtend wakker werd, was ze zich niet alleen bewust van de pijn, van de geur van haar uitgeputte lichaam, van de stank van zweet en allerlei ander lichaamsvocht dat in de loop van de nacht het bed had doordrenkt, maar wist ze ook dat haar tijd was gekomen. Het besef drong als een vaststaand gegeven tot haar door. De zon zou opgaan. De aarde zou ronddraaien. Zij zou vandaag sterven.

Eerst was June geschrokken van deze openbaring, maar toen had ze in haar bed over de gevolgen liggen nadenken. Geen pijn meer. Geen misselijkheid. Geen hoofdpijn, aanvallen, vermoeidheid, verwardheid of woede meer.

Geen Richard meer.

Geen schuld meer.

Tot nu toe was de gedachte aan haar dood abstract geweest, een dreigend lot. Elke dag kwam het dichterbij, maar dichtbij was nooit te dichtbij. Het was altijd om de hoek. Altijd de volgende week. Altijd ergens in de toekomst. En nu was het zover: een taxi aan het eind van de oprit. Met tikkende meter. Die haar in één keer zou wegvoeren.

Er trokken scheuten door haar benen, alsof ze weer kon lopen. Ze werd ongedurig, was zich scherp bewust van haar aanstaande vertrek. Nu was ze een zakenvrouw die met haar ticket in de hand bij de gate stond te wachten tot ze in het vliegtuig mocht. Haar spullen waren ingepakt. Haar bagage was ingecheckt. Niet dat ze zin had in de reis, maar er zat niets anders op. Laat me instappen. Zeg maar wat mijn rij is. Dan schuif ik mijn rugleuning naar achteren, sluit mijn ogen en wacht tot de piloot het overneemt, het vliegtuig opstijgt, tot van mijn vertrek niets rest dan het condensspoor tegen de blauwe lucht.

Hoe lang was het geleden dat de eerste arts, de eerste test, deze dag had voorspeld? Vijfenhalve maand, berekende ze. Geen al te lange periode, maar uiteindelijk misschien meer dan ze aankon. Ze werkte in het onderwijs, was directrice van een middelbare school en had bijna duizend leerlingen onder haar hoede. Ze had werk, verantwoordelijkheden. Voor een langgerekt sterven ontbrak het haar aan tijd en zin.

June wist nog goed dat ze die dag weer aan het werk was gegaan en haar agenda had doorgebladerd: de volgende maand het landelijk examen, dan het jaarrooster, dat alleen zij snapte. Vervolgens het afronden van het schooljaar. Cijfers werden ingeleverd. Contracten getekend. Lokalen schoongemaakt. Dit jaar moest de school geverfd worden. In de kantine moesten tegels worden vervangen. Het lokaal van de schoolband kreeg nieuwe stoelen. Voor de kluisjes kwamen nieuwe sloten.

'Oké,' had ze gezegd toen ze alleen in haar kamer zat en naar de volle dagen in haar agenda staarde. 'Oké.'

Misschien had ze er ruimte voor. Als ze het nog vier maanden volhield, kreeg ze het misschien voor elkaar.

June had haar droomvakantie in Europa laten schieten. Ze was niet gaan skydiven of bergbeklimmen. Ze was doorgegaan met haar werk, werk waar ze de pest aan had gekregen. Alsof het iets uitmaakte wat ze deed. Leerlingen schorsen. Docenten de les lezen. Een gymleraar ontslaan die er met de pet naar gooide en van wie ze drie jaar lang een dossier had bijgehouden.

Haar haar viel in plukken op haar bureau. Haar tanden zaten los. Ze kreeg bloedneuzen. Op een dag brak ze haar arm, zonder aanwijsbare oorzaak. Ze had een kop koffie in haar hand gehad en de hitte van de vloeistof die een plas vormde op het tapijt voor haar opengewerkte sandaal was het eerste teken dat er iets mis was.

'Ik heb mijn voet verbrand,' had ze gezegd, verbaasd omdat het personeel op de administratie haar met open mond zat aan te kijken.

Wat had haar voortgedreven? Wat had haar de kracht gegeven om vier maanden lang elke ochtend een panty en broekpak aan te trekken, naar school te rijden, op haar eigen plek te parkeren en dat gehate werk te doen, terwijl niemand ter wereld vreemd zou hebben opgekeken als ze vervroegd was uitgetreden?

Wilskracht, vermoedde ze. Pure vastberadenheid om haar laatste jaar af te maken zodat ze recht had op haar volledige pensioen en andere voorzieningen nadat ze dertig jaar van haar leven aan een systeem had gegeven dat haar aanwezigheid nauwelijks verdroeg.

En trots. Na al die tijd greep ze de kans aan om haar lijden aan de buitenwereld te tonen. Elke dag zouden ze haar gezicht zien, getuige zijn van haar trage aftakeling, de subtiele voortekenen van haar naderende dood. Het laatste vlees dat nog op haar botten zat. Haar laatste poging om te laten zien dat ze niet de enigen waren die schade hadden geleden. Jezus aan het kruis was minder resoluut van het toneel verdwenen.

Ze had geen beste vriendin aan wie ze het kon vertellen. Er waren geen familieleden meer die ze haar angsten kon toevertrouwen. June kondigde het nieuws aan in een e-mail aan de hele school. Met vaste hand stuurde ze de muis naar de icoon met het potlood dat boven een geel papiertje zweefde. Nieuw bericht. Aan allen. Geen aanhef. Geen tranen. Geen gedraai. Ze was achtenvijftig en zou geen negenenvijftig meer worden, maar een doodvonnis was nog geen reden om haar waardigheid te verliezen.

'Ik wil jullie laten weten dat ik inoperabele longkanker heb, stadium vier.'

Het eerste wat mensen vroegen was of ze rookte. Net iets voor June om een ziekte met een etiket te krijgen, zodat volslagen vreemden dachten dat je het aan jezelf had te wijten. Zelfs als June zei dat ze nooit gerookt had, dat ze nooit een sigaret had opgestoken of het zelfs maar had overwogen, kreeg dat soort mensen een wazige blik in de ogen. Ongeloof. Medelijden. Natuurlijk had ze het aan zichzelf te wijten. Natuurlijk loog ze. Ze leed aan wanen. Ze was koppig. Gestoord.

Het leek allemaal zo griezelig veel op wat eraan vooraf was gegaan dat June uiteindelijk zo lang en hard moest lachen dat ze bloed op haar bloes hoestte. Het medelijden maakte plaats voor geschokte blikken en ze was weer terug in die donkere dagen toen haar enige troost de gedachte was dat de zon zou opkomen en ondergaan, dat de jaren zouden verstrijken en dat ze uiteindelijk zou sterven en haar schande mee zou nemen in het graf.

Ironie, dacht June nu. Een botsing tussen wat verwacht wordt en wat er uiteindelijk gebeurt.

De longkanker had zich snel uitgezaaid. Eerst haar lever, waardoor ze een akelige, bleekgele kleur kreeg. Toen haar botten, die zo broos waren dat ze moest denken aan engelenhaarpasta voor die het kokende water in ging. En nu haar hersenen, het laatste wat er van haar echte zelf restte. Vol kankercellen. Bezaaid met tumoren, cellen die zich sneller vermenigvuldigden dan de palliatieve bestraling en chemotherapie konden bijhouden.

'De metastasis zijn behoorlijk geprononceerd,' had de arts gezegd, een absurd jonge man met een zweem van puistjes op zijn kin.

'Metastases,' had June hem verbeterd. Zelfs nu ze doodging, besefte ze, moest ze nog de taal corrigeren van iemand die eigenlijk beter hoorde te weten.

'Vijf maanden.' Hij krabbelde iets in haar dossier en sloeg het dicht. 'Met een beetje geluk zes.'

Wat je geluk noemde, al die extra tijd.

De tumoren in haar hersenen hadden niets functioneels aangetast. Nog niet, tenminste, en dat zou nu ook niet meer gebeuren. Vanochtend namen ze in haar verbeelding de vorm aan van limabonen, met een kleine, ronde onderkant, die als puzzelstukjes in de kronkelende grijze materie pasten. Bij het praten slikte ze de woorden vaak half in, maar het mooie van een hersentumor was dat ze soms haar eigen stem niet hoorde. Het geheugen was een probleem, maar het kon nog erger. Misschien was ze paranoïde. Dat was een veelvoorkomende bijwerking bij de talloze medicijnen die ze slikte.

Verlies van het kortetermijngeheugen. Verlamming. Droge mond. Lekkende darmen.

Haar ademhaling grensde aan verstikking en het oppervlakkige gehijg ontlokte een piepende doodsrochel aan haar borst. Zitten ging niet langer zonder hulp. Haar huid voelde koud, als groente in een koelkast, en hoewel hij ooit glad was geweest, was hij nu verlept, om de vergelijking nog even vast te houden.

In het begin, toen de diagnose pas was gesteld, zat June met allerlei vragen over haar naderende dood, maar er was niemand die ze kon beantwoorden. In de wachtkamer van haar arts lagen diverse blaadjes die zeiden dat je een positieve houding moest hebben, het dieet van dokter Niet-Goed-Bij-Zijn-Hoofd moest volgen of de weg naar Jezus moest zoeken, maar June vond niets waarin openlijk werd gesproken over het doodgaan zelf. Op internet was ongetwijfeld informatie te vinden, maar als June eindeloze stukken vol zielige navelstaarderij wilde lezen kon ze net zo goed even naar het talenpracticum lopen en opdrachten creatief schrijven gaan nakijken. Bovendien was ze er nog altijd van overtuigd dat internet ontworpen was om de mens functioneel achterlijk te maken.

Toen June jaren geleden tobde met haar galblaas, had ze met andere patiënten gepraat over wat ze verwachten kon. Hoelang duurde het herstel? Was het alles waard? Was het probleem dan verholpen?

Nu had ze niemand om mee te praten. Je kon niemand vragen hoe het was om dood te gaan.

'Het is voor iedereen anders,' had een verpleegkundige gezegd. 'Wat een gezeik,' had June geantwoord, want er zat nog genoeg leven in haar om het onrechtvaardige van haar situatie te beseffen.

Gezeik, had ze gezegd. Gezeik, tegen een volslagen vreemde.

Vijf jaar geleden had de airconditioning thuis het eindelijk begeven, en de reparateur, een oud-leerling van June, die onevenredig geboeid werd door de kleinste bijzonderheden van zijn vak, had tot in detail uitgelegd waar de fatale fout was ontstaan. Door condensatie was de spiraal gaan roesten. De freon was eruit gelekt zodat het systeem geen koelvloeistof meer kreeg. De slang naar de buitenunit was bevroren. In het huis was de temperatuur gaan stijgen in plaats van dalen, en de arme thermostaat snapte niet waarom er niet gekoeld werd. Ondertussen was de ventilator blijven zoemen tot de motor doorbrandde.

Oorzaak en gevolg.

Maar terwijl June moeiteloos een vrijwel analfabete AC-monteur kon vinden die haar uitlegde waarom haar airconditioning er op de warmste dag van het jaar de brui aan had gegeven, was er geen medische deskundige die haar het fijne van de dood kon onthullen.

Op een van de laatste dagen dat ze zonder hulp het huis uit kon had June ten slotte iets gevonden op de stoffige planken achter in een tweedehands-boekwinkel. Eerst had ze het bijna laten staan, in de veronderstelling dat het een of ander boek met newage-kul was, geschreven door een in pyjama gehuld sektelid. Het omslag was wit, met de contouren van een driehoek in een dichte cirkel. Het had een idiote titel die van haar niet hoefde – *Sterven met vallen en opstaan*. Maar binnenin vond ze troost, wat meer was dan enig levend wezen haar kon bieden.

'De volgende tekst dient als gids voor het sterven als fysieke daad,' schreef dr. Ezekiel Bonner. 'Hoewel elk mens anders is, sterft het lichaam slechts op één manier.'

'Zo,' mompelde June. Eindelijk had ze de waarheid te pakken.

'We zijn geen van allen bijzonder. We zijn geen van allen uniek. Misschien zien we onszelf als individu, maar uiteindelijk zijn we helemaal niets.'

June had het boek gekocht, thuis een pot thee gezet en was gaan lezen met een pen in de aanslag om aantekeningen in de kantlijn te maken. Soms had ze hardop gelachen om de beschrijvingen die dr. Bonner gaf, want het fysieke proces waarbij het lichaam ermee ophoudt deed denken aan wat er met haar airco was gebeurd. Geen zuurstof meer, de bloedsomloop stopte, het hart brandde door. De hersenen gingen het laatst, wat June wel prettig vond, tot ze besefte dat er een moment zou aanbreken waarop haar lichaam dood was maar haar brein nog leefde. Dan was ze bij bewustzijn, begreep wat er om haar heen gebeurde, maar ze zou niet in staat zijn om nog iets te doen of te zeggen.

's Nachts vloog het haar aan zoals nooit tevoren. Nu kreeg ze het eindelijk op haar brood dat ze niet in een hiernamaals geloofde.

Hoe lang zou dat moment van helderheid duren? Minuten? Seconden? Milliseconden? Hoe zou het zijn om tussen leven en dood te zweven? Moest ze over een strak koord, zou ze er met gestrekte armen lichtvoetig overheen trippelen? Of was de dood een afgrond waar ze in zou storten?

June was nooit het type geweest dat zich aan zelfbeklag overgaf, tenminste niet voor langere tijd. In plaats daarvan dacht ze aan de dag die voor haar lag. Ze was altijd gek op lijstjes geweest, en bij elk karweitje dat ze afvinkte groeide haar gevoel van voldaanheid. Richard kon elk moment komen. Ze hoorde hem al beneden, waar hij koffie aan het zetten was. Zijn sloffen zouden over de trap schuifelen. Op de overloop zouden de planken kraken. De scharnieren zouden knerpen als hij de deur openduwde. Aarzelend zou hij zijn hoofd om de hoek steken, en de nieuwsgierigheid in zijn ogen zou nog vergroot worden door zijn dikke brillenglazen.

Haar ogen stonden open. In de vroege ochtenduren nam de werking van de morfine af. De pijn was als duizenden naalden die in haar huid prikten en zich met de seconde dieper in het bot boorden. Ze lag in haar bed op Richard te wachten, op de injectie. Ze zou hem strak aankijken als hij in de deuropening verscheen, met zijn geweifel als metgezel. Hij zou niet naar haar gezicht kijken, maar naar haar borst, naar het moeizame rijzen en dalen.

Op de een of andere manier kreeg ze dan weer lucht in haar longen. Richard blies uit terwijl June inademde. Hij zou de kamer binnenkomen, haar goedemorgen wensen. Eerst kwam de spuit, maar de prik van de naald waarmee de morfine in haar bloedstroom werd geïnjecteerd drong nauwelijks tot haar door. Hij zou de katheterzak verwisselen. Hij zou in de badkamer een washandje natmaken en het speeksel van haar mond vegen terwijl ze wachtte tot het medicijn de knagende rand van de pijn had weggenomen. Hij zou de geuren negeren, de stank van het sterven. Met zijn eentonige dreunstem zou hij haar zijn plannen voor die dag vertellen: hij wilde de goot repareren, de oprit vegen, de sierlijst in de gang een lik verf geven. Dan zou hij zich op haar dag richten: Heb je vanochtend trek? Heb je zin om even naar buiten te gaan? Wil je tv-kijken? Zal ik de krant voorlezen?

Zoals altijd deed hij al die dingen ook vandaag en stelde hij zijn vragen, en June streepte ze een voor een van haar innerlijke lijst. Ze schudde haar hoofd toen hij over eten begon, over naar buiten gaan. Wel mocht hij de plaatselijke krant voorlezen, want onverklaarbaar genoeg wilde ze hem bij zich houden, nadat ze hem zo lang ver weg had gewenst.

Richard sloeg de krant open, kuchte en begon te lezen: 'Naar verwachting zal een slechtweerfront rond drie uur vanmiddag deze streek bereiken.'

Zijn stem was nog slechts een zacht gebrom, en June werd verteerd door schuld omdat ze wist wat de dag in werkelijkheid zou brengen. Het was een geheim dat haar aan het begin van hun huwelijk deed denken. Ze waren allebei het product geweest van een liefdeloze verbintenis, van ouders die elkaar haatten, maar niet zonder hun ellendige zelfgecreëerde wereld konden. In hun jeugdige hartstocht hadden June en Richard elkaar beloofd dat ze nooit zoals hun ouders zouden worden. Ze zouden altijd oprecht zijn. Hoe moeilijk het ook was, ze zouden niets onbesproken laten.

Hoe was de barst in die façade ontstaan? Had June als eerste gelogen? Sluipenderwijs was alles steeds troebeler geworden. Een lelijk overhemd dat hij mooi vond was volgens haar in de was naar de knoppen gegaan. Een etentje met vrienden waar ze geen zin in had werd vergeten. Op een keer had June per ongeluk een hele kip op de vloer laten vallen en snel weer in de pan gestopt. Ze had hem die avond tijdens het eten geobserveerd terwijl hij zijn kaken werktuiglijk liet malen, en met enige voldoening dacht ze aan wat ze gedaan had.

Had Richard haar eenzelfde soort streek geleverd? Had hij ooit aan de eettafel naar haar zitten kijken terwijl hij heimelijk genoot van wat hij had misdaan? Had hij ooit in dit bed de liefde met haar bedreven en zijn ogen in schijnbare extase gesloten terwijl hij niet aan June dacht, maar aan de anderen?

'In verband met het onderhoud van zowel de basisschool als het brugklasgebouw heeft het schoolbestuur besloten het contract met Davis Janitorial te verlengen,' vervolgde Richard.

Aan het begin van dit proces had June vol spot geluisterd naar de eenvoudige verslagen die de *Harris Tribune* de twaalfduizend inwoners van hun stadje voorschotelde. De laatste tijd kregen ze het gewicht van echt nieuws – het verlengde onderhoudscontract! de nieuwe bank in het stadspark! – en June moest aan al die dwaze verhalen denken die over bijna-doodervaringen de ronde deden. Er was altijd een tunnel, een licht in de verte waar mensen naartoe of weer vanaf liepen. June zag nu dat er inderdaad een tunnel was – een vernauwing van het leven zodat simpele verhalen, zoals over de lunches die deze week op de basisschool werden geserveerd, oneindig belangrijk werden.

'Wat is er?' Richard keek haar verwachtingsvol aan. 'Wat zei je?'

Ze schudde haar hoofd. Had ze echt iets gezegd? Ze kon zich niet herinneren wanneer ze voor het laatst een gesprek had gevoerd dat uit meer bestond dan wat gebrom als ze ja of nee wilde zeggen. Hoewel June tot praten in staat was, bleven de woorden in haar keel steken. Vragen bleven steken, dingen die ze van hem moest weten. Morgen, zei ze altijd tegen zichzelf. Morgen vraag ik het hem. De Scarlet O'Hara onder de stervende schooldirectrices. Maar er kwam geen morgen meer. Ze zou het vandaag moeten vragen of anders sterven in onwetendheid.

'Harris Motors heeft vergunning aangevraagd voor een uitbouw aan de zijgevel om de showroom voor tweedehands auto's uit te breiden. Inspraak met betrekking tot de aanvraag kan…'

Hij had zijn overhemd tot bovenaan dichtgeknoopt en de boord spande om zijn hals. Het was een maniertje dat hij zich in de gevangenis had aangewend. De samengeperste lippen, de harde blik – die had hij zich allemaal eigen gemaakt in de aanloop naar het proces, toen June met een schok van herkenning besefte dat ze ondanks alle goede bedoelingen in een situatie waren beland waartegen ze zich vanaf het begin hadden verzet: verstrikt in een liefdeloos huwelijk, een kille verbintenis. Ze logen tegen elkaar om de dag maar sneller voorbij te laten gaan, maar als ze de volgende ochtend wakker werden lag er een nieuwe dag voor hen, vol potentiële leugens en stiltes.

Ze wist nog dat ze had rondgekeken in de bezoekerszaal van de gevangenis en had gezien dat de andere gevangenen de stijve boord van hun blauwe shirt ook lekker tot aan hun hals hadden dichtgeknoopt. Dan dacht ze: je hebt eindelijk een manier gevonden om erbij te horen.

Richard had namelijk nooit echt ergens bij gehoord. Aanvankelijk vond ze dat juist zo mooi aan hem. Vrienden maakten grapjes over zijn gebrek aan interesse voor echte mannendingen. Hij was een verwoed lezer, haatte sport en nam vaak tegendraadse politieke standpunten in om voor advocaat van de duivel te kunnen spelen. Geen ideale gast voor een feestje, maar voor June de perfecte man. De perfecte partner. De perfecte echtgenoot.

Voor ze kanker kreeg, had ze Richard in al die eenentwintig jaar nog nooit in de gevangenis opgezocht. June was niet bang dat de haat die ze voor hem voelde ooit zou verdwijnen. Deze was even diepgeworteld als de kanker die in haar woekerde. Wat ze nog het meest vreesde was zwakte, dat ze zou instorten waar hij bij was. Ze had dr. Bonner er niet voor nodig om te weten dat liefde en haat zich op hetzelfde plan bevonden. Hij hoefde haar niet te vertellen dat haar verbondenheid met Richard Connor zowel het mooiste als het ergste was wat haar ooit was overkomen.

De ergste dag uit het leven van June Connor was niet toen ze de diagnose longkanker in het laatste stadium te horen kreeg, maar toen ze naar de gevangenis reed. Haar handen beefden. Tranen rolden over haar wangen. Toen ze voor de deur van de bezoekerszaal stond, raakte ze door angst bevangen en verbeeldde zich alle vreselijke dingen die haar kracht konden ondermijnen als ze hem weer zag.

Zijn lippen als hij haar hals kuste. Al die keren dat ze uitgeput en boos uit school thuis was gekomen en hij met zijn hand haar kin had omvat of haar voorhoofd met zijn lippen had beroerd en alles weer goed was. De hartstochtelijke nachten waarin hij achter haar lag en haar met zijn hand in de hoogste staat van opwinding bracht. Zelfs na twintig jaar huwelijk, waarin ze hem evenzeer had liefgehad als gehaat, voelde ze bij de gedachte aan zijn lichaam naast het hare nog steeds lust oplaaien, hoe ze zich ook verzette.

Nooit deed hij laden of kastdeuren goed dicht. Nooit legde hij zijn sleutels op een vaste plek als hij thuiskwam van zijn werk, zodat hij elke ochtend te laat op school was omdat hij ze niet had kunnen vinden. Hij boerde, liet winden en spuwde soms op het trottoir. Elke avond trok hij zijn sokken naast het bed uit en liet ze daar liggen, zodat June ze moest oprapen. Hij kon nog geen kledingstuk opvouwen. Hij leed aan een soort huishoudelijke blindheid waardoor hij niet zag dat er stof op de meubels lag, dat het tapijt gezogen moest worden, dat de afwas nog niet gedaan was.

Hij had haar verraden. Zoals hij alles in hun leven had verraden.

Alleen dat laatste gaf June de kracht om de bezoekerszaal binnen te lopen, het fouilleren, de metaaldetector en het vernederende doorzoeken van haar handtas te ondergaan. De gevangenisgeur was een klap in haar gezicht, evenals het besef dat in dit ellendige oord vijfduizend volwassen mannen woonden, scheten en dezelfde lucht inademden.

Waar was ze bang voor, met haar opgetrokken neus en haar hand voor haar mond? Dat ze longkanker kreeg?

En toen was Richard verschenen: een schuifelende oude man, maar verder niet veel veranderd. Afhangende schouders, want hij was lang zonder er trots op te zijn. Grijs haar. Grauwe huid. Hij had zich die ochtend gesneden bij het scheren. Aan de zijkant van zijn hals plakte toiletpapier. Zijn dikke brillenglazen in het zwarte montuur deden haar denken aan de bril die hij had gedragen toen ze elkaar jaren geleden hadden ontmoet bij de universiteitsbibliotheek. Ze volgden dezelfde twee colleges. Hij kwam uit een kleine stad. Hij wilde leraar Engels worden. Hij wilde leerlingen enthousiast maken voor zijn vak. Hij wilde June nog diezelfde avond mee naar de film nemen en er na afloop over napraten. Hij wilde haar hand vasthouden en haar over de toekomst vertellen die hij voor hen samen voor zich zag.

Van al die enthousiaste bezieling vond ze niets terug in de oude man die tegenover haar aan het metalen tafeltje zat.

'Ik ga dood,' had ze gezegd.

Hij had slechts geknikt en zijn lippen getuit op die zelfingenomen manier waarmee hij aangaf dat hij alles al wist nog voor June ook maar iets had gezegd.

June was nijdig geworden, hoewel ze diep in haar hart wist dat Richard altijd alles over haar had geweten. Misschien niet dat ze de kip had laten vallen of dat ze dat lelijke overhemd met groot genoegen met de vuilniswagen had meegegeven, maar hij keek recht in haar ziel. Hij wist wat haar grootste angst was, namelijk om eenzaam te sterven. Hij wist wat ze moest horen om deze transactie soepel te laten verlopen. Hij wist bovenal hoe hij een draai aan dit alles moest geven zodat ze zijn leugens zou geloven, ongeacht hoe schamel het bewijs of hoe onlogisch zijn redenering was.

'Ik ben een goed mens,' zei hij telkens weer. 'Dat weet je, June. Ondanks alles ben ik een goed mens.'

Alsof het er nog toe deed. Alsof ze keus had.

Wat haar heimelijk nog het meest met afschuw vervulde, was dat ze diep in haar hart toch wilde geloven dat hij goed was. Dat hij om haar gaf, ook al was de haat in zijn ogen zo overduidelijk dat ze regelmatig haar blik moest afwenden. Van twintig passen afstand kon ze de waarheid uit de kaken van een vierdeklasser wringen, maar haar eigen echtgenoot, de man met wie ze een bed had gedeeld, een kind had gemaakt, een leven had opgebouwd, bleef een raadsel.

June keek opzij, uit het raam. De gordijnen moesten gewassen worden. Ze hingen als een stel nukkige kinderen om het kozijn. Haar handen wisten nog hoe stug het materiaal had gevoeld toen ze de plooien naaide, en in gedachten zag ze de stoffenwinkel weer voor zich waar ze het damast had gekocht. Grace was toen acht of negen geweest. Ze rende gillend de winkel door, langs de rollen met stoffen, en uiteindelijk had June het opgegeven en snel iets gekocht wat ze helemaal niet zo mooi vond, alleen om dat vervelende kind de winkel uit te werken.

Toen drong het akelige besef tot haar door dat het vervelende kind bij haar in de auto zou zitten, met haar mee naar huis zou gaan en de hele weg zou blijven krijsen. June had vóór de winkel in de gloeiend hete auto gezeten en aan de verhalen gedacht over moeders die hun kroost per ongeluk alleen in hun auto hadden achtergelaten. Hun hersenen raakten aan de kook. Ze stierven een gruwelijke marteldood.

June sloot haar ogen en zag het koele interieur van de stoffenwinkel weer voor zich. Ze zag zichzelf op haar dooie gemak door de gangpaden struinen, de rollen stof betasten en zonder op de prijs te letten meters damast en zijde uitkiezen. Geen krijsend kind. Geen tikkende klok. Ze hoefde nergens naartoe. Ze kon doen wat ze wilde.

Haar ogen schoten open toen Grace tegen de rug van haar stoel schopte. June kreeg amper de sleutel in het contact. Nog steeds bevend drukte ze op de knoppen van het dashboard zodat een koude luchtstroom de auto in wervelde. Haar hart stond stil toen ze vol schaamte besefte dat niet de gedachte aan het doden van haar kind haar met ontzetting vervulde, maar de gevolgen die het zou hebben. De nasleep van de tragedie. Een rouwende moeder. Wat een triest verhaal. Laat dit een waarschuwing zijn. En dan, op fluistertoon maar glashelder: Hoe kón ze...

Iedere moeder moest dit weleens gevoeld hebben. June was niet de enige die een dergelijk van haat vervuld moment kende en het verlangen naar een ongebonden leven dat haar had overvallen toen Grace de hele terugrit tegen de rugleuning van haar stoel bleef schoppen.

Ik kan gewoon weglopen, had June gedacht. Of had ze de woorden ook echt uitgesproken? Had ze echt tegen Grace gezegd dat ze heel goed zonder haar kon?

Misschien had ze die woorden inderdaad uitgesproken, maar evenals met Richard kwamen dergelijke momenten van pure haat voort uit langere, intensere perioden van liefde. De eerste keer dat June de kleine Grace in haar armen had gehouden. De eerste keer dat ze haar had voorgedaan hoe ze een draad in een naald moest steken, samen met haar koekjes had gebakken of cakejes versierd. Grace' eerste dag op de kleuterschool. De eerste tien die ze haalde. Haar eerste slechte rapport.

Grace.

June kwam weer tot zichzelf in haar bedompte slaapkamer, en het was alsof ze terugviel in haar lichaam. Ze voelde een trilling in haar borst, een tik bij haar hart: de knokige knokkels van de man met de zeis. Ze keek langs de groezelige gordijnen. De ruiten waren vuil. De wereld leek besmeurd. Misschien moest ze zich door Richard naar buiten laten brengen. Ze kon in de tuin gaan zitten. Naar het gezang van de vogels en het gekwebbel van de eekhoorns luisteren. De laatste dag. De laatste zonnestraal op haar gezicht. De laatste keer dat ze de lakens langs haar benen voelde strijken. De laatste kam door haar haar. De laatste lucht door haar longen. De laatste keer dat ze Richard zag, het huis dat ze samen gekocht hadden, de plek waar ze hun kind hadden grootgebracht en verloren. De kerker waarin hij haar had achtergelaten om zijn eigen gevangeniscel te betrekken.

'Donderdagavond laat is er ingebroken in een huis aan Taylor Drive. De bewoners waren niet thuis. De inbreker heeft een gouden halsketting, een tv en geld uit de keukenla meegenomen...'

June was altijd dol op naaien geweest, en voor haar leven voor de tweede keer op zijn kop werd gezet, voor de rechercheurs en advocaten er weer inbreuk op maakten, voor de jury uitspraak deed, had June naaien als een metafoor voor haar bestaan gezien. June was vrouw en moeder. Ze dichtte de zoom tussen haar man en haar kind. Zij was de kracht die hen samenbracht. De kracht die hen op hun plaats hield.

Was dat wel zo?

Al die jaren had June gedacht dat zij de naald was die twee losse stukken stikte, van twee ongelijksoortige helften één geheel maakte. Maar plotseling, op deze laatste dag van haar leven, besefte ze dat ze slechts de draad was. En niet eens het beste deel van de draad, maar de knoop aan het eind; ze ging niet voorop, maar was het anker, hield de zaak vast, keek hulpeloos toe terwijl iemand anders – íets anders – de patronen van hun leven aan elkaar naaide.

Waarom lieten die gedachten haar niet los? Ze wilde zich de goede tijden met Grace kunnen herinneren: vakanties, schoolreisjes, boek-verslagen waaraan ze samen hadden gewerkt, gesprekken die ze laat op de avond hadden gevoerd. June had Grace al die dingen verteld die moeders nou eenmaal aan hun dochters vertellen. Hou je benen bij el-kaar als je zit. Wees je altijd bewust van je omgeving. Seks bewaar je voor een bijzonder iemand. Laat je door geen man wijsmaken dat je niet goed en oprecht bent. Er was zoveel wat Junes eigen moeder ver-keerd had gedaan. June was als ouder het tegenovergestelde van haar moeder geweest, en ze had gezworen dat ze niet dezelfde fouten zou maken. Dat had ze ook niet. God was haar getuige.

Ze had haar eigen fouten gemaakt.

'Zo hebben we hem niet opgevoed,' zeiden moeders op ouderavon-den tegen haar, en dan dacht June: natuurlijk wel. Wat moet er volgens jullie anders worden van een verwende jongen die nergens iets voor hoeft te doen?

Heimelijk had ze het hun verweten – of misschien niet eens zo hei-melijk. Bijna jaarlijks kwam er bij het schoolbestuur wel een klacht bin-nen van een ouder die haar te zelfingenomen vond. Te veroordelend. June besefte pas hoe zelfingenomen ze was toen ze haar eigen scham-pere blik weerspiegeld zag tijdens een schoolgesprek over Grace. De blik van de docent stond hard en afkeurend. June had haar woorden op tijd ingeslikt – zo hebben we haar niet opgevoed – en de gal was haar naar de keel gestegen.

Hoe hadden ze Grace dan opgevoed? Als een prinses, zou Richard antwoorden. Een volmaakte prinses die dol was op haar vader.

Maar hoeveel had hij eigenlijk van háár gehouden?

Dat was de vraag waarop ze het antwoord wilde horen. Dat was letterlijk – en ze gebruikte het woord correct – het laatste waar ze aan zou denken.

Richard merkte de verandering in haar houding op. Hij keek haar over de krant heen aan. 'Wat is er?'

June zond het bericht van haar hersenen naar haar mond. Ze voelde het – haar wijkende lippen, de plakkende huid in haar mondhoeken – maar ze kreeg er geen woord uit.

'Wil je wat water?'

Ze knikte, want dat was het enige wat ze nog kon. Richard liep de kamer uit. Met haar hoofd schuin naar achteren keek ze naar de dichte kastdeur. Op de bovenste plank lagen liefdesbrieven. De schoenendoos was oud en bestoft. Na Junes dood zou hij haar spullen doorzoeken. Hij zou de brieven vinden. Zou hij haar voor gek verklaren omdat ze die bewaard had? Zou hij denken dat ze naar hem gesmacht had tijdens zijn afwezigheid?

Gesmacht had ze zeker. Ze had geleden. Ze had gehuild en gekreund, niet om het verlies van hém, maar om het verlies van het beeld dat ze van hem had. Het beeld van hen samen.

June draaide haar hoofd weg. Het kussensloop voelde ruw tegen haar gezicht. Haar haar plakte aan haar vochtige huid. Ze sloot haar ogen en dacht aan Grace' lange, zijdezachte haar. Zo zwart dat het bijna blauw was. Haar verbijsterend diepgroene ogen die recht in je ziel keken.

'De buigrietjes zijn bijna op,' zei Richard, terwijl hij het glas laag hield om haar te laten drinken. 'Ik moet straks nog even naar de winkel.'

Ze slikte, en het water voelde als een steen in haar keel.

'Maakt het je iets uit of ik voor of na de lunch ga?'

Met moeite schudde June haar hoofd. Ademen was inspannend, en het ging steeds moeilijker. Ze hoorde een andere klank in het fluitende gepiep waarmee de lucht langs haar lippen ontsnapte. Haar lichaam werd gevoelloos, maar niet van de morfine. Het was alsof haar voeten uit een paar dikke, wollen sokken gleden.

Richard zette het glas op haar nachtkastje. Uit het rietje druppelde water en hij veegde het op voor hij weer met de krant in zijn handen ging zitten.

Ze had een zelfhulpboek moeten schrijven voor vrouwen die hun man meer bij het huishouden wilden betrekken. 'Dit is mijn geheim, dames: eenentwintig jaar in een zwaarbewaakte gevangenis!' Richard kookte en maakte schoon. Hij deed de was. Soms nam hij de warme hoop lakens rechtstreeks uit de droger mee naar binnen en keek dan samen met June tv terwijl hij de hoeslakens tot een keurige rechthoek opvouwde.

June sloot haar ogen weer. Ze had het altijd heerlijk gevonden om Grace' kleren op te vouwen. De piepkleine shirtjes. De bloemetjesrokjes met kanten strookjes. Later werden de roze bloesjes met hun tierelantijntjes naar het achterste deel van de kast verbannen. Hoe was dat ook alweer gegaan, die eerste dag dat Grace helemaal in het zwart aan het ontbijt was verschenen? June wilde het Richard vragen, want hij was er ook bij geweest en had met zijn neus in de krant gezeten. Zoals zij het zich herinnerde, had hij alleen maar even opgekeken en een vertwijfeld gezicht getrokken.

Ondertussen klopte haar hart in haar keel. De directrice in June plakte Grace al een etiket op, net zoals ze dat deed met de in het zwart gehulde rebellen die op school in haar werkkamer verschenen: drugsverslaafde, hoer, waarschijnlijk binnen een jaar zwanger. Ze zag de papierwinkel al voor zich die ze zou moeten invullen als ze het meisje bij zich ontbood en haar beleefd te verstaan gaf dat ze niet meer welkom was op school.

June had dergelijke kinderen altijd als beschadigd afgeschreven, ergens tussen jeugdige delinquenten en volwassen misdadigers in. Wat haar betrof mocht de rechter over hun lot beslissen, hoe eerder hoe beter. Ze spoelde ze haar school uit zoals ze vuil van haar handen spoelde. Heimelijk noemde ze hen 'kinderen met een erfenis' – niet van het soort dat je op Harvard of Yale aantrof, maar kinderen die in de voetsporen traden van oudere, door drugs ontredderde broers en zussen, vaders die in de gevangenis zaten, alcoholische moeders.

Het was een ander verhaal als het ontspoorde kind, het zwarte schaap, aan je eigen lendenen was ontsproten. Elk kind had zijn buien. Zo leerde het grenzen kennen. Elk kind maakte fouten. Zo leerde het een beter mens te worden. Hoeveel excuses had June wel niet bedacht telkens als Grace te laat thuiskwam of een slecht rapport had? Hoe vaak had ze Grace' leugens en smoezen niet door de vingers gezien?

Junes grootmoeder had altijd gegrossierd in stellingen over bloed en appels die niet ver van de boom vielen. Als een kind op een leugen werd betrapt, zei ze: 'Bloed kruipt waar het niet gaan kan.'

Was dat bij Grace het geval geweest? Was ze uiteindelijk ten prooi gevallen aan haar kwade bloed? Voor June zelf ging dat inmiddels ook op. Ze dacht aan de klodder bloederig slijm die ze een halfjaar geleden in de spoelbak had uitgespuugd. Ze had het voorval genegeerd, ook toen het zich herhaalde en daarna nog eens, tot ademen zo pijnlijk werd dat ze uiteindelijk een afspraak met de dokter had gemaakt.

In Junes herinnering werd veel in haar leven door bloed gemarkeerd. Een bloedneus op haar zevende, toen haar neefje Beau haar te hard van de glijbaan had geduwd. Op haar dertiende stond ze samen met haar moeder bij de wastafel in de badkamer en leerde hoe ze haar slipje moest wassen. De donkere vlek op de bekleding van de autostoel toen ze haar eerste miskraam had gehad. De bloedklonters in de wc die haar elke maand vertelden dat het weer niet gelukt was om een kind te maken.

En toen was daar wonderbaarlijk genoeg de geboorte. Grace, bebloed en luid krijsend. Later kwamen de geschaafde ellebogen en ontvelde knieën. Tot aan het laatste bedrijf: bloed dat zich mengde met water, over de rand van de badkuip klotste en het kleedje en de tegels dieprood kleurde. De kraan stond nog open; er sijpelde een straaltje uit, als stroop uit een kan. Grace was naakt, ondergedompeld in koud, rood water. Ze had haar armen gespreid als in een persiflage op de kruisiging, en haar polsen waren opengesneden zodat de pezen en het vlees blootlagen.

Richard had haar gevonden. June zat beneden in haar naaikamer toen ze hem op de deur van Grace' slaapkamer hoorde kloppen om haar welterusten te wensen. Grace was van streek geweest omdat haar debatingteam verloren had bij de regionale finale. Het debatingteam was het laatste restant van Grace' oude leven, het enige bewijs dat het ineengedoken, zwart geklede kind aan de eettafel van hen was.

Richard was een van de coaches van het debatingteam, sinds Grace er in de brugklas lid van was geworden. Het was een perfecte hobby voor twee mensen die niets liever deden dan redetwisten. Hij was ook aangeslagen geweest door het verlies en in een mislukte poging tot stoerdoenerij klopte hij eerst zachtjes en toen steeds harder op haar deur.

'Oké, Gracie-beesie. We zijn niet langer zielig. We slaan ons er wel doorheen.' Nog meer luid geklop, toen krakende vloerplanken terwijl hij naar de badkamer liep. Weer geklop en het roepen van haar naam. Mompelend voelde Richard aan de knop van de badkamerdeur. June hoorde de scharnieren knerpend opengaan en toen Richards schreeuw.

Het geluid was tegelijkertijd onmenselijk en genadeloos menselijk, een kreet die alleen voortkomt uit een dodelijke verwonding. June was er zo van geschrokken dat haar hand was weggegleden en de naald diep in de top van haar duim was gedrongen. Ze had de pijn niet eens gemerkt, en pas dagen later, toen ze de jurk uitkoos waarin Grace zou worden begraven, zag ze de blauwe, bijna zwarte plek, alsof het topje van haar duim met inkt was gemerkt.

Het scheermes dat Grace had gebruikt had een recht lemmet en was een overblijfsel uit het scheerkistje dat ooit van Junes vader was geweest. Ze was het helemaal vergeten, tot ze het op de vloer zag liggen, vlak onder de levenloze hand van haar dochter. Grace had geen afscheidsbriefje achtergelaten. Er waren geen geheime dagboeken of schriften vol verwijten, zodat je wist waarom ze deze uitweg had gekozen.

De politie wilde weten of Grace de laatste tijd depressief was geweest. Had ze drugs gebruikt? Was ze teruggetrokken? Gesloten? Blijkbaar was er een controlelijst om te bepalen of er sprake was van zelfmoord, en de rechercheurs stelden slechts de vragen waarmee ze de vakjes konden afvinken. June herkende de zelfvoldaanheid die ze uitstraalden, de vermoeidheid in hun blik. Die zag ze vaak in de spiegel wanneer ze thuiskwam van school. De zoveelste probleempuber. De zoveelste kwestie die afgehandeld moest worden. Ze wilden de zaak met een stempel afsluiten en het dossier in het archief stoppen zodat ze verder konden met de volgende klus.

Zodat ze het vuil van hun handen konden spoelen.

June wilde niet verder. Ze kón niet verder. Ze bestookte Danielle met vragen over een of andere oudere jongen tot Martha, de moeder van het meisje, June te verstaan gaf dat ze haar met rust moest laten. Zo gemakkelijk liet June zich echter niet afschepen. Ze riep Grace' overige vriendinnen bij zich op haar kamer en wilde alles over het leven van haar dochter weten, tot op het kleinste detail. Ze veranderde in een tiran die waarschuwingsschoten loste op iedereen die zich tegen haar verzette.

June bestudeerde de dood van haar dochter zoals ze ooit voor haar titel had gestudeerd, en uiteindelijk had ze een proefschrift over Grace' zelfmoord kunnen schrijven. Ze wist dat de linkerpols het eerst was doorgesneden, dat er een paar aarzelende aanzetten waren geweest voor het lemmet er diep in ging. Ze wist dat de snee in de rechterpols oppervlakkiger was, dat het lemmet de elleboogzenuw had geraakt waardoor de vingers krom waren gaan staan. Uit het sectierapport maakte ze op dat er nog steeds een donkere breuklijn over het rechter-dijbeen van haar dochter liep van toen ze tien jaar eerder van het klim-rek was gevallen. Haar lever was normaal van afmeting en structuur. De vorm van haar schedelnaden kwam overeen met die van een meisje van vijftien jaar. In haar blaas was tweehonderdvijftig cc urine aange-troffen en haar maaginhoud duidde erop dat ze popcorn had gegeten, waarvan June vanuit de keuken nog een vleugje had opgevangen toen ze de trap op rende naar haar dochter.

De longen, nieren, milt en alvleesklier leverden geen afwijkingen op. Botten werden gemeten en in kaart gebracht. De hersenen werden ge-wogen. Alles maakte een normale indruk. Alles was zoals verwacht. Volgens de arts die de sectie verrichtte had ze een onopvallend hart.

Hoe was dat mogelijk, had June zich afgevraagd. Hoe kon een zo dierbare vijftienjarige, een baby die June in haar buik had gedragen en met zoveel belofte aan de wereld had geschonken een onopvallend hart hebben?

'Wat is er?' vroeg Richard. Over de rand van de krant tuurde hij naar haar. Toen ze haar hoofd schudde, zei hij: 'Je ligt de laatste tijd steeds te mompelen.'

Aan zijn gezicht kon ze niet zien of hij geërgerd of bezorgd was. Wist hij dat het vandaag zou gebeuren? Was hij er klaar voor?

Richard was altijd een ongeduldig man geweest. Na eenentwintig jaar in een cel van tweeënhalf bij drie meter was dat er wel enigszins uit geramd. Hij had geleerd om zijn trommelende vingers tot bedaren te brengen en het voortdurende geschuifel van zijn voeten te bedwingen. Hij kon urenlang zwijgend naar de muur zitten staren terwijl June sliep. Ze wist dat hij luisterde naar haar gekwelde ademhaling, naar het in-en-uit van haar leven. Soms had ze het vermoeden dat hij ervan genoot, van dit hoorbare bewijs van haar lijden. Zag ze een glimlach op zijn gezicht als hij haar neus afveegde? Zag ze een flits van tanden als hij voorzichtig haar oksels en onderlijf inzeepte en waste?

Weken geleden, toen ze nog kon zitten en zonder hulp kon eten, toen de woorden nog niet met een hijgend, schor gehoest gepaard gingen, had ze hem gevraagd haar leven te beëindigen. De morfine-injecties die de arts had voorgeschreven leken uit te nodigen tot een zachte dood, maar Richard had er niets van willen weten. 'Je kunt me veel verwijten,' had hij verontwaardigd gezegd, 'maar niet dat ik een moordenaar ben.'

Het was op een soort ruzie uitgelopen, alleen had June niets hoeven zeggen. Richard had haar gedachten als een boek kunnen lezen.

Twintig jaar geleden had hij haar eigenlijk al gedood. Waarom hield zijn geweten hem nu tegen?

'Wat ben je toch een kreng!' had hij gezegd en hij had de handdoek die hij aan het opvouwen was neergeworpen. Vervolgens bleef hij urenlang weg, en toen hij uiteindelijk boven kwam met een kop soep, deden ze alsof er niets was gebeurd. Met zijn lippen samengeperst tot een dunne streep vouwde hij de rest van de handdoeken op, en June, die het bewustzijn in en uit gleed, zag zijn gezicht als door een gekleurde caleidoscoop. Boze rode driehoeken die overgingen in donkere, zwarte vierkanten.

Haar echtgenoot was inmiddels een oude man. Ze had nooit de moeite genomen om van hem te scheiden, alleen omdat haar naam dan weer naast de zijne in de krant zou staan. Richard was drieënzestig. Hij had geen pensioen. Hij was niet verzekerd. Hij zou nooit meer een betaalde baan krijgen. June was zijn enige redding, alleen dankzij haar zou hij de rest van zijn leven redelijk comfortabel kunnen slijten.

En zij zou niet eenzaam sterven, achtergelaten in een kille ziekenhuiskamer, waar alleen het gepiep van een apparaat zou aangeven dat iemand de begrafenisondernemer moest bellen.

Zo kon het gebeuren dat de man die haar van haar goede reputatie had beroofd, van levenslange vriendschappen, van haar troost op haar oude dag, dezelfde man was die getuige zou zijn van haar pijnlijke dood. Dan zou hij beloond worden met het laatste, het enige wat haar niet afgenomen kon worden: de voorzieningen waar ze recht op had dankzij haar vaste aanstelling in het openbaar onderwijs.

June grinnikte in zichzelf. Twee vliegen in één klap. Het schoolbestuur van Harris County zou één keer per maand uit naam van June Connor geld overmaken op de rekening van Richard Connor. Eén keer per maand zouden ze herinnerd worden aan wat ze June hadden aangedaan en één keer per maand zou Richard herinnerd worden aan wat hij haar had aangedaan.

Niet alleen haar, maar ook de school. De gemeenschap. Grace. Die arme Danielle Parson; het laatste wat June over haar had gehoord was dat ze zich prostitueerde om haar heroïneverslaving te kunnen bekostigen.

June hoorde luid geklop en het duurde even voor ze besefte dat het geluid slechts in haar herinnering bestond, dat alleen zij het kon horen. Het was Martha Parson, die op de voordeur bonsde. Ze beukte zo hard dat ze de zijkant van haar hand kneusde. June had het later op tv gezien. Martha hield diezelfde hand nog steeds als een gebalde vuist tegen haar borst terwijl ze vertelde over het monster in hun midden.

Grace was nog geen maand dood, en weer stond de politie voor de deur, maar deze keer om Richard te arresteren.

Als een kind met een vernietigend verhaal over een volwassene bij June kwam, was haar eerste reactie altijd ongeloof. Destijds kon een dergelijke houding haar niet verweten worden. Het was nog niet zo lang geleden dat het proces tegen medewerkers van de McMartin-peuterspeelplaats had plaatsgevonden. Valse beschuldigingen over kindermisbruik en satanische seksuele rituelen verspreidden zich nog steeds als een lopend vuur door het land. Kern County. Fells Acres. Escola Base. De Bronx Five. Het was een wonder dat ouders hun kinderen niet in cellofaan verpakt de wereld in stuurden.

Meer meisjes zochten de publiciteit met hun verhaal: Allison Molitar, Denise Rimes, Candy Davidson. De ene aanklacht was nog ongelooflijker dan de andere. Pijpen in de lerarenkamer. Vingeren in de bibliotheek. Hij liet ze pornofilms zien. Hij gaf ze alcohol en maakte suggestieve foto's.

June bestempelde ze onmiddellijk als leugenaarsters, al die vroegere vriendinnen van Grace. Vol afschuw bedacht ze dat ze deze meisjes over de vloer had gehad, dat ze hen naar het winkelcentrum en naar de bioscoop had gereden en samen met hen aan de eettafel had gezeten. June had het huis doorzocht, de auto, Richards werkkamer op school en thuis. Er waren geen foto's. De enige alcohol in huis was een fles wijn die al sinds Junes verjaardag achter in de koelkast stond. De kurk was weer in de open fles geduwd. Toen ze hem eruit wrikte rook het spul zo sterk naar azijn dat haar maag ervan omdraaide.

Als June Connor ergens verstand van had dan was het van pubermeisjes. Op school was ze altijd haar halve dag kwijt aan het beslechten van 'maar zij zei...'-ruzies, waarbij geruchten en insinuaties de wapens waren waarmee het ene meisje het andere onderuit probeerde te halen. Ze wist tot wat voor gemene, rancuneuze dingen ze in staat waren. Liegen ging hun even gemakkelijk af als ademen. Ze creëerden drama en genoten van de gevolgen. Ze waren beïnvloedbaar. Ze lieten zich gemakkelijk iets wijsmaken. Het waren akelige, vreselijke wezens.

Dat zei ze ook tegen de rechercheurs, tegen de pers, tegen de vrouw die haar aansprak in de supermarkt. Iedereen die June Connor destijds sprak, kreeg hetzelfde verhaal te horen: ik ken deze meiden; ze willen allemaal aandacht en daarom liegen ze.

Richard zelf was laaiend. Lesgeven was zijn leven. Hij had een geweldige reputatie en was zo'n docent van wie leerlingen hielden omdat hij ze elke dag weer op alle niveaus uitdaagde. Hij had zich met hart en ziel aan het onderwijs gewijd, hij had zich ingespannen om leerlingen boven de middelmaat uit te tillen. Het jaar ervoor hadden vier van zijn leerlingen een beurs gekregen voor topuniversiteiten. Hij was twee keer door het district tot docent van het jaar uitgeroepen. Elke zomer kwamen oud-leerlingen even zijn lokaal binnen om hem te bedanken omdat hij ze harder had laten werken dan ze ooit in hun leven gedaan hadden. Artsen, advocaten, politici – ze hadden allemaal op zeker moment Engels van Richard gehad, en hij had hen zonder uitzondering geholpen zich voor te bereiden op een succesvol leven.

Die eerste week verliep als in een waas: gesprekken met advocaten, een bezoek aan een borgtochtverlener in een deel van de stad waarvan June het bestaan niet had vermoed. Dit soort leven bezat een geheel eigen taal, het soort Latijn waarmee ze ondanks al hun diploma's niet uit de voeten konden: *ex officio, locus delicti, cui bono.* Nachtenlang zaten ze wetboeken door te pluizen, zaken te bestuderen, naar precedenten te zoeken, maar als ze ermee naar de advocaat gingen, werd alles binnen een paar tellen van tafel geveegd. Toch gingen ze elke avond weer aan de slag; ze studeerden, bereidden zich voor en bouwden een verdediging op.

Niets schept zo'n sterke band als gedeeld leed. June en Richard tegen de rest van de wereld. June en Richard die als enigen wisten hoe het zat. June en Richard die samen tegen deze waanzin zouden vechten. Wie waren die meiden? Hoe durfden ze? Ze konden doodvallen!

June had Grace vaak de les gelezen over verantwoordelijkheid. Zoals de meeste pubers kon Grace de zaak behoorlijk op de spits drijven. In haar verhalen werd de schuld altijd en heel subtiel bij de ander gelegd. Als er ruzie was geweest, had Grace zichzelf alleen maar verdedigd. Als ze een opdracht te laat af had, lag dat aan de leraar die het niet duidelijk had uitgelegd. Als ze midden in de nacht het huis uit wilde glippen en betrapt werd, hadden haar vriendinnen haar gedreigd of overgehaald om met de rest van de groep mee te doen.

'Wat is waarschijnlijker?' had June gevraagd. 'Dat de hele wereld samenspant om jou voor schut te zetten of dat je jezelf voor schut zet?'

Maar dit was anders. June werd in het gelijk gesteld. De een na de ander haakten de meisjes af en hun aanklachten werden wegens gebrek aan bewijs ingetrokken. De ouders kwamen met uitvluchten. De meisjes logen niet, maar het diepgaande openbare onderzoek werd hun te veel. Ze hadden iets anders verwacht van hun moment in de schijnwerpers. Ze weigerden allemaal om te getuigen, op één na. Danielle Parson, Grace' beste vriendin. Degene die Richard als eerste had beschuldigd.

De openbare aanklager, die enorm gezichtsverlies had geleden toen er van zijn zaak vrijwel niets meer overbleef, zou voor de doodstraf zijn gegaan als het mogelijk was geweest. In plaats daarvan diende hij elke aanklacht tegen Richard in die ook maar de geringste kans van slagen had. Sodomie, aanranding, ontucht met minderjarigen, minderjarigen aanzetten tot crimineel gedrag, minderjarigen van alcohol voorzien en, omdat het debatingteam voor een regionaal toernooi naar een naburige staat was afgereisd, het ontvoeren en meenemen van minderjarigen met seks als doel. Het laatste was een federale aanklacht. De rechter besliste of Richard veroordeeld werd tot levenslang zonder recht op voorwaardelijke vrijlating.

'Het is buigen of barsten,' had hun advocaat gezegd. 'U kunt zich hiertegen verzetten en toch naar de gevangenis gaan, of u erbij neerleggen, een aantal jaren zitten en dan de draad van uw leven weer oppakken.'

Er speelden ook andere factoren. Het geld van de tweede hypotheek op hun huis zou alweer op zijn tegen de tijd dat de jury was gekozen. Uiteraard kon Richard zijn baan wel vergeten en hij mocht niet binnen driehonderd meter van een van de meisjes komen. Het schoolbestuur had June meegedeeld dat overwogen werd haar met 'haar waardevolle talenten' naar een school over te plaatsen die vaak in het nieuws was vanwege schiet- en steekpartijen. Verder was er de troep die in hun voortuin werd gegooid, de brandende zak stront op hun veranda. Nare telefoontjes. Diepe krassen in de lak van hun auto's.

'Het lijkt Salem wel,' had June gemompeld, en Richard beaamde het. Hij zei dat de brandstapel te verkiezen was boven langzaam gevierendeeld worden voor een menigte hysterische ouders.

Op dat moment besloot June om het er niet bij te laten zitten. Ze gingen de strijd aan. Dan belandden ze maar in een tehuis voor daklozen als dat nodig was om Richards naam te zuiveren. Ze liet ze niet winnen. Die liegende, bedriegende hoer, ooit de beste vriendin van haar dochter, mocht niet nóg een leven verwoesten.

Toentertijd wist ze zeker dat Danielle iets met de dood van Grace te maken had. Had ze haar getreiterd? Had Danielle Grace net zolang op de nek gezeten tot ze zich kennelijk alleen nog kon verlossen door dat scheermes te pakken en zich open te snijden?

In de periode voorafgaand aan het proces werd June verteerd door haat voor Danielle Parson, en ze kon naar geen enkel blond, tenger, onnozel lachend pubermeisje kijken zonder haar te willen slaan. Danielle was altijd een praatjesmaakster geweest, had altijd de grenzen willen oprekken. Haar moeder vond het goed dat ze hoerige kleren droeg. Ze spijbelde. Ze deed te veel mascara op. Ze was een akelig rotkind.

Nog meer cryptisch Latijn. Depositie, van *depositio cornuum*, 'het verwijderen van de horens'.

In de eenentwintig jaar sinds Richards veroordeling had June alle tijd gehad om na te denken over wat er vervolgens gebeurde. Ze zaten aan de vergadertafel in het kantoor van de openbare aanklager: Richard en June aan de ene kant – hij omdat hij de aangeklaagde was en June omdat ze niet anders wilde – en Danielle, Martha en Stan Parson aan de andere kant. De advocaten zaten tussen hen in, als een stel dominostenen die elk moment over elkaar heen konden tuimelen met bezwaren en verzoeken tot niet-ontvankelijkverklaring.

June had uitgezien naar deze rechtstreekse confrontatie met het meisje. Ze had zich die ochtend voor de spiegel voorbereid en haar beste docentenblik uitgeprobeerd, zo'n blik die een leerling deed verstarren, waarna hij meteen zijn verontschuldigingen aanbood, ook al wist hij niet goed waarvoor.

'Kap eens met die onzin,' wilde June zeggen. 'Voor de dag met de waarheid.'

De gehoopte confrontatie bleef uit. Danielle weigerde wie dan ook aan te kijken. Ze hield haar handen gevouwen op haar schoot en had haar schouders opgetrokken tot een smalle V. Ze bezat het soort breekbaarheid dat sommige meisjes ook als vrouw nooit verliezen. Ze was het type dat nooit de vuilnis naar buiten bracht, een band verwisselde of zich zorgen maakte om de rekeningen, want ze hoefde maar met haar ogen te knipperen en de mannen snelden haar te hulp.

June had Danielle niet meer gezien sinds de begrafenis van Grace, toen het meisje zo uitzinnig had zitten snikken dat haar vader haar in zijn armen de kerk uit had gedragen. Toen June dat tafereel weer voor zich zag, besefte ze opeens dat Danielle destijds door verdriet was overmand. Grace was bijna tien jaar lang haar beste vriendin geweest en nu was ze er niet meer. Danielle was niet gewond, tenminste niet in fysiek opzicht. Ze was kwaad omdat Grace er niet meer was, woedend op de ouders die haar dood niet hadden kunnen voorkomen. Het was onduidelijk wat haar geest had beneveld. Kennelijk gaf ze Richard de schuld van Grace' dood. Ze was verdwaasd en verward. Kinderen moesten het gevoel hebben dat de wereld een oord was waar dingen klopten. Danielle was per slot van rekening nog een kind. Ze was een bang klein meisje dat niet wist dat je moest klimmen om uit de put te komen.

In de volle vergaderkamer was Junes hart een heel klein beetje opengegaan. Woede en verwarring begreep ze. De aanval begreep ze. Eindelijk begreep ze dat het verlies van Grace een gapend gat in het hart van het meisje had geslagen.

'Hoor eens,' had June gezegd, en haar stem had in weken niet zo gematigd geklonken. 'Het is goed. Vertel maar wat er gebeurd is, dan komt alles in orde.'

Ten slotte had Danielle opgekeken, en in haar roodomrande ogen zag June dat ze niet boos was. Ze was niet op wraak uit. Ze was niet wreed. Ze was bang. Ze zat in de val. Haar opgetrokken schouders duidden niet op zelfmedelijden, maar op zelfverachting.

'Het is mijn schuld dat Grace dood is,' fluisterde Danielle, zo zacht dat het bijna onverstaanbaar was. De notulist vroeg of ze het wilde herhalen, terwijl de advocaten met stemverheffing verzochten om haar woorden te negeren.

'Ze heeft ons gezien,' zei Danielle. Niet tegen de kamer. Niet tegen de advocaten, maar tegen June.

En toen, zonder dat de aanklager haar hoefde aan te sporen, vertelde ze hoe Richard haar had verleid. De verlangende blikken in de achteruitkijkspiegel als hij de meisjes naar school of naar huis reed. De heimelijke kusjes op haar wang, en soms op haar mond. Het gevlei. De complimentjes. De toevallige aanrakingen: zijn hand die langs haar borst streek, zijn been dat tegen het hare drukte.

De eerste keer dat het gebeurde was op school. Na de laatste bel had hij haar meegenomen naar de verlaten lerarenkamer en gezegd dat ze op de bank moest gaan zitten. Terwijl Danielle de scène beschreef, zag June de vertrouwde ruimte voor zich: de brommende koelkast, de gehavende gelamineerde tafels, de ongemakkelijke kunststof stoelen, de bank van groen vinyl waaruit de lucht bij elke beweging sissend ontsnapte.

Danielle was nooit eerder alleen geweest met Richard. Niet zoals nu. Niet nu de lucht zo troebel was dat ze amper kon ademen. Niet nu elke spier in haar lichaam riep dat ze weg moest rennen. Het was alsof June de woorden van het meisje voelde in plaats van hoorde. De hand in haar nek. Het gesis van de bank terwijl ze met haar gezicht in het vinyl werd geduwd. De martelende greep terwijl hij van achteren binnendrong. Het schuren van zijn eeltige hand terwijl hij haar van voren aanraakte.

Waarom had ze het aan niemand verteld?

Dat vroeg de advocaat, maar June hoefde het antwoord niet te horen.

Als June Connor ergens verstand van had, dan was het van pubermeisjes. Ze wist hoe ze dachten, wat ze deden om zichzelf te straffen als er iets ergs was gebeurd, ook al hadden ze er niets aan kunnen doen. Danielle was bang. Meneer Connor was haar leraar. Hij was de vader van Grace. Hij was bevriend met haar eigen vader. Danielle wilde haar beste vriendin niet kwijt. June mocht niet boos worden. Ze wilde gewoon doen alsof het niet gebeurd was, hopen dat het nooit weer zou gebeuren.

Maar ze kon het niet vergeten. In gedachten bekeek ze de situatie van alle kanten en trok alle schuld naar zich toe, want had ze het niet aan zichzelf te wijten dat ze alleen met hem was geweest? Had ze het niet aan zichzelf te wijten dat ze geen afstand had gehouden toen hij zo dicht bij haar ging staan? Had ze het niet aan zichzelf te wijten dat hun benen elkaar raakten, dat ze lachte om zijn grapjes en haar mond hield als hij het vroeg?

Langzaam en met de stem van een klein meisje somde Danielle de daaropvolgende ontmoetingen op, en telkens verlegde ze de schuld.

'Ik had een opdracht te laat af.'

'Ik zou te laat thuiskomen.'

'Hij zei dat het de laatste keer zou zijn.'

En zo ging het maar door, tot het echt de laatste keer was en Grace Richards werkkamer was binnengelopen om haar vader te vragen of hij zin had in popcorn. Wat ze zag was haar vader die haar beste vriendin verkrachtte.

'En daarom...' Danielle hapte naar lucht en ze keek June aan. 'Die avond...'

June hoefde het niet te horen. Ook al zou ze het willen, dan nog kon ze die avond met geen mogelijkheid uit haar gedachten zetten. June had zitten werken in haar naaikamer. Danielle en Grace zaten boven popcorn te eten, treurig omdat ze het regionale debatingkampioenschap hadden verloren. Richard was in zijn werkkamer. Martha Parson belde; ze vroeg zich af waar haar dochter bleef. Richard bood aan haar met de auto naar huis te brengen, maar het meisje ging liever lopen. Waarom had June het niet vreemd gevonden dat een meisje van vijftien liever een heel eind door de kou liep dan dat ze een lift aannam van de vader van haar beste vriendin?

'Het is mijn schuld,' zei Danielle al snikkend. 'Grace zag ons en...' Haar ogen zaten bijna dicht, zo opgezwollen waren ze van het huilen. Nu liet ze haar schouders hangen zodat het leek alsof ze achterwaarts door een buis werd gezogen.

Achter Danielle en haar ouders was een lange rij ramen. De zon scheen op Junes rug en ze zag Richards spiegelbeeld in het vensterglas. Zijn gezicht stond onbewogen. Zijn bril flitste wit op. Ze wierp een blik naar beneden en zag dat zijn handen op zijn schoot lagen.

Weer keek ze en toen zag ze dat hij genoot van het verhaal.

Tegen de tijd dat de zitting was afgelopen, stond Junes kaak zo strak dat ze haar mond niet kon openen om iets te zeggen. Haar ruggengraat rechtte zich en werd hard als staal. Haar handen balden zich tot vuisten.

Al die tijd had ze geen woord gezegd. Niet toen het meisje een moedervlek op Richards rug beschreef, een litteken vlak onder zijn knie, een vlekje aan de onderkant van zijn penis. Niet toen ze vertelde dat hij als een bezetene met zijn handen door haar haar woelde. Dat hij haar van achteren vasthield terwijl hij haar met zijn hand beroerde. Dat hij dit vijftienjarige kind op dezelfde manier had verleid als hij ooit bij June had gedaan.

June moest denken aan wat ze ooit tegen Grace had gezegd: 'Wat is waarschijnlijker?' had ze gevraagd. 'Dat de hele wereld samenspant om jou voor schut te zetten of dat je jezelf voor schut zet?'

Zonder een woord te zeggen was June de kamer van de aanklager uit gelopen. Ze reed rechtstreeks naar het administratiekantoor van de school, waar ze haar maar al te graag tijdelijk verlof verleenden. Ze ging naar het warenhuis en kocht ondergoed, een tandenborstel en een kam. Ze nam een hotelkamer en keerde pas weer naar huis terug toen ze uit de krantenkoppen vernam dat ze Richard daar niet aan zou treffen.

Hij had de verwarming op vijfentwintig graden laten staan, en dat voor een man die altijd heel nauwgezet het licht in de gang uitdeed en zelfs op de koudste dagen de thermostaat laag zette. Van beide wc's stond de bril omhoog. De potten zaten vol ontlasting. De spoelbak stond boordevol afwas. In een hoek van de keuken lag een grote berg afval. De afgehaalde matras rook vaag naar urine.

'Krijg jij ook de tyfus,' mompelde June toen ze zijn kleren verbrandde in de vuurkorf in de achtertuin.

Het schoolbestuur kon haar niet ontslaan omdat ze getrouwd was met een veroordeelde zedenmisdadiger. Wel werd ze overgeplaatst naar de beruchte school in het ergste deel van de stad. Ze moest regelmatig voor de rechter getuigen als haar leerlingen weer eens beschuldigd werden van gewapende overvallen, verkrachting, drugshandel en allerlei andere gruwelen. Haar sociale leven mocht geen naam hebben. De vrouw die een pedofiel had verdedigd hield geen vrienden meer over. De directrice die de leerlingen die door haar man waren verkracht voor een stel leugenachtige hoeren had uitgemaakt, had geen schouder meer om op uit te huilen.

In de loop van de jaren had June weleens overwogen om een interview te geven, een boek te schrijven, de wereld te vertellen hoe het was om daar in die kamer tegenover Danielle Parson te zitten in de wetenschap dat haar man het leven van hen beiden had verwoest. Telkens als June zich voornam om het verhaal op te schrijven, bleven de woorden steken, als gal in haar keel. Wat kon ze ter verdediging van zichzelf zeggen? Ze had nooit openlijk toegegeven dat haar man schuldig was. June Connor, een vrouw die altijd zo van haar taal had gehouden, ontbrak het aan woorden om zichzelf te rechtvaardigen.

Achttien jaar lang had ze het bed met Richard gedeeld. Ze had hem een kind geschonken. Ze had hun kind verloren. Ze hadden samen liefgehad. Ze hadden samen gerouwd. En al die tijd was hij een monster geweest.

Wat was je voor vrouw als je dat niet zag? Wat was je voor docente, directrice, als je in een huis woonde waar een vijftienjarig meisje op brute wijze werd verkracht zonder dat je ook maar iets doorhad?

Trots. Pure onverzettelijkheid. Ze wilde zichzelf niet rechtvaardigen. Ze was niemand verantwoording schuldig. Ze kropte het allemaal op, en de waarheid werd een kwaadaardige, zich uitzaaiende tumor.

'Het zoveelste verhaal over het weer.' Richard vouwde de krant ritselend dicht. 'Ze raden mensen aan een paraplu mee te nemen.'

Opnieuw sloeg haar hart over, met een vreemde, driedubbele slag. Ze kreeg het nog benauwder, alsof er een bankschroef werd aangedraaid.

'Wat is er?' Richard wilde het masker al pakken dat aan de zuurstoftank hing.

June wuifde hem weg. Ze zag haar hand in een waas, zodat het was alsof het gebaar door een streep licht werd gevolgd. Geboeid door het effect bewoog ze haar hand nogmaals.

'June?'

Het gevoel trok uit haar vingers, alsof er heel langzaam een handschoen van de botten werd getrokken. Haar adem stokte en ze raakte in paniek – niet omdat het nu zover was, maar omdat ze haar vraag nog steeds niet had gesteld.

'Wat is er?' Hij kwam op de rand van het bed zitten zodat hun benen elkaar raakten. 'June?' Hij verhief zijn stem. 'Zal ik een ambulance bellen?'

Ze keek naar zijn hand, waarmee hij die van haar had vastgepakt. Zijn stompe vingers. Zijn dikke polsen. Hij had al ouderdomsvlekken. Ze zag de blauwe aderen onder zijn huid.

De eerste keer dat June Richards hand had vastgehouden, had ze kriebels in haar buik gekregen, haar hart had een sprongetje gemaakt en eindelijk had ze Austen en Brontë begrepen, en al die dwaze sonnetten die ze ooit had bestudeerd.

Liefde laat haar lot niet aan lotswisseling verbinden.

Dat was het gevoel dat ze mee wilde nemen – niet de verschrikking van de afgelopen twintig jaar. Niet de aanblik van haar dode dochter. Niet al die vragen over wat Grace had geweten en hoeveel ze had geleden. Niet Danielle Parson, het mooie meisje dat zonder heroïne de dag niet doorkwam.

June wilde het gevoel terug dat ze had gehad toen ze haar kind voor het eerst in haar armen hield. Ze wilde de gelukzaligheid van haar trouwdag terug, van de eerste keer dat Richard de liefde met haar had bedreven. Dit huis had gelukkige tijden gekend. Verjaardagen, verrassingsfeestjes, Thanksgiving en prachtige kerstvieringen. Het had warmte gekend en liefde. En Grace.

'Grace,' zei Richard, alsof hij haar gedachten kon lezen. Of misschien had ze de naam zelf uitgesproken, hem zacht op haar lippen geproefd. De geur van haar shampoo. Hoe haar kleertjes hadden gevoeld in Junes hand. Die bizar kleine sokjes. Ooit had June ze tegen haar lippen gedrukt, ze gekust alsof ze de voetjes van haar dochter kuste.

Richard schraapte zijn keel. Hij sprak heel zacht. 'Je wilt de waarheid.'

June probeerde haar hoofd te schudden, maar haar spieren waren verdwenen, haar hersenen raakten los van de stam en zenuwprikkels zwierven langs lege banen. Dit was het. Het was heel dichtbij. Niet dat ze op het nippertje God nog zou vinden, maar op dit laatste moment wilde ze licht in haar hart, niet de duisternis die zijn woorden zouden brengen.

'Het is waar,' zei hij, alsof ze dat niet allang wist. 'Het is waar wat Danielle zei.'

Kreunend perste June de lucht naar buiten. Valentijnskaartjes. Verjaardagsballonnen. Moederdagontbijt. Krijttekeningen op de koelkast.

Geschaafde knieën die gekust moesten worden. Monsters die verjaagd werden met een knuffel en een zachte aai over de bol.

'Grace heeft ons gezien.'

June probeerde haar hoofd te schudden. Ze wilde het niet uit zijn mond horen. Ze wilde zijn bekentenis niet meenemen in haar graf. Ze wilde slechts dat ene. Ze wilde slechts één moment van vrede.

Hij boog zich nog dichter naar haar toe. Ze voelde de warmte van zijn mond. 'Hoor je me?'

Ze kreeg geen lucht meer. Haar longen verstarden. Haar hart kwam hortend tot stilstand.

'Hoor je me?' herhaalde hij.

Junes ogen gingen niet meer dicht. Dit was de laatste minuut, seconde, milliseconde. Ze ademde niet meer. Haar hart stond stil. Nog een paar tellen en dan brandden haar zoemende hersenen door.

In de lange tunnel hoorde ze Richards stem. 'Grace heeft geen zelfmoord gepleegd omdat ze me Danielle zag neuken.' Zijn tong stak tussen zijn tanden door. Hij had een glimlach op zijn lippen. 'Ze deed het omdat ze jaloers was.'

BLOND HAAR, BLAUWE OGEN

Maandag 4 maart 1991
7.26 uur – North Lumpkin Street, Athens, Georgia

De ochtendnevel hing nog over de straten van het centrum en wierp ingewikkelde spinragpatronen op de slaapzakken op de stoep buiten het Georgia Theater. Hoewel de deuren op zijn vroegst pas over twaalf uur zouden opengaan, waren de Phish-fans vastbesloten om een plekje op de voorste rij te bemachtigen. Twee gezette jongemannen zaten op plastic tuinstoelen voor de met een ketting afgesloten voordeur. Aan hun voeten lagen lege bierblikjes, sigarettenpeuken en een leeg boterhamzakje waar waarschijnlijk een flinke hoeveelheid wiet in gezeten had.

Hun ogen waren gericht op Julia Carroll, die verderop over straat liep.

Ze was zich net zo bewust van hun starende blikken als van de mist om haar heen. In eerste instantie bleef ze hardnekkig voor zich uit kijken en hield ze haar rug recht, tot ze zich afvroeg of ze daardoor misschien kil en hooghartig overkwam. Uiteindelijk sloeg de ergernis toe, want wat kon het haar eigenlijk schelen hoe ze eruitzag in de ogen van twee volslagen onbekende jongens?

Vroeger was ze nooit zo paranoïde geweest.

Athens was een studentenstad, opgebouwd rondom de University of Georgia, die meer dan driehonderd hectare in beslag nam en werkgelegenheid bood aan de helft van de inwoners van het gebied. Julia was hier opgegroeid. Ze studeerde journalistiek en werkte als verslaggever voor de universiteitskrant. Haar vader was hoogleraar op de faculteit Diergeneeskunde.

Ook al was ze pas negentien jaar oud, ze was er al van doordrongen dat alcohol en de verkeerde omstandigheden ervoor konden zorgen dat aardig uitziende jongens veranderden in het soort mensen dat je op maandagochtend om halfacht niet wilde tegenkomen. Of misschien stelde ze zich gewoon aan, en ging het weer net zoals die keer dat ze 's avonds laat langs Old College was gelopen. Toen hoorde ze voetstappen achter zich en zag ze een gestalte snel op zich afkomen. Net toen ze het op een lopen wilde zetten, riep de engerd haar naam en bleek het Ezekiel Mann te zijn, met wie ze samen Biologie had.

Hij vertelde haar over de nieuwe auto van zijn broer en toen hij ook nog eens uit Monty Python ging citeren, begon Julia zo snel te lopen dat ze allebei aan het joggen waren tegen de tijd dat ze bij haar studentenhuis aankwamen. Nadat ze naar binnen was gegaan, drukte hij zijn hand tegen de dichte glazen deur. 'Ik bel je nog!' riep hij haar na.

Ze glimlachte naar hem, maar terwijl ze naar de trap liep, schoot het door haar heen: *o god, zorg alstublieft dat ik hem niet hoef te kwetsen.*

Julia was beeldschoon. Dat wist ze al van kleins af aan, maar in plaats van er blij mee te zijn, ervoer ze het als een last. Mensen hadden altijd hun oordeel klaar over mooie meisjes. Zij waren de kille, achterbakse krengen die in de films van John Hughes altijd hun verdiende loon kregen. Zij waren de trofeeën die geen enkele jongen op school durfde op te eisen. Als ze verlegen was, vonden mensen haar afstandelijk. Als ze even de kat uit de boom wilde kijken, werd dat als een afwijzing gezien. Dat ze door al die aannames op haar negentiende nog steeds maagd was en bijna geen vrienden had, viel alleen haar twee jongere zusjes op.

Op de universiteit had het anders moeten gaan. Oké, haar studentenhuis bevond zich dan wel op nog geen halve kilometer afstand van haar ouderlijk huis, maar dit was haar kans om zichzelf opnieuw uit te vinden, om de persoon te worden die ze altijd had willen zijn: sterk, zelfverzekerd, gelukkig, tevreden, en geen maagd meer. Daarom onderdrukte ze continu de neiging om in haar kamer te gaan zitten lezen terwijl de wereld aan haar voorbijging. Ze meldde zich aan bij de tennisclub, de atletiekploeg en de natuurclub. Ze vermeed kliekjes en praatte met iedereen. Ze glimlachte naar onbekenden en ging uit met jongens die wel lief, maar niet bijster interessant waren, ook al deden hun wanhopige zoenen haar denken aan een bloeddorstige vis die een andere vis opslurpte.

Tot dat voorval met Beatrice Oliver.

Julia had het verhaal van het meisje via de telex gevolgd bij de *Red & Black*, de universiteitskrant. Negentien jaar was ze, net als Julia. Met blond haar en blauwe ogen, net als Julia. Een studente, net als Julia.

Beeldschoon.

Vijf weken geleden was Beatrice Oliver rond tien uur 's avonds vertrokken uit haar ouderlijk huis. Ze was te voet naar de winkel gegaan om een ijsje te halen voor haar vader, die last had van tandpijn. Julia wist niet zo goed waarom precies dat gedeelte bij haar was blijven hangen. Het was gewoon vreemd. Waarom zou je iets kouds willen eten als je tandpijn had? Toch hadden beide ouders dat tegenover de politie verklaard.

En Julia had het op de telex kunnen lezen, want Beatrice Oliver was nooit meer teruggekeerd.

Julia was geobsedeerd geraakt door de verdwijning van het meisje. Hoewel ze zichzelf voorhield dat het kwam doordat ze erover wilde schrijven voor de *Red & Black*, vond ze het in werkelijkheid doodeng dat iemand – en niet zomaar iemand, maar een meisje van haar eigen leeftijd – gewoon de deur uit kon lopen en nooit meer terug kon komen. Ze wilde weten hoe het zat. Ze wilde met de ouders van Beatrice Oliver praten, met haar vrienden, met een neef of nicht, een van de buren, een collega, een vriendje of een ander vriendje. Met wie dan ook, als ze maar een verklaring kon vinden voor hoe een meisje van negentien met haar hele leven nog voor zich gewoonweg in rook was opgegaan.

'Waarschijnlijk hebben we te maken met een ontvoering,' had de rechercheur die aan de zaak werkte gezegd in het eerste artikel dat Julia las. Alle persoonlijke bezittingen van Beatrice waren er nog, zoals haar handtas, het contant geld dat ze in haar sokkenlade bewaarde en haar auto, die nog steeds op de oprit van haar ouderlijk huis geparkeerd stond.

De huiveringwekkendste woorden kwamen van Beatrice Olivers moeder: 'De enige reden waarom mijn dochter niet naar huis is gekomen, is omdat iemand haar ergens vasthoudt.'

Ergens vasthoudt.

Julia rilde bij de gedachte dat zij zelf weggehouden zou worden bij haar familie, bij haar leven, bij haar vrijheid. In de boeken die ze als kind las, was de boeman altijd onverzorgd, duister en dreigend geweest. Een wolf in schaapskleren, maar als je goed keek toch duidelijk een wolf. Natuurlijk wist Julia ook wel dat het echte leven niet op die sprookjes leek, dat een slechte man niet meteen te herkennen was aan een opvallende snor en sik.

Degene die Beatrice had ontvoerd, kon best een vriend, collega, buurman of vriendje zijn – alle mensen die Julia wilde interviewen, onder vier ogen, slechts gewapend met pen en papier. Een gesprek met een man die misschien wel op dat moment Beatrice Oliver vasthield op een vreselijke plek.

Julia legde haar hand op haar buik om het kolkende gevoel in haar maag weg te nemen. Ze keek over haar schouder en naar links en rechts, tot het voelde alsof haar ogen door haar hoofd tolden.

Met logisch redeneren probeerde ze een beetje tot rust te komen. Het was goed mogelijk dat ze zich voor niets zo druk maakte. Misschien zouden die interviews niet eens doorgaan. Voordat Julia met iemand in gesprek kon gaan, moest die opdracht eerst aan haar toegewezen worden. Een verslaggever kon immers naar hartenlust vragen stellen, maar een reportageschrijver zoals Julia zou alleen maar nieuwsgierig overkomen. Haar grootste obstakel was Greg Gianakos, de student annex hoofdredacteur die zichzelf als de nieuwe Walter Cronkite beschouwde en Julia deed denken aan wat haar vader altijd over beagles zei: die horen graag het geluid van hun eigen stem.

Als ze Greg kon overhalen, zou zijn knechtje Lionel Vance nog moeten instemmen, maar hij nam het haar nog steeds kwalijk dat ze niet met hem uit wilde gaan. De laatste horde was Mr Hannah, de faculteitsadviseur, die weliswaar heel aardig was, maar de voorkeur gaf aan redactievergaderingen die verliepen als een Mexicaanse klifduikwedstrijd in het programma *Wide World of Sports*.

In gedachten nam Julia haar presentatie door terwijl ze de hoek omging, een lege straat in.

Beatrice Oliver, een negentienjarig meisje dat nog bij haar ouders woonde...

Nee, dan zouden ze al spottend snuiven voordat ze haar zin had afgemaakt.

Een vermist meisje...

Nee, zoveel meisjes raakten vermist. Meestal doken ze na een paar dagen weer op.

Een jong meisje liep 's avonds laat naar de winkel toen er opeens...

Met een ruk draaide Julia zich om.

Achter zich had ze een geluid gehoord. Een schrapend geluid, als schoenen die over straat schuifelden. Snel speurde ze de omgeving af, maar behalve een paar glasscherven, oude bierflesjes en weggegooide kranten was er niets te zien. In elk geval niets waar ze zich zorgen om hoefde te maken.

Langzaam, op haar hoede, liep ze verder. Ondertussen bleef ze portieken en steegjes afspeuren en stak ze zelfs de straat over, zodat ze niet langs een enorme berg vuilnis hoefde te lopen.

Paranoïde.

Verslaggevers zouden alleen oog moeten hebben voor de kille feiten, maar sinds Julia over Beatrice Oliver had gelezen, had ze de wildste dromen gehad die vol zaten met details die niet uit de feiten voortkwamen, maar uit haar eigen fantasie. Beatrice liep over straat. Het was een donkere avond. De maan ging schuil achter de wolken, de lucht voelde koel aan. Ze zag de gloed van een brandende sigaret, hoorde het zachte geluid van schoenen op het asfalt en proefde opeens de nicotine op de hand die voor haar mond werd geslagen. Er werd een vlijmscherp mes op haar keel gezet en ze rook de zure adem van de angstaanjagende vreemdeling die haar meesleepte naar zijn auto en haar in zijn kofferbak gooide. Daarna reed hij met haar naar een donkere, bedompte plek waar hij haar kon opsluiten.

Als Julia's moeder geen bibliothecaresse was geweest, had ze Julia's duistere gedachten vast geweten aan de boeken die ze las. *Mijn vriend de seriemoordenaar. Helter Skelter. De schreeuw van het lam. Het hek-*

senuur. Haar moeder was echter wél bibliothecaresse, dus waarschijnlijk zou zij haar schouders ophalen en tegen haar oudste dochter zeggen dat ze geen verhalen moest lezen die haar angst aanjoegen.

Of was Julia juist immuun geworden voor gevaar omdat ze zo bang was voor dit soort dingen, omdat ze haar grootste angsten onder woorden bracht?

Ze veegde het zweet van haar voorhoofd. Haar hart bonkte zo luid dat ze haar T-shirt op haar huid voelde kriebelen. Ze stak haar hand in haar tas. Haar walkman lag op de gele sjaal die ze nog thuis moest afgeven, dat had ze haar zusje beloofd. Haar vinger bleef op de playknop rusten, maar ze drukte hem niet in. Ze wilde alleen aan het cassettebandje voelen, om het krabbelende handschrift van de jongen die het voor haar gemaakt had voor de geest te halen.

Robin Clark.

Julia kende hem nu twee maanden. In die tijd hadden ze briefjes met elkaar uitgewisseld, elkaar gebeld of opgepiept en hadden ze tijdens het uitgaan met vrienden net iets te lang naar elkaar gekeken of elkaars hand aangeraakt. Tot ze eindelijk alleen waren geweest en hij haar zo lang en zo goed had gezoend dat haar hoofd bijna ontplofte was. Ze had hem één keer mee naar haar ouderlijk huis genomen. Niet om hem aan haar ouders voor te stellen, maar omdat ze haar schone was moest ophalen. Haar jongste zusje had gelachen omdat ze Robin een meisjesnaam vond, totdat Julia haar met een stomp tegen haar arm het zwijgen had opgelegd. Voor die ene keer had dat kreng haar niet verklikt.

Op het cassettebandje stonden liedjes waarvan Robin dacht dat Julia ze leuk zou vinden, geen liedjes waarvan hij wilde dat ze ze leuk zou vinden. Dus geen Styx, Chicago en Metallica, maar Belinda Carlisle, Wilson Phillips, een beetje The Beatles en James Taylor, en een heleboel Madonna, want hij vond Madonna net zo goed als zij.

Dit bandje stond symbool voor de eerste keer dat een jongen haar had gezien zoals ze was, niet zoals hij wilde dat ze zou zijn. Tot dan toe had Julia heel wat keren gedaan alsof ze hield van drumsolo's, snerpende gitaren en bootlegs van artiesten die tragisch genoeg om het leven waren gekomen voordat ze konden bewijzen hoe cool ze waren – niet alleen aan de jongen die het cassettebandje had gemaakt, maar ook aan de rest van de wereld.

Robin wilde niet dat Julia deed alsof, hij wilde dat ze zichzelf was. Waarschijnlijk had haar hoogleraar Vrouwenstudies een rolberoerte gekregen als ze erachter was gekomen dat Julia eindelijk zichzelf wilde zijn, maar alleen omdat ze een jongen had gevonden die dat ook wilde.

'Robin,' fluisterde Julia in de koele ochtendlucht, want ze vond het heerlijk als zijn naam over haar lippen rolde. 'Robin.'

Hij was tweeëntwintig jaar oud, lang en slank, en had gespierde bovenarmen omdat hij vaak zware bakken met brood moest tillen in de bakkerij van zijn vader. Hij had warrig, bijna zwart Jon Bon Jovi-haar en blauwe ogen, als die van een husky. Wanneer hij Julia aankeek, voelde ze een diep verlangen op een plek die ze niet goed onder woorden kon brengen.

Vóór Robin waren er een paar andere jongens geweest. Die waren allemaal ouder dan hij, maar geen van allen was zo volwassen als hij. Ze waren het soort jongens dat niet erg onder de indruk was van Julia's uiterlijk, omdat ze een auto en zakken vol geld hadden. Haar vader had haar gewaarschuwd dat die jongens maar op één ding uit waren. Alleen had hij niet door dat zij precies op hetzelfde uit was.

Tot aan het tweede honk. Verder was ze nooit gekomen, tenzij er ook een honkbalterm bestond voor hevig friemelen – korte stop, misschien? Brent Lockwood was zestien jaar oud geweest (bijna zeventien) en Julia vijftien (net geen veertien meer). Toen hij aan haar vader had gevraagd of hij haar mee uit mocht nemen, had haar vader gezegd dat Brent dat nog maar eens moest vragen als hij een fatsoenlijk kapsel en een baan had.

Dat Brent een paar dagen later was teruggekeerd met een opgeschoren kapsel en een schort van McDonald's om, had haar vader verrast, haar moeder geïntrigeerd en haar zusjes doen gieren van het lachen. Zelf was Julia woedend geweest. Brents haar was nou juist het mooiste aan hem. Bovendien hing er vanaf dat moment aldoor een geur van gegrild vlees om hem heen. Julia was vegetariër en met Brent omgaan werd een totaal niet grappige variant op het experiment van Pavlov.

Toch had ze een aantal pogingen gewaagd, achter in zijn auto of op de bank in de woonkamer, omdat Brent een knappe jongen was en iedereen wist dat hij al een heleboel meisjes had gehad. Dit was haar kans om het achter de rug te hebben. Ze wilde zo graag het wereldwijze meisje zijn voor wie iedereen haar aanzag: het meisje dat goed met jongens kon omgaan, het meisje dat ervaring had en het ongeïnteresseerde, beeldschone meisje dat iedere man om haar vinger kon winden.

Brent was echter verliefd op haar geweest en had het daarom rustig aan willen doen. In combinatie met de geur van Franse frietjes die om hem heen walmde, was hij haar daardoor al snel gaan vervelen.

Robin Clark was in geen enkel opzicht saai te noemen. Hij rook heel lekker, naar dennennaalden met een aangenaam vleugje brood uit de bakkerij. Zijn huid was prachtig gebronsd, omdat hij het hele jaar door veel wandelde en fietste. Als Julia tegen hem praatte, keek hij haar in de ogen. Hij probeerde haar problemen niet op te lossen, maar luisterde gewoon. Hij lachte om haar grapjes, zelfs om de slechte – nee, voorál om de slechte. Daarnaast had hij ook een dromerige kant. Hij wilde graag kunstenaar worden, of eigenlijk was hij dat al, want dat baantje in de bakkerij was maar tijdelijk. Julia had zijn werk gezien. De zachte welving van de hals van een hert dat uit een beekje in de bergen stond te drinken. Het vurige oranje en rood van een zonsopgang. Zijn hand, voorzichtig om Julia's heup geslagen.

Dat laatste schetste hij eerst op een servetje voordat hij toenadering zocht. Hij liet de schets tijdens een kopje thee in het studentencafé aan Julia zien en zei dat die tekening afbeeldde wat hij met haar wilde doen. Toen het tijd was om op te staan, knikten haar knieën en had ze zweterige handen. De spanning was op dat moment al zo hoog opgelopen dat haar huid begon te tintelen toen hij eindelijk zijn arm om haar middel sloeg.

'Ik ga je zoenen,' fluisterde hij in haar oor, vlak voordat hij de daad bij het woord voegde.

Julia trok haar hand terug van de walkman. Het busje van de daklozenopvang waar ze als vrijwilliger werkte stond op de kruising van Hull en Washington geparkeerd, een gedeelte van de stad dat om onbekende redenen Hot Corner werd genoemd. Er stonden al mensen in de rij voor het ontbijt. Het waren er minstens dertig, voornamelijk mannen, slechts een paar vrouwen. Met gebogen hoofd en hun handen in hun zakken schuifelden ze voort in de rij. Alles aan hen straalde uit dat ze het vreselijk vonden om afhankelijk te zijn van liefdadigheid, maar het was nou eenmaal niet anders, dus gingen ze elke ochtend bij het krieken van de dag in de rij staan, zodat ze die dag ten minste één warme maaltijd zouden krijgen.

'Goeiemorgen,' riep Candice Bender. Ze stond aluminium bakjes met roerei, gebakken spek, gortepap en toast uit te delen. De grote koffiekan die bij het openstaande portier van het busje stond, was bedoeld als zelfbediening.

'Sorry dat ik zo laat ben.' Julia was helemaal niet laat, maar het was een soort zenuwtrekje van haar om gesprekken te beginnen met een verontschuldiging. Ze pakte een stapel dekens uit het busje en bekeek de rij mensen. Er ontbrak iemand. 'Waar is Mona No-Name?'

Candice haalde haar schouders op.

Julia deed een stap naar achteren om de rij nog beter te kunnen bekijken. Met elk gezicht dat ze zag werd haar angst groter.

'Zie je haar niet?' vroeg Candice.

Julia schudde haar hoofd. Hoewel ze dit werk al lang genoeg deed om te weten dat mensen soms gewoon opeens niet meer kwamen, kon ze de duistere gedachten die haar overspoelden niet tegenhouden.

Mona was nog jong, slechts een paar maanden ouder dan Julia. Ze zorgde beter voor zichzelf dan de anderen, waste zich vaker en droeg mooiere kleren, omdat ze niet al haar geld aan drugs verkwanselde. Op haar achttiende verjaardag was ze uit het pleegzorgsysteem geknikkerd en sindsdien had ze moeten doen wat sommige meisjes nou eenmaal moesten doen om te overleven op straat. Toen Julia haar naar haar achternaam had gevraagd, had Mona opstandig gezegd: 'Ik heb geen naam, bitch.'

'Dan wordt het Mona No-Name,' had Julia gereageerd, aangezien ze in een slecht humeur was en nog een lichte kater had van een spontaan avondje shotjes drinken en crackers met kaas eten. Tot haar grote schaamte was de bijnaam blijven hangen.

'Mo-No was er gisteravond ook al niet,' zei een van de vrouwen terwijl ze een schone deken aannam.

'Wanneer heb je haar voor het laatst gezien?' vroeg Julia.

'Hoe moet ik dat nou weten?'

De vrouwen hier hielden elkaar niet de hand boven het hoofd. Er woedde een felle concurrentiestrijd en er werd vaak geroddeld. Het deed Julia denken aan de middelbare school, want de vrouwen hier namen dezelfde rollen aan: de slet, het lievelingetje van de leraar, het brave meisje, het kreng, de nerd. Mona was het kreng, omdat ze mooi was. Ze had al haar tanden nog, droeg make-up en zag er niet uit als een dakloze. Delilah was de slet, omdat zij ouder was en meer ervaring had. En ook omdat ze daadwerkelijk haar lichaam verkocht.

Momenteel waren er in totaal acht vrouwen in de groep. Anders dan bij Beatrice Oliver, die was ontvoerd toen ze een ijsje ging halen voor haar vader, wist Julia dat het duistere beeld dat ze van het leven van deze vrouwen had hoogstwaarschijnlijk wél klopte. Prostitutie. Drugs. Honger. Ziekte. Angst. En eenzaamheid, want Julia had ontdekt dat de meeste daklozen hartverscheurend eenzaam waren.

'Ik zag Mona het bos in gaan,' merkte Delilah op. 'Gisteravond rond een uurtje of tien, elf, vlak voordat het begon te plenzen.'

Julia knikte om aan te geven dat ze haar gehoord had.

Eerlijk gezegd was ze een beetje bang voor Delilah, omdat ze zo onvoorspelbaar uit de hoek kon komen. Ze had de neiging om veel te krijsen, te huilen, onophoudelijk te neuriën of zo hard te lachen dat je oren ervan tuitten. Ze was verslaafd en leefde al langer op straat dan Julia als vrijwilliger bij de opvang werkte. Naast een paar foto's van haar volwassen kinderen had Delilah altijd een setje met naalden op zak die ze alleen zelf gebruikte.

De afgelopen vier jaar had Julia eindexamen gedaan, was ze naar de universiteit gegaan, had ze haar eerste jaar cum laude afgerond en was ze gepromoveerd tot hoofd van de reportageafdeling bij de *Red & Black*. In hetzelfde tijdsbestek was Delilah meerdere keren 'gerold', zoals beroofd worden onder de daklozen werd genoemd, en was ze al haar voortanden kwijtgeraakt tijdens een gevecht. Haar haar viel in plukken uit door een gebrek aan goede voeding en op haar huid tekenden zich vreemde paarsbruine vlekken af.

Aids, dacht Julia, hoewel niemand dat hardop durfde te zeggen, want aids was een doodvonnis.

'Er woont een groep mensen in het bos,' vertelde Candice aan Julia. 'Gisteren ben ik ernaartoe gegaan om te kijken of ze hulp nodig hadden, maar kennelijk wonen ze in de buitenlucht omdat ze dat fijn vinden, niet uit pure noodzaak.'

Julia overhandigde een deken aan een man in camouflagekleding. Op zijn zwarte honkbalpetje stond: VERMISTEN VIETNAM, NOOIT VERGETEN. Ze vroeg aan Candice: 'Dus het is hun eigen keuze? Zijn ze dan aan het kamperen of zo?' Robin was die week ook aan het kamperen met zijn familie. Julia was niet uitgenodigd, maar alleen omdat zo'n logeerpartijtje met zijn hele familie nogal vreemd zou zijn. 'Mona lijkt me niet het type dat graag kampeert.'

'De sheriff noemt het een sekte.' Candice trok een overdreven fronsend gezicht. Net als Julia's moeder was ze een voormalige hippie met een gezonde dosis scepsis jegens de autoriteiten. 'Ze zijn allemaal ongeveer van jouw leeftijd, misschien iets ouder. Als je het mij vraagt, is het eerder een commune. Ze kleden zich hetzelfde, ze praten hetzelfde, ze gedragen zich hetzelfde. Het lijkt *The Patty Duke Show* wel.'

Julia onderdrukte een huivering. Het klonk eerder als de Charles Manson Show. 'Waarom zou Mona naar hen toe zijn gegaan?'

'Waarom niet?' Candice was klaar met het uitdelen van de maaltijden en ging nu verder met de dekens. 'Hun plan – als je al van een plan kunt spreken – is om langs het Appalachian Trail naar Mount Katahdin te lopen. Dat zeiden ze tenminste, want het klonk mij eerder in de oren als een excuus om niet meer te hoeven douchen en tekeer te gaan als konijnen.'

'Klinkt goed!' bulderde Vietnam.

Aan Candice vroeg Julia: 'Waar kamperen ze?'

'Net voorbij de Wishing Rock.'

Dus niet in de buurt van waar Robin en zijn familie die week aan het kamperen waren.

'Hoe kijk jij daartegenaan?' vroeg Candice. Ze mocht dan niet meer als docent werken, ze was nog steeds wanhopig op zoek naar jonge zieltjes om te kneden. 'Van huis weggaan, al je wereldse bezittingen achterlaten, leven van het land. Zou jij dat willen?'

Julia haalde haar schouders op, ook al zag ze zichzelf nog eerder op de maan rondwandelen. 'Het zijn vrijgevochten zielen, toch? Dat heeft wel iets romantisch.'

Candice glimlachte, alsof Julia's antwoord haar wel beviel.

Snel pakte Julia een vuilniszak om de lege aluminium bakjes en koffiebekers te verzamelen. Ze had geen idee waarom, maar ze vond het niet vervelend om de troep van deze mensen op te ruimen, terwijl ze het niet kon uitstaan als een van haar luie jongere zusjes een vuile sok op de trap liet rondslingeren.

Kort na haar vijftiende verjaardag was ze hier als vrijwilliger komen werken. Het was toen zomer, ze verveelde zich en er waren geen boeken die ze wilde lezen. Haar zusjes dreven haar tot waanzin en het babysitten hing haar de keel uit. Ze was het beu om alsmaar de leiding te moeten nemen, om te wachten tot ze volwassen was.

'Eens kijken of je dit aankunt,' had haar vader in de auto op weg naar de opvang gezegd.

Julia had vol ongeloof gereageerd, omdat ze toen nog niet wist dat hij haar meenam naar een slechte buurt waar ze geacht zou worden om stinkende, gestoorde daklozen op hun wenken te bedienen.

De opvang was bedoeld als een levensles, net als die keer dat Julia en haar zusjes ieder een van hun kerstcadeaus moesten uitkiezen om aan het kindertehuis te doneren – en dan geen sokken of ondergoed. Julia had een hekel aan levenslessen. Ze vond het vreselijk om ergens toe gedwongen te worden. Ze baalde ervan dat ze zich had laten overhalen om bij haar vader in de auto te stappen, die had gezegd dat ze naar een nest jonge puppy's zouden gaan kijken. Ze was koppig (net als haar moeder, zei haar vader), ze was tegendraads (net als haar vader, aldus haar moeder), ze had een te uitgesproken mening (net als haar ouders, volgens haar oma) en ze was bazig (net als haar oma, als je het haar zusjes vroeg). Dat waren de enige redenen dat ze het die eerste paar maanden had volgehouden bij de opvang.

Ik zal hem weleens laten zien dat ik dit aankan, had ze gedacht terwijl ze laaiend op haar vader was. Daarom had ze zich op het koken, schoonmaken en wassen gestort met een overgave die haar moeder zo zuur vond dat haar lippen permanent tot een dunne streep vertrokken waren.

'Doet Julia de afwas?' Haar moeders stem had getrild als een fietsbel. 'Julia Carroll, onze oudste dochter?'

Het was moeilijk uit te leggen waarom Julia naar de opvang bleef gaan. Ze had er niet echt plezier in om vuile kleren te wassen of wc's te schrobben, maar toch dwong ze zichzelf twee tot drie keer in de week om zeven uur op te staan en naar deze achterbuurt of naar de opvang aan Prince Avenue te lopen. Daar deelde ze eten en dekens uit of maakte ze schoon voor drugsverslaafden, psychisch verwarde mensen en andere verloren zielen.

Door haar uiterlijk werd Julia door de meeste mensen begeerd.

De mensen die ze in de opvang hielp, hadden haar nódig.

Nu vroeg Candice: 'Maak jij het hier af, meisje? Ik heb een bespreking met de burgemeester.'

'Natuurlijk.' Julia gooide de vuilniszak in het busje en pakte een paar pennen en een stapel papier van de voorbank. Er moest een aantal formulieren worden ingevuld: aanvragen voor arbeidsongeschiktheidsuitkeringen, veteranenpensioenen en ziektekostenverzekeringen.

De paar uur daarna vulde Julia papieren in, belde ze vanuit een stinkende telefooncel met overheidsinstanties en praatte ze met een aantal mensen uit de groep over wat ze met hun leven wilden doen. Veel van Julia's vriendinnen haalden hun neus op voor het vrijwilligerswerk dat ze deed. Zij vonden daklozen lui, maar stonden er niet bij stil dat de meeste mensen niet op straat belandden omdat ze een slecht karakter hadden. Vaak was dit het gevolg van een reeks relatief onschuldige verkeerde beslissingen. Ze hadden het aan de stok gekregen met de verkeerde politieagent, hadden foute vrienden gekregen of waren niet komen opdagen op school, werk of een afspraak met hun reclasseringsambtenaar, omdat ze waren vergeten de wekker te zetten.

Hoewel Julia geen psychiater was, was het haar duidelijk dat de meeste mensen hier een onderliggend probleem met hun mentale gezondheid hadden, of ze nu leden aan lichte paranoia, depressie of waanideeën.

'Reagan,' had haar moeder gezegd toen Julia dit voor het eerst bij haar aankaartte. 'Wat had hij dan gedacht dat er zou gebeuren nadat hij de overheidssteun aan psychiatrische ziekenhuizen stopzette? Nu leven al die mensen of op straat, of zitten ze in de gevangenis.'

Beatrice Oliver, het meisje dat ijs was gaan halen en nooit meer was teruggezien. Zij was onder behandeling geweest voor een depressie, dat had Julia op de telex gelezen. Associated Press had een verslaggever op pad gestuurd om met haar ouders te praten terwijl ze naar Beatrice zochten. Of eigenlijk naar haar stoffelijk overschot, maar dat durfde niemand te zeggen. Tegenover die verslaggever had de moeder toegegeven dat Beatrice een keer was behandeld voor een depressie.

Tijdens haar eerste jaar aan de universiteit had Julia zelf ook een psychiater bezocht. Dat had ze aan niemand verteld, omdat ze het gênant vond dat het haar toch zwaarder viel dan gedacht om niet meer thuis te wonen. Tegen het einde van de sessie had de psych gegeeuwd, en daar had Julia meer aan gehad dan aan zijn dooddoeners (sluit je aan bij een vereniging, probeer nieuwe activiteiten uit, ga naar de kapper, glimlach eens wat vaker). Het had haar duidelijk gemaakt dat haar problemen heel alledaags waren, dat de rest van de studenten op de campus, die hun zaakjes prima op orde leken te hebben, met dezelfde angsten te kampen hadden.

Toch zette het haar aan het denken. Stel dat zij op een dag zou verdwijnen of ontvoerd zou worden, zou een of andere verslaggever er dan ook achter komen dat ze met een psychiater had gepraat? Zou iedereen dan denken dat ze psychische problemen had gehad?

'Ze is meegenomen!' Door Delilahs harde stem schrok Julia op uit haar gedachten. 'Let op mijn woorden, meissie.'

Julia keek op van de brief die ze aan Delilahs dochter aan het schrijven was. Het meisje schreef nooit terug, maar daar leek Julia teleurgestelder over te zijn dan Delilah was.

'Ze is meegenomen,' herhaalde Delilah. 'Mona No-Name. Een man heeft haar meegenomen.'

'O.' Meer wist Julia niet uit te brengen.

'Nee, je begrijpt me verkeerd,' drong Delilah aan. 'Hij heeft haar meegenomen, zo van…' Grommend maakte ze een cirkel van haar armen en deed alsof ze iemand bruut vastpakte.

Snel trok Julia haar eigen armen terug, alsof die man háár greep.

'Ze liep over straat,' vervolgde Delilah. 'Ze kwam voorbij die ouwe auto toen er een zwart busje stopte. Het portier schoof open en een grote witte kerel stak zijn hand uit en…' Weer maakte ze dat grijpende gebaar.

Julia wreef over haar armen om de kilte te verdrijven. In gedachten zag ze het al voor zich: het zwarte busje, het openschuivende portier, het wazige beeld van een gladgeschoren, typisch Amerikaanse vent die opduikt uit het pikkedonker. Zijn armen uitgestoken, zijn vingers vervormd tot klauwen. Zijn mond vertrokken in een verbeten grijns vol vlijmscherpe tanden.

'Neem het nou maar van mij aan, meissie.' Delilahs grommende stem klonk dreigend. 'Ze hebben haar meegenomen. Dat kan ons allemaal overkomen. Jou ook.'

Julia legde haar pen neer en staarde in Delilahs slijmachtige gele ogen. Heroïne, daar waren die naalden in Delilahs setje voor. Kaposisarcoom, daar werden die plekken op haar huid door veroorzaakt. Julia had al meerdere artikelen over hiv en aids geschreven voor de *Red & Black*, daarom wist ze dat deze zeldzame vorm van kanker zich naar de organen kon uitzaaien en de hersenen kon aantasten. Zelfs wanneer Delilah op haar best was, was ze niet helder. Had ze een soort visioen of koortsdroom gehad? Het leek onmogelijk dat iemand zomaar van straat geplukt kon worden, midden in het centrum van Athens.

Aan de andere kant leek het ook onmogelijk dat een meisje van straat geplukt kon worden, terwijl ze van haar ouderlijk huis naar de winkel liep om een ijsje voor haar vader te halen.

En niet zomaar van straat geplukt.

Ergens vastgehouden.

Toch herinnerde Julia Delilah aan haar eerdere uitspraak: 'Daarstraks zei je nog dat je Mona het bos in had zien gaan.'

'De banden van dat busje zaten onder de aangekoekte modder. Gras en zo. Ik durf m'n rechtertiet erom te verwedden dat hij haar mee het bos in heeft genomen.' Ze leunde dichter naar Julia toe. Haar adem stonk naar bederf en sigaretten. 'Mannen doen dingen met meisjes, schat. Als ze de kans krijgen, doen ze dingen die jij niet wil weten.'

Julia voelde dat de haartjes in haar nek overeind gingen staan.

'Ha!' Delilah lachte, zoals altijd wanneer ze iemand op de kast wist te jagen. 'Ha!' Ze greep naar haar buik. Hoewel er verder geen geluid uit haar mond kwam, liet ze haar hoofd achterovervallen alsof ze het uitschaterde. Haar kale tandvlees blonk in het licht van de zon.

Julia wreef over haar nek om de haartjes daar weer glad te strijken.

Beatrice Oliver. Mona No-Name. Ze woonden nog geen dertig kilometer bij elkaar vandaan. Allebei waren ze knap, blond en pakweg van dezelfde leeftijd. Allebei hadden ze 's avonds over straat gelopen. Zouden ze gezien zijn door een boosaardige man die had besloten hen te ontvoeren?

Zou het dezelfde man zijn geweest, of twee verschillende mannen? Waren die mannen nu thuis bij hun gezin? Maakten ze ontbijt klaar voor hun kinderen, stonden ze zich te scheren of kusten ze hun vrouw gedag, glimlachend bij de gedachte aan wat ze later zouden doen met de meisjes die ze hadden ontvoerd?

'Hé.' Delilah porde tegen Julia's arm. 'Schiet eens op, ik heb nog meer te doen.'

Julia pakte de pen weer op en maakte de brief aan Delilahs dochter af. Zoals gewoonlijk ondertekende ze met 'Liefs', ook al had Delilah haar daar nooit om gevraagd.

10.42 uur – Lipscomb Hall, University of Georgia, Athens

Nog geen halfuur nadat Julia was teruggekomen in haar studentenhuis, werd ze wakker van haar pieper. Op de tast rommelde ze in haar handtas om het irritante geluid te laten ophouden. Haar hand raakte verstrikt in de gele sjaal die ze thuis had willen afgeven aan haar zusje. Eindelijk wist ze de knop te vinden en hield het gepiep op.

Ze draaide zich op haar rug en staarde naar het plafond. Haar hart bonkte in haar keel. Met twee vingers tegen haar halsslagader gedrukt telde ze de slagen tot het ritme langzaam weer normaal werd.

Ze had weer over Beatrice Oliver gedroomd. Deze keer had ze Beatrice niet van een afstandje gadegeslagen, maar zelf haar plaats ingenomen. Haar vader – Julia's eigen vader – had tegen haar gezegd dat hij tandpijn had, waarop ze had aangeboden om ijs te gaan halen in de winkel. Haar moeder had haar wat geld meegegeven en het volgende moment had ze over straat gelopen, maar in plaats van Beatrice Oliver was ze opeens Mona No-Name. Het was donker en kil, en ze zag een oldtimer staan. Plotseling werd er een zweterige mannenhand voor haar mond geslagen, voelde ze dat haar voeten loskwamen van de grond en werd ze de donkere, dreigende muil van het openstaande portier van een busje in gesleurd.

Toen bracht Julia een hand voor haar mond en vroeg ze zich af hoe het zou zijn om zo plotseling het zwijgen opgelegd te worden. Met haar vingers streek ze langs haar lippen. De aanraking werd steeds lichter, en voordat ze het wist glipte de zweterige, kwaadaardige man uit haar gedachten en dacht ze alleen nog maar aan Robin. Aan zijn zachte lippen op de hare. Aan zijn verrassend ruwe wang die langs die van haar streek. Aan zijn grote handen die haar borsten zo teder beroerden, en aan het gevoel dat dit bij haar teweegbracht omdat hij precies wist wat hij deed. Hij kneep of draaide niet, hij bereed haar niet alsof hij een zwerfhond was. Nee, hij bedreef de liefde met haar.

Althans, dat zou hij gaan doen, nam ze zich voor.

Haar moeder, die het belangrijk leek te vinden om openhartige, gênante gesprekken te voeren over alles, van seks tot drugs, had tegen haar gezegd dat ze met iedereen intiem mocht zijn, als ze maar zeker wist dat ze het echt wilde.

Julia wilde echt met Robin Clark naar bed.

Niet dat ze daar haar moeders toestemming voor nodig had.

Ze draaide zich op haar zij. Nancy Griggs, haar kamergenote, was twintig minuten geleden vertrokken naar haar keramiekles. Op dat moment had Julia gedaan alsof ze sliep. Dit weekend hadden ze knallende ruzie gehad, omdat Julia Nancy een preek had gegeven over dat ze niet te lang in bars moest blijven hangen en ervoor moest zorgen dat iemand die ze vertrouwde met haar meeliep naar huis.

Doordat Nancy met haar ogen had gerold, was Julia nog fanatieker geworden, en dat werkte averechts. Terwijl ze tegen haar beste vriendin tekeerging, drong het tot haar door dat ze precies zoals haar moeder klonk. Voor het eerst in haar leven kon dat haar echter niks schelen. Beatrice Oliver had er misschien wel baat bij gehad als haar wat vaker was ingepeperd dat ze goed op haar omgeving moest letten, en dat je moest zorgen dat je niet door een of andere gek van straat werd geplukt als je 's avonds laat een ijsje ging halen voor je vader.

'Val dood,' had Nancy haar toegebeten. 'Dat jij nu een vriendje hebt, wil niet zeggen dat je alles weet.'

Dat was de echte reden waarom Nancy boos op haar was. Julia was nooit eerder verliefd geweest, als je dit al verliefdheid kon noemen. Ze had nog nooit echt verkering gehad, zoals met Robin. In de bijna vijftien jaar dat ze vriendinnen waren, was Nancy altijd degene geweest die vriendjes had gehad en wereldwijs was op een manier die Julia alleen uit boeken kende.

Het deed Julia denken aan iets wat haar oma vaak zei: 'Je springtouw is veranderd in een hondenriem.'

'Robin!' Met een ruk ging Julia rechtop in bed zitten. Haar hart ging weer tekeer en haar mond liep vol met speeksel. Snel griste ze de pieper uit haar tas. Misschien was het Robin wel. Misschien stond hij nu in een telefooncel bij het bos te wachten tot zij hem zou bellen. Ze drukte op de knop om het nummer zichtbaar te maken, maar toen het in beeld kwam, wilde ze het apparaatje het liefst door de kamer smijten. Het was geen bericht van Robin, maar waarschijnlijk van een van haar zusjes, die de code 73837737 had gestuurd zodat er op zijn kop 'lellebel' stond.

'Hilarisch,' mopperde Julia, terwijl ze bedacht dat het gezien het tijdstip wel haar middelste zusje Pepper moest zijn, omdat haar jongste zusje veel te braaf was om te spijbelen.

Ze zwaaide haar benen over de rand van het bed en haar tenen tikten de vloer aan. Ze staarde naar Nancy's rommelige kant van de kamer. Hun beddengoed hadden ze samen uitgezocht bij Sears en de gordijnen en posters waarmee de kamer was aangekleed, hadden ze gekocht van het geld dat ze met oppassen hadden verdiend. Julia wist nog goed hoe zelfstandig ze zich op dat moment hadden gevoeld. Ze stonden op eigen benen, gaven hun zuurverdiende geld uit en zorgden voor zichzelf, als echte volwassenen. Na afloop was ze naar huis gegaan en had ze op kosten van haar ouders afhaalchinees gegeten. Ze had de kleren die haar ouders hadden betaald gewassen in hún wasmachine en had toen weer doodsangsten uitgestaan, omdat ze eigenlijk helemaal niet in staat was om zichzelf te onderhouden.

Julia zette twee stappen en ging aan haar bureau naar haar notitieblok zitten staren, waarop ze aan een liefdesbrief aan Robin was begonnen. Ze had een stuk geciteerd uit dat liedje van Madonna over zoenen in Parijs en hand in hand door Rome lopen.

Zou ze echt met hem naar bed moeten gaan? Was hij daar de juiste persoon voor? Vorig jaar rond deze tijd had het haar niet uitgemaakt aan wie ze haar maagdelijkheid zou verliezen. Waarom maakte ze er nu zo'n punt van?

Met haar potlood trok ze de songtekst nog eens over.

Kiss you in Paris...

Dit was waarschijnlijk niet het beste moment om een liefdesbrief te schrijven, zeker aangezien Robin pas aan het eind van de week terug zou komen. Ze mocht niet zo'n dom wicht worden dat alles uit haar handen liet vallen voor een jongen. Eigenlijk zou ze moeten studeren voor dat belangrijke psychologietentamen en haar essay over Spenser nog eens moeten lezen voor professor Edwards' college van vanmiddag. Bovendien zou ze aan haar voorstel voor de *Red & Black* moeten werken, want aangezien het al vijf weken geleden was dat Beatrice Oliver was ontvoerd, zou het al moeilijk genoeg worden om Greg, Lionel en Mr Hannah ervan te overtuigen dat haar verdwijning nog steeds nieuwswaardig was.

Terwijl ze met haar potlood tegen haar mond tikte, staarde ze naar de polaroids die aan de muur voor haar hingen. Nancy die haar middelvinger opstak. Haar zusjes die onhandige radslagen maakten in het park. Haar ouders die met elkaar dansten op een feestje; ze waren aan het schuifelen, maar het zag er romantisch uit in plaats van gênant. En hun schildpad Herschel Walker, een niet al te gewaardeerd moederdagcadeau, die lag te zonnen op de veranda.

Een mooi jong meisje liep over straat toen er opeens...

Er kwam een verontrustende gedachte bij haar op. Was Beatrice Oliver ook nog maagd geweest? Was de persoon die haar had ontvoerd, de persoon die haar ergens vasthield, de eerste persoon met wie ze ooit seks had gehad?

Zou hij ook de laatste zijn?

'Houd je kop!' schreeuwde een meisje in de gang. Aan haar tongval te horen kwam ze uit Alabama, al werd het geluid gedempt door de dichte houten deur. Het klonk alsof ze iemand aan het pesten was. Julia had meteen een hartgrondige hekel aan haar, zonder haar zelfs maar te hebben gezien. 'Nee, *jíj* hebt het gedaan, stomme gans.'

Julia schrok toen er hard op de deur werd gebonkt.

'Hallo-o?' riep Alabama.

Aangezien er alleen meisjes in het studentenhuis woonden, nam Julia niet de moeite om haar badjas te pakken, ook al had ze alleen een T-shirt en ondergoed aan. Van die beslissing had ze meteen spijt toen ze besefte dat ze dit meisje nog nooit had gezien.

Dat weerhield Alabama er niet van om de kamer in te lopen. 'Wat een rotzooi. Jullie zouden een schoonmaker moeten nemen.' Ze keek onder Nancy's bed en daarna naast haar bureau. Van daaruit liep ze naar Nancy's kast.

'Sorry hoor,' zei Julia, 'ken ik jou?'

'Ik ben een vriendin van Nancy.' Het meisje trok de kast open. 'Ze zei dat ik iets van haar mocht lenen. Ah, ik heb hem al.' Ze trok een leren tas uit de kast, waardoor er een berg schoenen omviel. Toen ze zich weer omdraaide, nam ze Julia langzaam van top tot teen in zich op. 'Leuke sokken.'

Met die woorden vertrok ze en liet ze een zure walm van minachting achter.

Julia keek omlaag. Haar sokken waren grijs met zwart-geelbruine teckels erop. Het liefst zou ze achter het meisje aan rennen om te vragen wat er aan haar sokken mankeerde, maar eigenlijk wist ze ook wel dat die opmerking niets met haar sokken te maken had, maar bedoeld was om Julia op haar plaats te zetten.

Hoewel Julia dat soort spelletjes best begreep, had ze geen idee hoe ze ze moest spelen.

Ze keek op haar horloge. Haar college over Spenser begon pas om twaalf uur. Ze moest nog steeds de gele sjaal afgeven aan haar zusje en haar moeder had beloofd een paar uitdraaien die ze nodig had voor haar klaar te leggen op de keukentafel. De zon scheen, het was een frisse dag. Misschien zou een eindje fietsen de spookbeelden uit haar hoofd kunnen verjagen.

Julia deed haar spijkerbroek aan, trok een sweater over haar T-shirt aan, pakte haar tasje en begon haar boekentas in te laden. Pas nadat ze de deur al op slot had gedaan, bedacht ze dat ze haar tanden had moeten poetsen en een kam door haar haar had moeten halen, maar dat kon ze thuis ook wel doen. In haar ouderlijk huis, corrigeerde ze zichzelf, want ze woonde natuurlijk niet meer in het huis aan Boulevard.

Eenmaal buiten kostte het haar moeite om haar fiets van het slot te krijgen, omdat ze de sleutel door een laag roest heen moest zien te persen. De ochtendnevel was helemaal opgetrokken tegen de tijd dat ze langs de zwarte ijzeren boogdoorgang naar de North Campus fietste. Waarschijnlijk had ze beter een jas kunnen aantrekken, maar zolang ze in de zon bleef ging het wel. Ze slingerde tussen de andere studenten op Broad Street door. Zo te zien was iedereen in een goed humeur. Het weer schommelde tussen winters en lenteachtig en elke dag die zonnig beloofde te worden, was er een om te koesteren.

Het was nog geen kwartier fietsen van Julia's studentenhuis naar het huis van haar ouders, maar op de een of andere manier leek de heenreis altijd langer te duren dan de terugreis. Wanneer ze de lanen van haar oude buurt in reed, werd ze steevast overvallen door nostalgie. Eenmaal aangekomen op Boulevard ging Julia op haar pedalen staan. De statige victoriaanse huizen en woningen in ranchstijl waren voor haar bekend terrein. In deze wijk woonden vooral hoogleraren, al beweerde haar moeder dat sommige oudgedienden hier al waren sinds het jaar kruik.

Ze knikte naar Mrs Carter, die haar tuinslang nog altijd bij de hand hield voor het geval dat kinderen een stukje af probeerden te snijden door haar enorme voortuin. Daarna stak ze de straat over en keek ze al uit naar het zien van de keffende springerspaniël van de Bartons. Ook al had hij zichzelf nóg zo vaak bijna gewurgd, toch vergat hij telkens, wanneer er iemand voorbijkwam, dat hij met een ketting aan een boom vastzat.

Uiteindelijk reed ze de oprit van het gele victoriaanse huis van haar ouders op. Peppers fiets stond tegen de veranda, maar daar viel niets uit af te leiden, want haar middelste zusje was zestien en had volop vriendinnen die haar met de auto naar school konden brengen. De roze fiets van haar jongste zusje stond er niet, want die perfecte kleine Sweetpea deed altijd precies wat haar ouders van haar verwachtten.

Sweetpea. Julia's zusje was niet zoet en had ook niet de vorm van een erwt, eerder die van een puntige stok. Haar bijnaam had ze gekregen omdat ze in de zomer dat ze acht werd alleen maar doperwten wilde eten. Het was een mooi verhaal – net zoals Pepper zo werd genoemd omdat oma altijd zei dat ze peper in haar reet had – maar Julia was degene die de hele zomer telkens een blik erwten moest opentrekken als Etterbakje weer eens om meer brulde. Om er nog maar van te zwijgen hoe die erwten er op weg naar buiten uitzagen. Je zou denken dat de groene diarree haar fataal was geworden, maar nee, ze was er nog steeds.

Bij die laatste gedachte voelde Julia zich meteen schuldig. Ze zou best wat liever mogen zijn voor haar zusje, maar dat viel niet mee aangezien zij het veel makkelijker had dan Julia het vroeger had gehad. Het leek wel alsof haar ouders in die vijf jaar van harde, onvermurwbare keien waren veranderd in piepkleine kiezelsteentjes die je over de beek kon laten stuiteren. Natuurlijk hield Julia van Sweetpea, ze waren per slot van rekening zusjes. Toch waren er ook momenten waarop ze haar wel kon wurgen, ze waren per slot van rekening zusjes.

Om haar schuldgevoel de kop in te drukken, dacht Julia aan de momenten waarop ze één front vormden. Zoals die zeldzame keren dat hun ouders ruzie hadden – échte ruzie dan, want verhitte discussies hadden ze maar al te vaak gevoerd. Op die momenten sliepen de drie meisjes samen in één bed, alsof ze zich door middel van elkaars nabijheid konden beschermen tegen het geschreeuw. Of die keer dat oma tegen Pepper zei dat ze te dik was en Sweetpea haar een ouwe zeurkous noemde. Of toen Julia de allereerste keer dat ze een joint had gerookt was opgepakt, en haar zusjes buiten haar slaapkamerdeur op wacht bleven staan tot haar ouders klaar waren met tegen haar schreeuwen. Of toen Charles en Diana in het huwelijk traden en ze alle drie als kleine kinderen hadden zitten snikken, omdat het zo romantisch was hoeveel die twee van elkaar hielden, en omdat ze hoopten dat hun zusjes ook de eeuwige liefde zouden vinden, het liefst bij een rijke prins.

Door die herinneringen voelde Julia zich een beetje weemoedig terwijl ze naar het huis toe liep. Ze stapte over de kapotte trede van de veranda heen, waarover haar moeder alsmaar tegen haar vader mopperde dat hij die moest repareren, en ontweek de pot met verlepte krokussen, waarover haar vader telkens tegen haar moeder mopperde dat ze die moest verpotten. Zoals gewoonlijk was de voordeur niet op slot. De sleutels waren altijd onvindbaar en haar moeder was er redelijk zeker van dat een dief na één blik op het aftandse meubilair in hun woonkamer al zou bedenken dat hier niets de moeite van het stelen waard was.

Julia's vader was dierenarts en nam heel vaak zwerfdieren mee naar huis. Wanneer haar moeder daar een stokje voor probeerde te steken, namen Julia en haar zusjes de dieren in zijn plaats mee. Het gele victoriaanse huis werd hier in de buurt dan ook met enige afkeuring het Dr. Dolittle-huis genoemd.

Toen Julia haar boekentas neerzette, streek er een bruine cyperse kat van onbekende herkomst langs haar benen. Vanaf de bank klonk een lage blaf van Mr Peterson, een verminkte terriër die liggend op zijn rug moest aansterken. Naast hem op de grond zat Mrs Crabapple, een goudbruine labrador met geheugenproblemen. Vanuit de serre klonk het zachte gemurmel van een herstellende toekan.

'Meisjes, mag ik jullie voorstellen aan *señora* Pikos-in-je-vingeros, uit de familie Ramphastidae,' had haar vader gezegd toen hij de vogel introduceerde op dezelfde formele toon die hij altijd in het bijzijn van patiënten gebruikte.

'*Ay, caramba,*' had haar moeder gemompeld, en de rest van de avond had ze zich teruggetrokken in het souterrain.

Nadat Julia de honden een aai had gegeven liep ze naar de keuken, waar het zoals gewoonlijk een enorme puinhoop was. De borden en glazen van het ontbijt stonden nog op haar zusjes te wachten, al zou Sweetpea ze zó langzaam afwassen dat Pepper het uiteindelijk zou overnemen. Er sprong een onbekende oranje kat op het aanrecht, een duidelijke overtreding van de enige regel die Julia's moeder eropna hield voor katten. Julia pakte hem op en zette hem op de vloer. Hoewel de kat meteen weer op het aanrecht sprong, vond Julia dat ze zo wel genoeg had gedaan.

De stapel uitdraaien lag inderdaad op de keukentafel. Ze had haar moeder gevraagd om alle artikelen van het afgelopen jaar op te zoeken over meisjes die vermist waren geraakt in de staat Georgia. Het handschrift bovenaan het eerste vel was net zo keurig als dat van een kleuterjuf, wat erop duidde dat haar moeder een van de bibliotheekassistentes aan het werk had gezet met het microficheapparaat. De vrouw had een briefje geschreven: *Dit zijn de artikelen waarover geen vervolgartikelen zijn verschenen.*

Terwijl Julia het eerste artikel las, smeerde ze wat pindakaas op een banaan. Twee maanden geleden had *Clayton News Daily* een artikel op de voorpagina geplaatst over een meisje dat was verdwenen van de universiteitscampus. De foto was te donker om een idee te krijgen van hoe het meisje eruitzag, maar volgens de beschrijving was ze een mooie brunette.

Julia bladerde verder. *Statesboro Herald.* Nog een vermist meisje, voor het laatst gezien in een bioscoop. Omschreven als sportief en aantrekkelijk.

Het volgende artikel was afkomstig uit *The News & Observer.* Een vermist meisje was voor het laatst gesignaleerd in de buurt van de braderie van Fannin County. Lang, met donker haar en een knap gezicht.

Tri-County News. Een meisje uit Eden Valley was als vermist opgegeven. Blond haar, blauwe ogen. Voormalig winnares van een missverkiezing.

The Telegraph. De kop luidde: KAMERGENOTE VAN STUDENTE AAN MERCER: 'ZE IS NOOIT MEER THUISGEKOMEN'. Ook de dominee werd in het artikel geciteerd: 'Ze is een beeldschone, vrome jonge vrouw en we willen allemaal gewoon dat ze terugkomt.'

Mooi. Knap. Beeldschoon. Jong.

Net als Beatrice Oliver.

Net als Mona No-Name.

De twee recentste verdwijningen stonden nog niet op microfiche, maar over een paar maanden zouden die meisjes zich aansluiten bij dit clubje dat niet te benijden viel. Julia controleerde de dagtekeningen. Geen van de verhalen was afkomstig uit Athens. Dat was niet alleen om de voor de hand liggende reden een opluchting, maar ook omdat het betekende dat haar niets was ontgaan in de *Athens-Clarke Herald*, die ze elke dag las.

Julia maakte een stapel van de afdrukken. De verhalen hadden haar geraakt en ze voelde haar hart weer tekeergaan. Het was opeens benauwd in de keuken en ze wuifde zichzelf koelte toe met de papieren. Terwijl ze ermee heen en weer wapperde, gaven ze telkens een glimp prijs van rouwende ouders, schoolfoto's en spontane kiekjes die tijdens de zomervakantie waren genomen.

Al die mooie meisjes. Allemaal vermist. Of ontvoerd. Of ergens vastgehouden.

Of misschien was hun stoffelijk overschot alleen nog niet gevonden.

Er viel een kaartje tussen de bladzijden uit. Het was een briefje in haar moeders handschrift. Geen standje omdat ze zulk deprimerend leesmateriaal had opgevraagd, maar een bonnetje van de bibliotheek. Achtentwintig afdrukken van vijf cent per stuk.

Julia viste een dollar en twee kwartjes uit haar tas, al wist ze dat haar moeder er irritant genoeg alles aan zou doen om haar die tien cent wisselgeld terug te geven. Het geld liet ze samen met het bonnetje op de tafel achter. Haar blik viel op de datum van vandaag: 4 maart. Haar oma was bijna jarig. Weer begon Julia in haar tas te rommelen. Daar vond ze de kaart die ze al had gekocht voordat oma tegen haar had gezegd dat het ernaar uitzag dat Julia die laatste paar studentenkilo's nooit meer zou kwijtraken.

'Ze bedoelt dat je dik bent,' had Sweetpea behulpzaam gezegd.

Julia legde de dichtgeplakte envelop op tafel. In de verjaardagskaart had ze een paar aardige dingen geschreven, aardige dingen waar ze nu niet meer achter stond. Zou ze de envelop open kunnen stomen om het een en ander aan te passen?

Uiteindelijk liet ze de kaart gewoon op tafel liggen. Zo voelde het misschien om je niet tot iemands niveau te verlagen, alleen was het wel balen dat niemand daar iets van afwist.

Ze ging naar haar slaapkamer, die zich op de begane grond bevond omdat de studeerkamer van haar vader op de bovenverdieping te rommelig was om tot babykamer om te toveren toen Sweetpea op komst was. In de deuropening bleef ze even staan. Hoewel er niets was veranderd, voelde ze zich een buitenstaander. De muren waren nog steeds lila. Haar rockposters hingen er nog: Indigo Girls, R.E.M. en aan het plafond Billy Idol, zodat hij de laatste was die ze zag wanneer ze 's avonds naar bed ging. De polaroids van haar middelbareschoolvriendinnen waren nog steeds tussen de lijst van de spiegel boven de kaptafel gestoken. Mr Biggles lag nog op haar bed. Ze pakte de versleten knuffelhond, drukte een kus op zijn kop en bood hem voor de zoveelste keer in gedachten haar verontschuldigingen aan, omdat ze hem per ongeluk had weggegooid op de dag dat ze haar spullen had gepakt om haar intrek in het studentenhuis te nemen. Godzijdank had haar vader hem gered.

Ze streek glad wat er over was van Mr Biggles' sjofele, vlekkerige vacht. Het arme ding had heel wat meegemaakt. Julia had 's nachts zo vaak op hem gelegen dat hij bijna helemaal plat was. Sweetpea had zijn haar bijgeknipt nadat ze per ongeluk-expres limonade over hem heen had gemorst. Pepper had zijn neus verschroeid met een krultang en hoewel Julia op dat moment had gedaan alsof ze het grappig vond, voelde het alsof ze doodging vanbinnen.

Voorzichtig legde ze Mr Biggles weer op het plekje waar hij thuishoorde. Met de mouw van haar sweater veegde ze wat stof van de lelijke blauwe lavalamp waarvan ze wist dat haar moeder ervan gruwde – daarom had Julia hem hier ook achtergelaten. De oranje kat sprong op haar bed. Pas toen ze haar hand over zijn rug liet glijden, besefte ze dat dit weer een andere oranje kat was. Op zijn rechterachterpoot zat een kaalgeschoren plekje waar een infuus had gezeten. Zijn gespin klonk als de trillende tanden van een kam.

Julia diepte de gele sjaal op uit haar tas en liep de trap op naar Peppers slaapkamer. Zoals gewoonlijk zag het eruit alsof er een bom was ontploft. De vloer was bezaaid met kleren, en boeken lagen opengeslagen met de bladzijden omlaag ('een zonde', als je het hun moeder zou vragen). De wanden waren donkergrijs geschilderd en de gordijnen waren bijna zwart. De kamer leek eerder op een grot, maar dat was precies de bedoeling. Zoals het ook de bedoeling was dat het hun moeder tot waanzin zou drijven.

Julia bracht haar hand naar haar hals. Ze had Peppers gouden medaillon maanden geleden al zonder te vragen geleend, maar haar zusje had afgelopen vrijdag pas gemerkt dat het weg was. Er was een verhitte ruzie ontstaan toen Julia beweerde dat ze het medaillon niet had gepakt, en nogmaals toen Pepper doorkreeg dat Julia het medaillon nota bene om had en het onder haar shirt had weggestopt. In plaats van het terug te geven, was Julia het huis uit gestormd en had ze de deur achter zich dichtgeslagen.

'Jij hebt mijn strohoed gepikt!' had ze nog over haar schouder geroepen, alsof ze daarmee quitte stonden.

Waarom had ze zich zo kinderachtig gedragen? En waarom zou ze het medaillon niet gewoon teruggeven? Ze keek naar de kaptafel, die vol lag met prullaria die Pepper hooguit één keer had gedragen en waar ze vervolgens nooit meer naar had omgekeken. Zilveren en zwarte armbanden. Een grote zwarte strik die eigenlijk van Julia was. Meerdere

T-shirts waarvan de kraag in *Flashdance*-stijl was uitgescheurd. Regenboogkleurige leggings. Zwarte panty's. Zoveel oogschaduw, poedertjes en rouge dat Julia zich er geen raad mee zou weten.

Niet dat haar zusje make-up nodig had. Julia mocht dan beeldschoon zijn, Pepper was voluptueus, wat volgens Julia zonder meer de voorkeur verdiende. Haar middelste zus had weelderige rondingen, en nu ze wat ouder werd had ze iets sensueels, waardoor de vrienden van hun vader de stomste dingen uitkraamden wanneer zij erbij was.

Dat kwam niet alleen door haar uiterlijk. Ze had een bepaalde houding die mensen aantrok. Ze zei altijd waar het op stond en deed wat ze wilde, zonder zich erom te bekommeren wat anderen daarvan vonden. Ook had ze meer levenservaring dan Julia. Ze was pas twaalf toen ze voor het eerst een trekje van een joint nam. Vorige week had ze op een feestje cocaïne gesnoven omdat iemand haar had uitgedaagd, wat angstaanjagend maar ook best indrukwekkend was. Het gouden medaillon had ze cadeau gekregen van een jongen met wie ze het had gedaan op de achterbank van zijn vader's Chevy. Althans, dat had Pepper gezegd, en waarom zou ze over zoiets liegen?

Julia stopte het medaillon weer onder haar shirt. Ze deed een paar van de zwarte en zilveren armbanden om, want ze had de hare tegelijkertijd gekocht en het was niet te zien welke van wie waren. Daarna pakte ze de zwarte strik. De gele sjaal legde ze op het bed, in de hoop dat haar zusje hem zou zien liggen tussen de berg kleding die er al lag. Net toen ze de kamer uit wilde lopen, hoorde ze een zachte kreun.

Ze fronste haar wenkbrauwen. Was die arme oude labrador weer naar een hoekje gelopen en wist ze niet meer hoe ze daar weg kon komen? Stond een van de katten op het punt een haarbal op te hoesten?

Weer klonk er een kreun, zacht en langgerekt, ongeveer zoals het tevreden geluid dat iemand maakt als het hem eindelijk lukt zich eens goed uit te rekken.

Toen Julia de overloop op liep, zag ze dat de slaapkamerdeur van haar ouders dicht was. Door de kieren kwam wat licht naar buiten. Ze hoorde nog een kreun en rende de trap af voordat ze het nog eens zou horen en zuur in haar oren zou moeten gieten om de herinnering uit te bannen.

'Getver,' mompelde ze terwijl ze haar fiets pakte. 'Getverdegetver.'

De hele rit terug naar de campus dacht ze aan van alles, om maar niet aan haar ouders die seks hadden te hoeven denken. De hoorzittingen over de Iran-Contra-affaire, waarvoor Julia was thuisgebleven van school om er samen met haar vader naar te kijken. De eerste hond die ze had gehad, Jim Dandy, een golden retriever die mank liep omdat, in de woorden van haar vader: 'een of andere ezel ervan uitging dat een hond verstand had van natuurkunde en hem los in de laadbak van een pick-up had vervoerd.' Sweetpea's dertiende verjaardagsfeest vorig jaar, toen ze allemaal blij waren geweest dat ze eindelijk een tiener was geworden – behalve dan haar moeder, die wat van haar vaders bier had gedronken en neerslachtig was geworden. Opa Ernie, die altijd zijn gitaar erbij pakte na de zondagse lunch en ze dan allemaal dansten op de muziek die hij speelde, ook al kende niemand die.

Tegen de tijd dat ze weer op de campus aankwam, was het precies twaalf uur. Julia zette haar fiets met het kettingslot vast voor het Tate Student Center en rende naar de collegezaal. Professor Edwards stond al achter zijn spreekgestoelte te vertellen en staarde Julia doordringend aan toen ze zich naar binnen haastte.

'Het spijt me,' zei ze terwijl ze snel naar haar zitplaats achterin liep. 'Ik was mijn essay vergeten en moest terug naar mijn kamer om hem te halen.'

Toen ze wilde gaan zitten, hield hij haar tegen. 'Geef maar hier.' Hij wenkte haar om aan te geven dat hij geen grapje maakte.

Julia legde wat aanvoelde als duizend kilometer af naar professor Edwards en overhandigde hem het twaalf pagina's tellende essay. Ze had het op de typemachine geschreven en het zat vol met vlekken van de correctievloeistof.

Precies op het moment dat ze zich weer wilde omdraaien, zei hij: 'Wacht hier maar. Dit zal niet lang duren.'

Zodoende bleef ze voor zijn spreekgestoelte staan terwijl hij haar werk las. Nerveus verplaatste ze haar gewicht van de ene naar de andere voet en wrong ze in haar handen. Ze keek niet naar haar klasgenoten die achter haar zaten te grinniken. Op zijn beurt keek professor Edwards niet naar Julia. Hij sloeg de bladzijden met een scherpe beweging van zijn pols om. Soms knikte hij, maar nog vaker schudde hij zijn hoofd.

Edwards was jonger dan de meeste van Julia's professoren, waarschijnlijk ergens halverwege de dertig, maar boven op zijn hoofd had hij een piepklein kaal plekje waar de meiden het vaak over hadden. Niet omdat het hem minder aantrekkelijk maakte, want je kon er niet omheen dat professor Edwards uitermate aantrekkelijk was, maar omdat ze wisten dat ze dat als wapen konden gebruiken als hij ooit probeerde avances te maken.

Professor Edwards stond erom bekend dat hij weleens ongepaste opmerkingen maakte. Het was een van die tips die werden doorgegeven aan nieuwe studenten: 'Niet onder de boog door lopen, anders haal je geen diploma', 'SAE staat niet voor Sigma Alpha Epsilon, maar voor Seksisten, Aanranders, Etterbakken', 'Zorg dat je niet alleen bent met professor Edwards, tenzij je zit te wachten op opmerkingen over hoe mooi je bent, wat een lekker kontje je hebt, hoe perfect je borsten zijn of hoe dicht zijn appartement bij de campus is'.

'Hoe heten die monniken ook alweer die hun hoofd op een ring van haar na kaalscheren?' had Nancy Griggs gevraagd nadat ze die tip hadden gekregen van een laatstejaars.

'Franciscanen?' had Julia gegokt. Haar moeder had het vast wel geweten, maar als ze haar in vertrouwen had genomen, zou haar vader waarschijnlijk met een jachtgeweer naar de klas zijn gekomen.

'Precies, ja,' had Nancy geantwoord. 'Wanneer hij je probeert te versieren, moet je vragen of hij een franciscaan is, vanwege die kale plek op zijn hoofd.'

Wannéér, niet áls.

Alle meiden dachten dat professor Edwards een oogje op Julia had.

In werkelijkheid had hij nog nooit toenadering gezocht, maar hij hoefde ook niets te zeggen over haar kont of borsten, want zijn blik sprak boekdelen. Het treurigste was nog wel, behalve dan dat hij ermee wegkwam, dat hij een goede docent was. Op de middelbare school had Julia het op haar sloffen afgekund om goede cijfers te halen voor haar essays, maar Edwards daagde haar uit om meer moeite in haar werk te steken. Hij prikte dwars door haar trucjes heen, herschreef haar zinnen en legde haar uit waarom. Door hem wilde ze alsmaar beter worden.

Maar tegelijkertijd voelde ze zich extreem opgelaten door hem.

Eindelijk keek Edwards op van haar essay. 'De insteek bevalt me wel, maar je zult zelf ook wel weten dat er nog veel aan moet gebeuren.'

'Ja, meneer.'

Hij hield haar blik vast. Haar essay lag nog steeds op het spreekgestoelte en hij had er een van zijn grote handen op gelegd, voor het geval ze zou proberen het te pakken.

Julia vouwde haar handen ineen. Haar wangen waren rood en het zweet brak haar uit. Ze stond niet graag in het middelpunt van de belangstelling, en het ergste was nog wel dat ze vermoedde dat professor Edwards dit doorhad en haar ermee kwelde, gewoon omdat het kon.

'Goed.' Hij klikte met zijn balpen en begon de bladzijden te markeren met snelle halen die dwars door het papier sneden. 'Dit kan weg.' Hij zette een kruis door twee alinea's waar Julia uren op had gezwoegd. 'En dit...' Hij omcirkelde een andere alinea en trok een pijl naar de bovenkant van de pagina. 'Dit kan hierheen, en dit daarheen. Trouwens, die alinea op de laatste bladzijde kun je beter naar het begin verplaatsen, hier ongeveer. Dit is overbodig, en dit ook. Dit kan ermee door, maar het kan beter.'

Tegen de tijd dat hij klaar was, had zowel Julia als haar essay veel weg van een klok van Escher die de wanhoop in tolde.

'Begrepen?' vroeg Edwards.

'Ja, meneer.' Ze had de boodschap begrepen: ze zou nooit meer te laat komen voor een van zijn colleges.

Toen ze het essay weer wilde aanpakken, hield hij het een tel langer vast dan nodig. Zodoende ritselden de pagina's op het moment dat ze ze eindelijk aan zijn greep wist te ontworstelen. Onderweg naar haar zitplaats deed ze alsof ze zijn aantekeningen doornam. Ze voelde dat Edwards haar nauwlettend gadesloeg en er ontsnapte zelfs een vreemde grom uit hem toen ze ging zitten, alsof hij het begin van een nummer van Al Green nadeed.

13.20 uur – Tate Student Center,
University of Georgia, Athens

Julia zat aan een tafeltje tegenover Veronica Voorhees, met wie ze een salade zou delen, maar die nu al meer dan de helft had opgegeten. Het kon Julia niks schelen. Haar maag was nog van streek door die toestand met professor Edwards – niet die aan het begin van het college, maar nadat het college was afgelopen.

Julia was als laatste in de collegezaal overgebleven. Opeens had Edwards achter haar gestaan, zo dichtbij dat ze zijn hete adem in haar nek kon voelen toen hij had gefluisterd: 'Extra studiepunten als je vanavond naar mijn college komt.'

'O,' had ze gezegd, even uit het veld geslagen door zijn nabijheid. 'Oké.'

'South Campus. Misschien kunnen we na afloop koffie gaan drinken en nog even verder praten over je essay.'

'N-Natuurlijk,' had ze gestotterd als een idioot.

Daarna had ze zijn hand over haar billen voelen glijden, met evenveel ontzag als ze had gezien bij mannen die op een veeveiling met hun hand over de flank van een dier streken.

Pas twee verdiepingen lager begonnen de 'had ik maars'. Had ik zijn hand maar weggeslagen. Had ik hem maar gevraagd wat hem bezielde. Had ik maar gezegd dat hij me met rust moest laten, dat hij walgelijk en wreed was; dat hij een heel goede docent was, dus waarom moest hij het verpesten door zo'n engerd te zijn?

'Waar zit je met je gedachten?' vroeg Veronica. Er viel een stukje sla uit haar mond.

Het deed Julia denken aan hoe Mona No-Name had gegeten op de eerste dag dat ze naar de opvang was gekomen. Ze had haar mond zo vol gepropt dat ze zich verslikt had.

Mona. Door haar pietluttige problemen met professor Edwards was Julia het vermiste dakloze meisje helemaal vergeten.

Was Mona echt vermist? Was ze echt door een man van straat geplukt en een busje in gesleurd? Was datzelfde busje vijf weken geleden ook achter Beatrice Oliver gestopt? Wie beide vrouwen – of een van hen – ook had meegenomen, hij wist wat hij deed. Hij was geen boeman of wolf uit de verhaaltjes. Hij was een haai met vlijmscherpe tanden die hulpeloze vrouwen onder water trok en meesleurde naar een donker plekje waar hij hen kon verslinden.

'Julia?' Veronica klopte op de tafel om haar aandacht te trekken. 'Zit je soms ergens mee?'

'Ik ben gewoon moe.' Om maar iets omhanden te hebben, nam Julia een hap van haar tosti. Ze probeerde het beeld van de haai van zich af te zetten door weer aan professor Edwards te denken.

Als ze er melding van deed, zou Edwards zijn kant van het verhaal mogen vertellen, en Julia twijfelde er niet aan dat hij dan zijn woordje klaar zou hebben. In gedachten nam ze door wat hij zou zeggen: *Ze is boos omdat ik haar een laag cijfer heb gegeven voor haar essay. Ze wil het me betaald zetten omdat ze heeft geprobeerd me te verleiden en ik nee heb gezegd. Ze is gek. Ze is een trut. Ze is een leugenaar. Ze heeft al vaker in de nesten gezeten.*

Dat laatste was waar. Vorig jaar was Julia opgepakt door de campuspolitie. Een paar laatstejaars bij de *Red & Black* hadden Julia uitgedaagd om verder te gaan dan een vernietigend opiniestuk schrijven over de agrarische faculteit die zich bezighield met genetisch gemodificeerde organismen. Pas nadat ze hadden ingebroken in het lab en daar wat apparatuur hadden vernield, was het tot haar doorgedrongen dat zij de enige was die geen speed had gebruikt.

'Hun pupillen zijn nog groter dan mijn pik,' had de campusagent tegen zijn partner gezegd.

Hoewel Julia nog nooit een penis in het echt had gezien, had ze er niet aan getwijfeld dat hij gelijk had. In het licht van zijn zaklamp had ze duidelijk kunnen zien dat haar metgezellen zo stoned waren als een garnaal.

'Hé, schoonheid!' Ezekiel Mann dook achter Julia's stoel op en legde zijn klamme handen op haar schouders. 'Waar ging je laatst nou opeens naartoe?'

Julia was helemaal nergens naartoe gegaan, maar toch zei ze: 'Sorry.'

'Geen probleem.' Zijn vingers priemden in haar huid. 'Heb je tijd om een potje te poolen?'

Nog voordat hij uitgepraat was, stond Julia al op. Ze was wel genoeg betast voor vandaag.

'Dames gaan voor.' Hij drukte haar een keu in de hand.

Julia nam de keu aan, want er keken mensen naar hen en ze wilde niet onbeschoft overkomen. Hoewel ze van haar oma heel goed had leren poolen, stootte ze zelfs bij de makkelijkste ballen expres mis om Ezekiel niet voor schut te zetten. Het enige lichtpuntje was David Conford, die op een van de gestoffeerde banken zat en als een ware professional verslag uitbracht van het potje.

'Julia Carroll, een jonge meid met een gretige blik in haar ogen, leunt over de tafel. Gaat ze voor groen of gaat ze voor blauw?' Hij zweeg even om een slok cola te nemen en viel uit zijn rol. 'Weet je, Julia, je bent hier echt heel slecht in.'

'Ze is mooi,' bemoeide Ezekiel zich ermee. 'Wat maakt het uit als ze nergens goed in is?'

Julia veranderde van houding en stootte zowel de groene als de blauwe bal in de hoekpocket.

'Wat een afgang voor Ezekiel Mann!' David klapte in zijn handen. 'De underdog weet het publiek te verbazen.'

Tot Davids grote genoegen wist Julia ook de vier laatste ballen te potten en stootte ze tot slot de zwarte bal in de middenpocket, terwijl Ezekiel haar met open mond aangaapte en op zijn keu leunde alsof het een miniatuurversie van een springstok was.

Julia ging naast David op de armleuning zitten. 'Dat was leuk.'

Ezekiel kwakte zijn keu in het rek en beende ervandoor.

Lachend keek David zijn vriend na. Tegen Julia zei hij: 'Hé, Fast Eddie, zeg het de volgende keer even als je weer tegen hem gaat spelen, dan kan ik er geld op inzetten.'

Ze schoot in de lach, want David was zo'n jongen die de lach aan zijn kont had.

'Ik hoorde dat Michael Stipe vanavond naar de Manhattan komt,' merkte hij op.

'Juist.' Er deden elke dag wel geruchten de ronde dat de leadzanger van R.E.M. 's avonds of in het weekend in een of andere bar zou zijn of dat hij daar misschien al was. 'Ik dacht dat hij op tournee was.'

'Ik zeg alleen wat ik gehoord heb, schat.' David stond op van de bank. 'Misschien zie ik je daar wel.'

'Misschien,' zei Julia puur uit beleefdheid.

Het Student Center liep langzaam leeg, en ook Julia pakte haar tasje en haar boekentas. In plaats van op de fiets te stappen, ging ze naar het kantoor van de *Red & Black* een paar gebouwen verderop. Dat ze zichzelf had toegestaan om te winnen met poolen had haar een oppepper gegeven, en daar wilde ze gebruik van maken om haar voorstel voor een artikel over Beatrice Oliver uit de doeken te doen.

Door de achtentwintig afdrukken die haar moeder op de keukentafel had klaargelegd, wist Julia precies waar haar praatje om moest draaien. Mensen zeiden altijd dat ze harde feiten wilden, maar eigenlijk kwam het erop neer dat ze bang gemaakt wilden worden. Deze meisjes waren stuk voor stuk heel normaal. Heel onschuldig. Heel herkenbaar. Ze hadden je moeder, je nicht of je vriendin kunnen zijn. Een dochter verdwijnt uit een bioscoop. Een zus verdwijnt op een braderieterrein. Een geliefde tante rijdt weg in haar auto en wordt nooit meer teruggezien. Julia wist waar het om draaide bij het verhaal van Beatrice: dezelfde details die haar al wekenlang niet loslieten.

Een beeldschoon meisje is verdwenen terwijl ze ijs ging halen voor haar zieke vader...

Met een glimlach herhaalde Julia dat zinnetje telkens in haar hoofd, terwijl ze door de lange gang naar de redactie van de *Red & Black* liep. Het volgende moment moest ze hoesten door de rook die door de openstaande deur de gang in walmde. Hoewel iedereen hier pretendeerde verslaggever te zijn, zou niemand een artikel wijden aan de gevaren van meeroken, aangezien hun mentor nog eerder met vervroegd pensioen zou gaan dan dat hij zijn Marlboro Red zou opgeven.

Mr Hannah noemde de redactiekamer 'de stierenwei', wat volgens Julia een verkapte manier was om te zeggen dat hij niet van plan was om de papieren op te ruimen die op zijn bureau, in de hoeken en in de uitpuilende boekenkasten opgehoopt lagen.

Julia vond de rommel heerlijk. Ze genoot van de stank van nicotine, inkt en dat rare blauwe spul dat uit de stencilmachine kwam. Ze hield van het geklik van de telex, het zoemen van de printer, het gesis van lijmspray, het zoevende geluid van de papiersnijder en het gebrom van de twee Macintosh-computers op de lange tafel achter in de ruimte. Bovenal was ze dol op Mr Hannah, omdat hij bij *The New York Times*, *The Atlanta Journal-Constitution* en de *LA Times* had gewerkt, voordat hij zoveel mensen tegen zich in het harnas had gejaagd dat hij zijn grote mond alleen nog maar kon optrekken binnen de academische wereld.

'Een vaste aanstelling,' zo zei hij vaak, 'is het laatste bolwerk van de vrijheid van meningsuiting.'

Ondanks zijn sjofele, onverzorgde voorkomen had Mr Hannah het best goed voor elkaar in Athens. De faculteit Journalistiek stond landelijk goed bekend, wat fantastisch was voor ouders die niet extra wilden betalen voor een studie buiten de staat, maar juist vreselijk voor journalisten in de dop die ergens anders wilden wonen dan in het stadje waar ze opgegroeid waren.

Toen Julia binnenkwam, glimlachte Mr Hannah. 'Ha, daar zul je die mooie meid van me hebben.' Op de een of andere manier klonk het uit zijn mond als een teken van genegenheid, niet als een griezelige versierpoging. 'Waar is mijn meeslepende verhaal over de aanstaande privatisering van de studentenmaaltijden?'

Julia overhandigde hem het artikel.

Hij las het vluchtig door terwijl het licht van de plafondlamp haar getypte woorden in de glazen van zijn bril weerkaatste.

'Kan ermee door,' zei hij, wat voor zijn begrippen een enorm compliment was. 'Wat heb je verder nog voor me? Ik wil nieuws horen.'

'Nou, ik zat te denken,' begon Julia. Ze voelde de openingszin die ze zojuist had bedacht alweer wegglippen. 'Een meisje... Een beeldschoon meisje was... en...'

Mr Hannah vouwde zijn handen in elkaar. 'En?'

'En?' Haar schedel voelde aan als een lege tupperwarebak. Ze trilde van de zenuwen en had het gevoel dat ze elk moment in tranen kon uitbarsten.

'Julia?'

'Ja.' Ze schraapte haar keel. Haar tong leek te zijn veranderd in een zak vol nat zout. Omdat ze feiten belangrijk vond, besloot ze het daarbij te houden. 'Er is een meisje verdwenen. Ze woont – woonde – ongeveer een kwartier hiervandaan.'

'En?'

'Nou, ze is weg. Ontvoerd. De rechercheur die de zaak behandelt zei –'

'Waarschijnlijk is ze ervandoor gegaan met een vriendje,' onderbrak iemand haar.

Julia keek over Mr Hannahs schouder. Greg Gianakos. Lionel Vance. Budgy Green. Hun hoofden staken boven de scheidingswand uit alsof ze prairiehondjes waren. Allemaal hadden ze een sigaret aan hun lippen bungelen en zagen ze eruit alsof ze hard op weg waren om net zo vadsig te worden en net zo wazig uit hun ogen te kijken als hun mentor. Het enige verschil was dat in hun blik niets van Mr Hannahs vriendelijkheid te bespeuren was.

'Let maar niet op hen, meisje,' moedigde Mr Hannah haar aan. 'Geef me een verhaal dat ik op de voorpagina kan zetten.'

'Oké,' zei Julia, alsof het zo makkelijk was om weer net zo zelfverzekerd te worden als eerst. Wat was de kern van het verhaal over Beatrice Oliver? Wat was de juiste invalshoek? Julia dacht aan de doodsangst die haar had overvallen toen ze op de telex had gelezen dat het meisje ontvoerd was. Aan het gejaagde gevoel dat ze vanmorgen had gehad op de straten die haar net zo vertrouwd waren als haar ouderlijk huis. De vrees die ze had gevoeld bij het lezen van de artikelen in haar moeders keuken. Ze moest Mr Hannah duidelijk zien te maken wat haar nou echt zo erg dwarszat aan de ontvoering van Beatrice Oliver. Niet alleen dat het meisje van straat was geplukt of dat ze door iemand werd vastgehouden, maar waarom het überhaupt gebeurd was.

Dus zei ze tegen Mr Hannah: 'Verkrachting.'

'Verkrachting?' vroeg hij verbaasd. 'Wat is daarmee?'

'Ze is verkracht,' verduidelijkte Julia. Waarom zou een man anders een vrouw twee straten bij haar ouderlijk huis vandaan meenemen? Waarom zou hij haar anders ergens vasthouden?

'Heb je het over Jenny Loudermilk?' Greg Gianakos stond op van zijn bureau en sloeg zijn armen over elkaar voor zijn brede borst. 'Daar kun je niet meer dan één alinea uit persen.'

Julia haalde haar schouders op, maar alleen omdat ze geen idee had wie Jenny Loudermilk was.

Mr Hannah kennelijk ook niet. 'Praat me even bij.'

'Eerstejaars,' zei Greg, ook al was Mr Hannahs verzoek aan Julia gericht. 'Knappe blondine. Verkeerde tijd, verkeerde plaats.'

Lionel Vance bemoeide zich er ook mee. 'Ik heb gehoord dat ze iets te diep in het glaasje had gekeken. Het grootste gedeelte van de avond had ze Pabst Blue Ribbon zitten drinken.'

'Ja, iedereen weet dat eerstejaars van goedkope drank houden.' Greg was duidelijk geïrriteerd omdat iemand met zijn verhaal op de loop ging. 'Hoe dan ook, dat meisje sjokte over Broad Street en een of andere kerel sleurde haar mee een steeg in en verkrachtte haar.'

Mr Hannah klopte op zijn zakken om zijn sigaretten te zoeken. 'Niemand wil lezen over verkrachting. Je kunt beter zeggen dat ze belaagd of aangevallen is, of bedreigd, als ze tenminste niet is geslagen.' Aan Julia vroeg hij: 'Is dat het verhaal dat je wilde vertellen?'

'Nou, ik –'

'Ze zal je niet te woord willen staan,' zei Lionel. 'Dat willen de slachtoffers nooit. Maar goed, wat is je verhaal? Een meisje wordt dronken en gaat er met de verkeerde vent vandoor? Zoals Greg al zei, daar kun je nauwelijks een alinea over schrijven. Ik zou het niet eens op het achterblad plaatsen.'

Mr Hannah stak zijn sigaret op en richtte zich opnieuw tot Julia. 'Mee eens? Oneens?'

'Ik denk –'

'Dit is een uitzondering,' onderbrak Greg haar. 'Als je wilt beweren dat het in de wereld opeens barst van de verkrachters, dan heb je het mis. Trouwens, een universiteitscampus is statistisch gezien een van de veiligste plekken die er zijn.'

Mr Hannah blies een wolk rook uit. 'Statistisch gezien, dus?'

Greg vervolgde. 'Hoor eens, Jules. Laat je niet beheersen door je emoties. Wat Jenny is overkomen had niet mogen gebeuren, maar een verslaggever richt zich alleen op de feiten, en die zul je hier zeker niet ontdekken. Het slachtoffer is de stad al uit, de dader zal er natuurlijk met geen woord over reppen en de politie gaat niet in op zaken die nooit voor de rechter zullen komen.'

Julia drukte haar nagels in haar handpalmen en dacht aan de stapel afdrukken in haar tas. Het liefst zou ze die Greg onder zijn zelfingenomen smoelwerk duwen, maar daarmee zou ze alleen zijn punt bevestigen. Achtentwintig vrouwen in een staat met bijna zesenhalf miljoen inwoners, dat was niet bepaald indrukwekkend.

Het leek wel of hij haar gedachten kon lezen. 'Jenny Loudermilk was slechts één van de ongeveer vijftienduizend vrouwelijke studenten. Dat is een uitschieter.'

'Het wordt niet altijd gemeld,' probeerde Julia.

'Omdat de helft van die vrouwen dronken was en halverwege van gedachten veranderde.'

'In de krant, bedoelde ik.' Het schoot haar te binnen dat de artikelen over vermiste vrouwen gingen, niet over vrouwen die waren verkracht, belaagd of aangevallen. 'Maar ze stappen ook niet altijd naar de politie. Of naar wie dan ook.'

'Daar is een goede reden voor.' Greg stak een sigaret op. 'Dit is het verhaal: de campus is voor vrouwen veiliger dan ooit. De wereld is voor vrouwen veiliger dan ooit.'

'Is dat zo?' Mr Hannah sloeg zijn armen over elkaar. Op zijn gezicht was een maniakale grijns te zien. 'Kom dan maar eens met bewijzen, kanjer. Laat die statistieken maar eens zien die aantonen dat de wereld er veiliger op is geworden voor vrouwen. Dat jij de wereld er geweldig uit vindt zien door je Viewmaster, telt niet.'

'Komt voor elkaar.' Greg liep naar een van de Macintoshes achter in het vertrek, zette de computer aan en ging zitten. 'Alle misdaadcijfers van de afgelopen tien jaar staan op floppydisks.'

'Tegen de tijd dat je dat ding hebt opgestart, ben ik al gestorven aan ouderdom.' Mr Hannah stond op, zodat hij voor de metalen planken bij zijn bureau stond, en streek met zijn vinger langs de rug van meerdere boeken, tot hij had gevonden wat hij zocht. 'De FBI is door het Congres verplicht gesteld om minstens één keer per jaar alle relevante informatie over criminaliteit te verzamelen bij een aantal politiediensten verspreid door het hele land.' Hij plukte een paar boeken van de plank. 'Het recentste verslag dat ik hier heb is van 1989.'

Met die woorden overhandigde hij een van de boeken aan Julia.

'Budgy,' riep hij naar de enige jongen die zich er tot nu toe buiten had gehouden. 'Loop eens naar het schoolbord. We hebben iemand nodig die geen Engels studeert om het een en ander uit te rekenen. Julia...' Hij knikte even naar haar. 'Inwonertal van de Verenigde Staten in 1989?'

Ze sloeg het boek open en bladerde door de index. Nadat ze de juiste pagina had gevonden, las ze voor: '252.153.092 inwoners.'

'Deel dat door twee, Budgy. Mannen tellen even niet mee.'

'Niet door twee,' wierp Budgy tegen. 'Iets minder dan eenenvijftig procent van de bevolking is vrouw.'

'Proost.' Mr Hannah tikte de as van zijn sigaret af in een beker van piepschuim. 'Deel die eenenvijftig procent maar door twee, want over minderjarigen worden geen gegevens bijgehouden.'

Even dacht Julia dat ze hem verkeerd had verstaan. Ze keek naar het boek op haar schoot en zocht naar de verklarende woordenlijst. *Onder verkrachting wordt tevens verstaan aanranding of poging tot verkrachting door middel van geweld of dreiging van geweld. Daarentegen zijn ontucht met een minderjarige (zonder dwang) en andere zedenmisdrijven uitgesloten.*

'Deel dat getal nog maar eens door twee,' merkte Greg op. 'Zeker de helft van die vrouwen krijgt achteraf pas spijt.'

'Wacht even.' Mr Hannah stak zijn hand op, als een scheidsrechter die een overtreding signaleerde. 'Schattingen zijn niet toegestaan. Ik stel voor dat we bij de feiten blijven.' Tegen Julia vervolgde hij: 'Dus in je artikel komt te staan dat deze cijfers ontleend zijn aan de Uniform Crime Reports van de FBI, nietwaar?'

Julia knikte, al voelde dit al een tijdje niet meer als haar artikel.

Mr Hannah vervolgde: 'Aantal aangiftes van verkrachting in 1989? Julia?'

'O, sorry.' Ze zocht naar de juiste kolom. 'Gewelddadige verkrachtingen: 106.593.'

'Goed. 106.593,' herhaalde Mr Hannah om er zeker van te zijn dat Budgy het correct noteerde. 'Dat zal wel min of meer overeenkomen met de afgelopen vijf jaar, maar dat moeten we nog verifiëren.'

Verbijsterd staarde Julia naar het getal op het schoolbord. In Athens-Clarke County woonden minder dan honderdduizend mensen. Dit ging om meer personen dan iedereen die hier in de stad woonde – mannen, vrouwen en kinderen.

'Kom op, Budgy. Rekenen maar.' Mr Hannah klapte in zijn handen om Budgy aan te sporen. 'Opschieten, knul. We hebben niet de hele dag de tijd.'

Julia controleerde het getal nog een keer, ervan overtuigd dat ze het verkeerd moest hebben gezien. Daar stond het: 106.593. Ze staarde naar de cijfers tot ze wazig werden voor haar ogen. Meer dan honderdduizend vrouwen. Dat waren alleen nog maar de vrouwen die meerderjarig waren geweest en die daadwerkelijk aangifte hadden gedaan. Die met geweld waren bedreigd. Wat waren die andere zedenmisdrijven, die niet meetelden? Hoe zat het met de vrouwen die niet naar de politie waren gegaan?

Waarom haalden dit soort misdaden alleen de krant als het meisje het niet meer kon navertellen?

'Hebbes.' Budgy onderstreepte het getal zo vaak dat zijn krijtje doormidden brak. 'Zoals het er nu voor staat, hebben vrouwen in de Verenigde Staten 0,0434 procent kans om belaagd te worden. Dat zijn er ongeveer drieënveertig op de honderdduizend.'

Mr Hannah was net zo goed op de hoogte van het inwonertal van Athens als Julia en vatte samen: 'Dus als je die cijfers toepast op ons eigen mooie stadje, zijn dat pakweg tweeëntwintig vrouwen per jaar, wat neerkomt op elke tweeënhalve week een incident.'

Julia klapte het boek dicht. Waren Beatrice Oliver en Mona No-Name twee van die slachtoffers? Met Jenny Loudermilk erbij waren het er drie. Als je even buiten beschouwing liet dat het al maart was en dat er waarschijnlijk nog meer was gebeurd, betekende dit dat er nog minstens negentien vrouwen uit Athens verkracht zouden worden voordat 1992 aanbrak.

Dan sprong de teller weer op nul en begon het van voren af aan.

Greg wurmde zijn sigaret in een colablikje. 'Nog geen half procent, dat vind ik vrij weinig.' Hij sloeg zijn armen over elkaar. 'De kans dat je door de bliksem wordt getroffen of de loterij wint is nog groter.'

Budgy lachte. 'Weet je dat wel zeker, Einstein?'

'Bij wijze van spreken, dan.' Greg wuifde de sarcastische opmerking weg en vroeg aan Julia: 'Waarom wilde je dit artikel ook alweer schrijven? Dit gaat over honderdduizend mensen op bijna driehonderd miljoen inwoners, een druppel op een gloeiende plaat. Daar zit niemand op te wachten. Het is geen nieuws.'

Julia kreeg geen tijd om antwoord te geven.

'Hoe zit het met moord?' Lionel pakte het boek uit Julia's handen. 'Zullen we kijken naar moord? Ik wil weten hoeveel risico ik loop.'

'Best veel als je ouders erachter komen dat je een onvoldoende staat voor trigonometrie.' Budgy pakte het krijtje weer op. 'Oké, het inwonertal was dus 252 miljoen –'

'Aids,' zei Julia opeens.

Allemaal draaiden ze zich naar haar toe.

'Je zei dat het niet uitmaakte, omdat het maar om honderdduizend mensen gaat.' Ze dwong zichzelf om haar stem in bedwang te houden. 'In 1989 is er bij ongeveer datzelfde aantal mensen aids vastgesteld, en dat verhaal heeft op de voorpagina gestaan van *Time* en *Newsweek*. Er wordt elke dag over geschreven in de landelijke kranten, de president houdt er toespraken over, het Congres wijdt er hoorzittingen aan, de Americans with Disabilities Act zorgt ervoor dat –'

'Over aids hebben kun je niet liegen,' onderbrak Greg haar.

Er ging een verhitte vlaag van woede door haar heen. 'Als je dan toch wilt speculeren, ga er dan maar van uit dat het handjevol leugenaars ruimschoots wordt gecompenseerd door de vrouwen die nooit met hun verhaal naar buiten zijn getreden, de vrouwen die nog minderjarig waren toen het gebeurde en de vrouwen die niet zijn geslagen tijdens –'

'Het hoofd van de nationale gezondheidsdienst heeft aids aangemerkt als een epidemie,' ging Greg tegen haar in op een pedant toontje dat haar tot razernij dreef. 'Trouwens, je zegt niet dat er aids bij mensen wordt vastgesteld. Er wordt hiv vastgesteld, het virus dat aids veroorzaakt.'

Geheel tegen haar gewoonte in vloekte Julia binnensmonds.

Greg deed alsof hij haar niet hoorde. 'Verder gaan er mensen dood aan aids. Vrouwen gaan niet dood aan verkrachting.'

'Een deel van hun vagina wel,' merkte Lionel op.

'Hé!' Budgy gooide de bordenwisser naar zijn hoofd. 'Doe niet zo lullig.'

Aan Julia vroeg Mr Hannah: 'Wat is de openingszin?'

Deze keer hoefde ze daar niet over na te denken. '"Elk jaar overkomt zeker honderdduizend Amerikaanse vrouwen iets vreselijks, maar niemand lijkt ermee te zitten."'

Greg snoof verachtelijk. 'Daar zullen ze bij *Cosmopolitan* vast van smullen.'

Met een handgebaar legde Mr Hannah hem het zwijgen op. 'Ga verder,' zei hij tegen Julia.

'Als er iets naars gebeurt dat voornamelijk mannen treft, is dat volgens de journalistiek een epidemie die landelijke aandacht verdient, maar als vrouwen iets naars overkomt –'

'Kom op, zeg,' kreunde Greg. 'Waarom gaat het altijd over hoe stom mannen zijn?'

'Het gaat er niet om –'

'We snappen het, hoor,' dramde Greg door. 'Je bent een feminist.'

'Ik zei niet –'

'Je hebt een hekel aan ons omdat we een lul hebben.'

'Onderbreek me niet steeds!' Het geluid van Julia's vuist die op het bureau neerkwam, galmde als een geweerschot door het vertrek. 'Ik heb geen hekel aan je omdat je een lul hebt. Ik heb een hekel aan je omdat je een lul bént.'

Het werd doodstil op de redactie.

Julia haalde haperend adem, alsof ze net kopje-onder was gegaan.

'Pak aan!' Lionel gaf Greg een stoot tegen zijn arm. 'Eén-nul voor de ijskoningin!'

'Ze heeft niet…' zei Greg. 'Het is niet…'

Julia stond op en beende naar de deur. Haar handen beefden. Ook al voelde ze zich bibberig en geïrriteerd, diep vanbinnen was ze ook een beetje trots op zichzelf. Wat een afsluiter!

'Hé.' In de gang haalde Mr Hannah haar in.

Julia draaide zich om. 'Het spijt me dat ik –'

'Goede verslaggevers bieden nooit hun excuses aan.'

'O,' zei ze, want er schoot haar niets anders te binnen.

'Ik wil het conceptartikel vrijdagochtend om tien uur op mijn bureau zien liggen.'

Julia's mond ging open, maar er kwam niets uit. Ze was weer gestopt met ademen. Haal nou adem, hield ze zichzelf voor.

'Gaat dat lukken?'

'Ja,' zei ze. 'Ik heb ook nog... Ik bedoel... Ik kan –'

'Schrijf het maar in je artikel. Twaalfhonderd woorden.'

'Twaalfhonderd woorden, dat is –'

'De voorpagina.' Hij knipoogde naar haar. 'Je kunt dit, meid.'

Ze keek hem na terwijl hij door de rookwalm heen weer de stierenwei in liep.

De voorpagina.

Zodra ze wegliep, sloeg de paniek toe. Ze legde haar vingers tegen haar hals en voelde haar hart tikken als een tijdbom. Haar blikveld versmalde tot het licht dat dertig meter verderop door de glazen deuren naar binnen viel.

Mr Hannah zei dat ze het kon, maar hoe dan? Het verhaal van Beatrice Oliver had hier niets mee te maken. Niet echt. Beatrice was verdwenen. Waarschijnlijk was ze ontvoerd, dat had die rechercheur immers gezegd, maar verder was het speculatie. Datzelfde gold voor de artikelen in Julia's tas over de achtentwintig vermiste vrouwen. Ze waren verdwenen, meer viel er niet over te zeggen. Ze waren jong, mooi, en ze waren spoorloos verdwenen.

Wat was de nieuwswaarde daarvan?

'Jezus,' mompelde ze. Het had geen nieuwswaarde. Of in elk geval niet genoeg.

Dat kreeg je er nou van als je zonder na te denken je mond opentrok. Ze was zo nerveus en boos geweest. Ze was het zo zat geweest dat ze telkens in de rede werd gevallen en niet serieus werd genomen. Greg had een losse opmerking aangegrepen om haar in een beladen politieke discussie te betrekken, terwijl ze alleen maar duidelijk had willen maken dat iets wel degelijk nieuwswaardig was als het elk jaar honderdduizend mensen overkwam.

Maar waarom had ze in vredesnaam gezegd dat aids alleen mannen trof, aangezien Delilah het tegendeel bewees?

Nee, ze had niet gezegd dat aids alléén mannen trof, maar dat aids voornámelijk mannen trof. Bovendien had ze niet beweerd dat verkrachting erger was dan aids, ze had alleen gezegd dat verkrachting ook vreselijk was, maar dat niemand erover wilde schrijven. Niemand wilde het beestje zelfs maar bij de naam noemen. *Belaagd. Aangevallen. Bedreigd.* Geen wonder dat Jenny Loudermilk de benen had genomen. Hoe zou een vrouw ooit kunnen vertellen wat voor vreselijks haar was aangedaan als het woord verkrachting niet eens mocht vallen?

Dát was het verhaal. Een misdaad zonder naam. Slachtoffers zonder stem.

Julia pakte een pen en een blocnote uit haar tas. Dit moest ze opschrijven, voordat ze het vergat.

'Alles kits achter de rits?'

Bijna liet ze haar pen vallen. Robin stond tegen de muur geleund met zijn handen in zijn zakken gestoken. Hij droeg een flanellen overhemd en een verwassen spijkerbroek, en zijn haar stond alle kanten op.

Julia voelde een onnozele grijns op haar gezicht doorbreken. 'Ik dacht dat je de hele week zou gaan kamperen.'

'Mijn zusje was haar puffer vergeten.' Hij grijnsde terug. 'Ze heeft nog genoeg om het tot vanavond vol te houden.'

'Dat is fijn. Ik bedoel, fijn dat je hem bent gaan halen.'

'Ik ben nog niet thuis geweest.' Hij boog zich naar voren en liet zijn voorhoofd tegen het hare rusten. 'Eerlijk gezegd hoopte ik al dat ik je tegen zou komen.'

Haar hart maakte een sprongetje. 'Hoe wist je dat ik hier was?'

'Ik heb een beetje rondgevraagd.'

'O.'

'Je ziet er mooi uit.'

Ze had haar haar moeten kammen, haar tanden moeten poetsen of iets mooiers moeten aantrekken. En twee kilo moeten afvallen, maar dat was haar oma's schuld.

'Moet je horen.' Robin pakte haar hand vast alsof hij iets van porselein bewonderde. 'Ik weet niet of het goed of slecht is dat ik dit zeg, maar mijn hele familie is nu in het bos en er is niemand thuis. Het duurt nog zeker twee uur voordat ze me terug verwachten, en ik zou heel graag wat tijd met je alleen willen doorbrengen.'

Ze knikte. Vervolgens maakte haar hart weer een sprongetje, omdat ze besefte waarom hij zo nadrukkelijk zei dat er niemand thuis was en hij twee uur de tijd had.

Met zijn neus raakte hij de hare aan. 'Lijkt je dat een goed idee?'

Weer was Julia sprakeloos, maar in dit geval was dat geen goed teken. Vanochtend was ze er nog zo zeker van geweest dat ze hieraan toe was, maar nu voelde ze een paniekaanval opkomen. Kon ze dit wel? Móést ze het wel doen? Zou Robin haar nog steeds willen als ze toegaf? En kon ze het wel toegeven noemen als ze het zelf ook wilde?

Want ze wilde dit. Zelfs door haar paniek heen voelde ze dat ze het wilde.

Betekende dit dat ze een verdorven meisje was, een vrijgevochten vrouw, een droogverleidster, of een slet? Dit ging om zoveel meer dan seks. Het ging erom of ze te ver zou gaan of niet ver genoeg, of ze wist hoe alles werkte of niet wist wat waarin moest.

Oké, dat sloeg nergens op. Natuurlijk kende ze de basis wel. Ze wist heus wel wat waarin moest, maar er waren ook nog andere dingen die je kon doen, die je kon gebruiken, die je kon aanraken, in je mond kon stoppen, waar je aan kon likken of op kon bijten. Of had haar zusje daarover gelogen? Het klonk namelijk nogal pijnlijk.

Ze moest het onder ogen zien: ondanks haar negentien lentes had ze geen idee waar ze mee bezig was. Ze verstopte de pil zelfs in een schoenendoos achter in haar kast, omdat ze niet wilde dat Nancy tegen iedereen zou zeggen dat ze er wel pap van lustte.

'Gaat het?' vroeg Robin.

Julia drukte een hand tegen haar hart, dat tekeerging van angst. Zelfs nu ze de pil slikte zou ze nog zwanger kunnen raken, en zelfs met een condoom zou ze nog iets vreselijks kunnen oplopen. Dan zou haar leven voorbij zijn en zou ze nooit haar naam boven een artikel in *The Atlanta Journal* zien prijken, of voor de camera verslag kunnen uitbrengen over een verwoestende tornado. Waarom zou ze überhaupt zo'n idioot risico nemen?

'Het geeft niet,' zei Robin met een half glimlachje. 'Als je het niet wilt –'

'Jawel. Ik wil het wel.'

16.20 uur – buiten het Tate Student Center,
University of Georgia, Athens

Julia's vingers trilden nog steeds toen ze in de telefooncel stond en een kwartje tevoorschijn haalde. Haar lippen waren gevoelig door Robins zoenen en haar borsten tintelden. Ze kon hem nog steeds in zich voelen. Het leek wel of er een groot neonbord boven haar hoofd hing waarop stond: JULIA CARROLL: GELIEFD.

Het liefst zou ze willen zingen. Of dansen. Of midden op de binnenplaats gaan staan en haar hoed hoog de lucht in gooien.

Nadat de telefoon twee keer overging nam Pepper op. 'Huize Carroll.'

'Hoi, met mij.'

'O, god, wat ben ik blij dat je belt.' Op gedempte toon vervolgde Pepper: 'Kun je me nog verstaan?'

Julia keek om zich heen, alsof er iemand mee zou luisteren. 'Wat is er?'

'Etterbakje moest nablijven.'

Op slag was ze Robin even helemaal vergeten. 'Dat meen je niet.'

'Jawel. Niks aan de hand verder, maar Angie Wexler wilde na schooltijd op de gang met haar vechten.'

Julia sloeg een hand voor haar mond. Arme Sweetpea.

'Heb geen medelijden met haar,' zei Pepper. 'Ze krijgt niet eens straf van papa en mama.'

Meteen ebde Julia's medeleven weer weg.

'Ze zei dat het kwam doordat Angie niet bij haar mocht afkijken tijdens scheikunde, maar eigenlijk heeft Angie Etterbakje betrapt toen ze met haar broer stond te zoenen. Die zeventien is en al een auto heeft.'

Julia was blij dat ze eindelijk meer ervaring met jongens had dan haar stomme jongste zusje. 'Is alles goed met haar?'

'Ze doet alsof ze zielig is, zodat papa en mama medelijden met haar hebben. Vanavond gaan ze gewoon uit eten bij Harry Bissett's.'

'Ik dacht dat mama de obers daar "te ironisch" vond.'

'Dit is Athens. Iedereen is ironisch. Waarom belde je eigenlijk?'

Julia plukte aan een stukje afgebladderde verf aan de telefoon. Opeens had ze een brok in haar keel en moest ze haar tranen wegknipperen. Waarom huilde ze nou?

'Gaat het wel?'

'Natuurlijk.' Julia veegde langs haar ogen. 'Vertel eens over je dag.'

Meteen hield Pepper een tirade over hun ouders, hun zusje en haar leraren op school.

Julia staarde naar de strakblauwe lucht. Hoewel ze Pepper had gebeld om haar over Robin te vertellen, wist ze niet meer zeker of ze wel klaar was om haar het nieuws te vertellen. Wat er tussen hen was gebeurd was bijzonder, romantisch, mooi en opwindend geweest, en ze wist vrijwel zeker dat ze een orgasme had gekregen. Maar erover roddelen voelde verkeerd, zeker vanuit een telefooncel. Ze zou het volgende maand wel aan Pepper vertellen, wanneer het meer dan eens was gebeurd en ze er zeker van was dat ze een orgasme had gekregen. Ze zou het tussen neus en lippen door zeggen: 'O, dát. Ja, natuurlijk hebben we dát al gedaan.'

'Maar goed,' zei Pepper, 'dat rare meisje dat altijd zo staart komt huiswerk maken met Etterbakje. Ik denk dat ik maar ga repeteren met de band.'

'Ik ga waarschijnlijk naar de Manhattan,' zei Julia, want Robin had gezegd dat hij vanavond, nadat zijn ouders in slaap waren gevallen, misschien zou kunnen wegglippen. In de buurt van de boswachtershut was er een openbare telefoon. Hij zou een berichtje met drie enen naar Julia's pieper sturen als hij kon komen, en drie tweeën als hij niet kon komen. De gedachte dat ze in haar studentenkamer zou moeten wachten tot haar pieper afging, was ondraaglijk.

'Hé, hallo, aarde aan Julia. Ben je er nog?' Pepper klonk geïrriteerd. 'Ik vroeg of jij mijn armbanden hebt geleend.'

Julia bracht haar pols omhoog, waardoor de zilveren en zwarte armbanden langs haar arm naar beneden gleden. 'Ik zou even in de kamer van Etterbakje kijken.'

'Dat doe ik straks wel. Ze is nogal van streek.' Pepper dempte haar stem weer. 'Als je het maar weet, ik ga vanavond naar het huis van Angie Wexler om die snotneus de stuipen op het lijf te jagen. En dat stomme pedofiele broertje van haar ook.'

'Goed zo.' Julia ging met haar hoofd tegen de wand geleund staan. Pepper was er veel beter in dan zij om mensen te intimideren. Zelf hield ze zich liever afzijdig en moedigde ze liever Pepper stilletjes aan. 'Zeg, vraag jij je weleens af wat er met ons zal gebeuren als we oud zijn?' Pepper liet een verbaasd lachje horen. 'Hoe kom je daar nou bij?'

Dat wist Julia wel. Het kwam doordat Robin haar had vastgehouden, doordat ze had gezien hoe hij naar haar keek. Doordat hij had gezegd dat hij het werk in de bakkerij leuk vond en als het niets werd met zijn carrière als kunstenaar, hij zich best kon voorstellen dat hij zou gaan samenwerken met zijn vader en zijn eigen zoon misschien op een dag het vak zou leren.

Zijn eigen zoon.

Die zou Julia hem kunnen geven. Die zou ze hem graag willen geven. Wanneer ze eraan toe waren, dan.

Tegen Pepper zei ze: 'Nou, hoe denk je dat ons leven er over twintig jaar uit zal zien?'

'Dan hebben we het over aambeien en wisselen we tips uit over hoe we ons kunstgebit schoon kunnen houden.'

'Doe niet zo raar, joh. Dan zijn we net zo oud als mama nu.'

'Die draagt orthopedische schoenen.'

Julia kreunde. Haar zusje had gelijk, maar zij waren te cool om op die manier oud te worden.

Toen zei Pepper: 'Tegen die tijd ben jij getrouwd met een geweldige man die van je houdt, en ben ik gescheiden van een klootzak die me in de steek heeft gelaten toen zijn muziekcarrière van de grond kwam.'

Daar moest Julia om glimlachen, want Pepper zou weleens gelijk kunnen hebben. 'Dan is Etterbakje vast getrouwd met een of andere computernerd die aan haar voeten ligt en minstens een half miljoen dollar op zijn bankrekening heeft staan.'

'En waarschijnlijk zou ze hem bedriegen met mijn waardeloze ex.'

'Misschien word jij wel het kreng dat haar man in de steek laat om- dat jóúw muziekcarrière van de grond komt.'

'Misschien,' zei Pepper, maar ze klonk niet overtuigd.

'Moet je horen.' Julia keek om zich heen of er niemand kon meeluis- teren. 'Even over die coke...'

'Ik weet het.'

Nee, ze wist het niet. Julia had het vaker zien gebeuren. Eerst met een vriendin op de middelbare school, daarna met een eerstejaars die was gestopt met haar studie en bij de daklozenopvang terecht was gekomen. 'Nu is het misschien nog leuk, maar het kan heel snel bergafwaarts gaan.'

'Maak je geen zorgen, we hebben een geweldige daklozenopvang hier in de stad.'

'Lydia.'

Pepper viel stil. Niemand noemde haar ooit bij haar echte naam. 'Ik kan maar beter ophangen. Ik heb aan Hare Koninklijke Hoogheid beloofd om haar warme chocolademelk te brengen.'

'Geef haar een kus van me.'

Pepper maakte een smakkend geluid en hing op.

Julia bleef nog lang met haar hand op de hoorn staan. Pepper hield van cocaïne. Na dat beruchte feestje had ze het nog twee keer gebruikt. Ook hield ze van pillen, tijd spenderen met de band en in een roes terechtkomen, zeker wanneer er een leuke jongen bij was.

Toch zou het geen probleem worden, daar zou Julia wel voor zorgen. Haar zusje was een vrijgevochten type. Dit was slechts een fase, net als toen Julia alleen maar oranje kleding aan wilde of Etterbakje alleen erwtjes wilde eten.

Ze deed haar ogen dicht en liet zich overspoelen door een toekomstbeeld: ze zat op de veranda achter het huis aan Boulevard. Pepper en Sweetpea zaten op het trapje te kaarten, haar ouders zaten in hun schommelstoelen en er renden kinderen in de tuin. Hún kinderen, die van Pepper, Julia en zelfs Etterbakje – haar jongste zus zou één voorbeeldig kind krijgen dat uiteindelijk een geneesmiddel tegen kanker zou ontdekken, kort nadat ze een derde termijn als president van de Verenigde Staten had afgeslagen.

Julia wilde dat haar kinderen een goede band zouden krijgen met de kinderen van haar zussen. Ze wilde dat zij zich net zo verbonden zouden voelen met hun familie als zijzelf. Net zo veilig. Net zo geliefd. Er gebeurde nooit iets naars met mensen die een goede band met hun familie hadden. Misschien had het daar wel aan geschort bij Beatrice Oliver. In het eerste telexbericht had gestaan dat het meisje enig kind was. Zou het niet anders zijn gegaan als ze zusjes had gehad? Zou een zus niet met haar meegegaan zijn om ijs te halen, om zich te beklagen over wat er die dag op school was gebeurd? Zou een klein zusje niet hebben doorgedramd tot ze ook mee mocht?

Julia kon zich de slapeloze nachten van Beatrice' moeder, waarin ze in bed lag te piekeren, maar al te goed voorstellen. *Was ik maar zelf naar de winkel gegaan. Had ik haar maar met de auto gebracht. Hadden we maar meer kinderen gekregen, zodat het verlies van dit ene kind verzacht zou worden door de anderen.*

Kon zo'n verlies eigenlijk wel verzacht worden? Julia kon zich niet voorstellen hoe het zou zijn om een kind te verliezen. De keren dat hun een geliefd huisdier was ontnomen, al was het maar een woestijnrat of een fret, was hun hele gezin, inclusief haar moeder, daar kapot van geweest. Dan huilden ze voor de tv, zaten ze snikkend aan de eettafel en knuffelden ze alle overgebleven honden en katten, alsof die een grote, harige deken waren.

Om Mona No-Name zou niemand rouwen. Behalve Julia dan, wier fantasie met haar op de loop ging. Werd Mona ergens vastgehouden, net als Beatrice Oliver? Of had Mona's situatie meer weg van die van Jenny Loudermilk, het meisje dat na haar verkrachting had besloten dat het makkelijker was om gewoon maar te verdwijnen?

Was het niet zo dat een deel van een meisje vanzelf verdween als er zoiets ergs gebeurde? Zorgde een verkrachter er niet voor dat het meisje, evenals de vrouw die ze ooit zou worden, plaatsmaakte voor iemand die de rest van haar leven bang was? Zelfs als Beatrice Oliver werd bevrijd, zelfs als ze nog leefde, hoe kon ze dan nog naar huis nadat ze verkracht was? Hoe kon ze haar vader ooit nog recht in de ogen kijken? Hoe kon ze de rest van haar leven niet telkens in elkaar krimpen wanneer een man, zelfs een goede man, naar haar keek?

Julia veegde een traan weg. Misschien had Greg Gianakos wel gelijk en stonden emoties een verhaal alleen maar in de weg.

Haar fiets stond nog steeds in het rek, maar ze kreeg die rotsleutel niet in het verroeste slot. Julia stopte haar handen in haar zakken en beende terug naar haar studentenhuis. Hoveniers waren bezig met een gedeelte van het gazon dat vernield was door een groepje rugbyers. Met een grote boog liep Julia om de mannen heen, terwijl ze haar adem inhield omdat de geur van mest haar neusgaten binnendrong. In gedachten probeerde ze de rest van haar avond uit te stippelen. Ze zou net zo goed in de bibliotheek kunnen overnachten, want ze moest nog leren voor haar psychologietentamen, haar essay over Spenser herschrijven en meer statistieken opzoeken voor haar artikel. Haar voorpagina-artikel. Jeetje, wat had ze zich op de hals gehaald? Een concept inleveren op vrijdag? Ze mocht van geluk spreken als ze dan een ruwe opzet zou hebben.

'Ga je nog terug?' vroeg Nancy, die uit het niets opdook. Ze lachte toen ze Julia zag schrikken. 'Ik ben het maar, gekkie.'

'Zullen we vanavond uitgaan?' Het leek Julia een goed idee om haar zorgen tot morgen uit te stellen. 'Ik hoorde dat Michael Stipe naar de Manhattan komt.'

Met samengeknepen ogen keek Nancy haar aan. 'Ik hoorde dat hij naar de Grit zou komen. Of was het nou de Georgia Bar?'

'Als hij er niet is, kunnen we alsnog een leuke avond hebben. Misschien komen we wel een paar leuke jongens tegen die ons op een drankje willen trakteren.'

Nancy stootte haar heup even aan met de hare. 'Ik dacht dat jij al een leuke jongen had.'

Hoewel Julia bloosde, brak er een glimlach door op haar gezicht. Ze voelde zich opgelucht, omdat de spanning tussen hen was verdwenen. 'Zullen we met een groepje gaan? Dat wordt leuk.'

'Ik weet het niet. Ik moet nog studeren.'

'Dan gaan we naar de bibliotheek, halen we daarna iets te eten en spreken we vanavond om halftien met iedereen af.' Dat tijdstip kwam niet helemaal uit de lucht vallen: Robin had beloofd dat hij haar om tien uur zou oppiepen. Als hij haar drie tweeën stuurde en dus niet kon komen, leek het haar fijn om in een drukke bar te zitten, waar ze het op een zuipen kon zetten en haar teleurstelling van zich af kon dansen.

Als hij haar drie enen stuurde, was ze alvast dicht bij zijn huis, dat ze de rest van de nacht tot hun beschikking hadden.

'Wat zeg je ervan?' vroeg Julia, want de meeste van haar vriendinnen waren eigenlijk Nancy's vriendinnen. 'Gezellig, toch?'

Nancy glimlachte. 'Ja, lijkt me te gek.'

21.46 uur – The Manhattan Café,
centrum van Athens, Georgia

Julia was dol op dansen, voornamelijk omdat ze er zo slecht in was. Iedereen vergaapte zich aan haar. Niet omdat ze aantrekkelijk was, maar omdat ze zichzelf voor schut zette.

Zoals haar vader over bijna al haar ex-vriendjes had gezegd: het is moeilijk om een hekel te hebben aan een dwaas.

'Heb je Top Gun daar al gezien?' Nancy knikte naar een minder knappe versie van Tom Cruise aan de bar.

Julia kneep haar ogen tot spleetjes om door de dichte mist van sigarettenrook heen te kunnen kijken. Hoewel het binnen erg warm was, droeg de man een bomberjack en een zonnebril.

'Sexy,' zei Julia, die zo goed mogelijk maat probeerde te houden. Haar danskunsten gingen er nooit op vooruit als ze probeerde om ondertussen een gesprek te voeren. Het was stervensdruk op de dansvloer. Er botsten telkens mensen tegen haar op, of misschien was zijzelf wel degene die tegen mensen op botste. Nadat ze een elleboogstoot tussen haar ribben had gekregen, had ze er eindelijk genoeg van en knikte ze naar Nancy dat ze moest meekomen naar de toiletten.

Er stond een enorme rij studenten, van wie de meeste nog minderjarig waren. Julia herkende het kattige meisje dat vanochtend Nancy's leren tas had geleend en Julia's sokken had afgekraakt. Alabama was duidelijk ladderzat. Ze stond te zwaaien op haar benen en wist nog net te voorkomen dat ze plat op haar gezicht viel. Niemand om haar heen schoot haar te hulp. Misschien had ze hun sokken ook wel afgekraakt.

'Jezus,' zei Nancy. 'Heb jezelf een beetje in de hand, zeg.'

Julia moest haar stem verheffen om boven de muziek uit te komen. 'Ken je haar?'

'Deanie Crowder.' Nancy rolde met haar ogen, alsof ze haar liever niet had gekend.

'Hopelijk is er iemand die haar naar huis kan brengen.' Julia voelde haar schelle stem in haar keel trillen. Jenny Loudermilk was alleen naar huis gegaan, en moest je zien wat er met haar gebeurd was.

'Waarom kijk je de hele tijd hoe laat het is?'

Julia keek op van haar horloge. 'Zomaar. Het lijkt gewoon later dan het is.' Haar pieper stond op de trilstand, maar toch keek ze erop.

'Verwacht je een telefoontje?'

'Sorry. Mijn jongste zusje moest vandaag nablijven.'

'Het Volmaakte Kind?'

'Ze valt best mee.' Julia klemde de pieper weer vast aan de binnenkant van haar zak. Eigenlijk had ze Sweetpea even moeten bellen om te vragen hoe het met haar ging. En ze had strenger tegen Pepper moeten zijn over de drugs. Zij was immers de grote zus en het was haar taak om op hen te letten. Ze nam zich voor om dit weekend wat meer tijd met hen door te brengen. Misschien zou ze met Sweetpea naar Wuxtry Records kunnen gaan om een plaat te kopen. Als er verder niemand bij was, viel ze echt wel mee.

'Loop eens door!' riep iemand achter in de rij.

Ze schuifelden wat dichter naar de toiletten toe. In een grote spiegel zag ze zichzelf. Ze droeg een van Robins shirts, dat hij voor haar uit de wasmand had gepakt. Toen ze een hand naar haar hals bracht, voelde ze Peppers medaillon. De zilveren en zwarte armbanden schoven omlaag langs haar arm. Dit weekend zou ze het medaillon teruggeven. En de armbanden. En de strohoed, want die was toch van Pepper.

'Je ziet er geweldig uit,' merkte Nancy op. 'Nee, wacht, je bent *bie-joe-tie-foel*.'

Julia schoot in de lach om Nancy's imitatie van die kerel van de Taco Stand, die flirtte met elk meisje dat binnenkwam.

Daarop vroeg Nancy: 'En ik?'

'Jij bent ook bie-joe-tie-foel.'

Nancy zag er ook echt goed uit. Als Julia op Madonna leek, dan leek zij op Cyndi Lauper. Haar donkere haar was in pieken omhooggekamd, ze droeg een veelkleurig bolerojasje met een gouden bies en haar zwarte petticoat reikte tot vlak boven de knie. Door die leren laarzen met spikes erop zouden haar voeten inmiddels wel vreselijk pijn doen, maar de look was het waard.

'Mascara?' vroeg Nancy.

Julia controleerde de huid rondom haar ogen op vegen. 'Nee. Ik?'

'*Mahhvelous*,' gaf ze een perfecte imitatie van Billy Crystal ten beste.

De rij kwam eindelijk in beweging en Julia schoot het eerste hokje in. Net toen ze haar spijkerbroek losknoopte, voelde ze haar pieper trillen. Ze ging op de wc zitten en keek naar het plafond, en daarna naar de posters die op de deur van het hokje waren geplakt. Uiteindelijk pakte ze het apparaatje en drukte op de knop om het nummer te bekijken.

222.

Haar hart brak in een miljoen stukjes.

222.

Julia keek op en probeerde haar tranen te bedwingen. Ze snifte en telde langzaam tot honderd. Daarna keek ze nog een keer, want misschien had ze het verkeerd gezien.

222.

Robin kon niet wegkomen bij zijn ouders.

Of misschien kon hij wel wegkomen, maar wilde hij dat niet. Misschien was Julia vanmiddag wel vreselijk slecht geweest in bed. Misschien was ze saai. Misschien wist Robin dat ze geen orgasme had gekregen of was ze te luidruchtig klaargekomen, had ze te hard gehijgd of onnozel geklonken, of...

'O god!' kreunde iemand.

Daarna klonk het kenmerkende geluid van braaksel dat in een toilet spetterde. Dat moest Alabama wel zijn, ofwel Deanie Crowder. Het klonk alsof er een eend door een tuba werd gezogen.

Julia hoorde Nancy kokhalzen. Als Nancy iemand hoorde kotsen, ging ze zelf ook over haar nek, al sinds een onfortuinlijk Thanksgivingdiner op de kleuterschool. Haar stilettohakken tikten op het beton terwijl ze zich de toiletruimte uit haastte.

In plaats van achter haar aan te gaan, leunde Julia achterover tegen het reservoir. Ze hield de pieper in haar hand, hopend dat hij weer zou trillen, dat ze op de knop zou drukken en drie enen zou zien staan. *Ja, ik kan wegkomen, kom alsjeblieft naar het huis van mijn ouders, want ik hou van je.*

Robin had haar nooit met zoveel woorden verteld dat hij van haar hield. Was het stom van haar geweest om met hem naar bed te gaan, terwijl hij niet eens had gezegd dat hij zijn hart aan haar had verloren?

Er bonkte iemand op de deur. 'Hé, er moeten nog meer mensen!'

Julia spoelde het toilet door, stond op en duwde de deur open. Nadat ze haar handen had gewassen ging ze bij de bar staan, zo dicht mogelijk bij Top Gun.

'Wil je iets drinken?' Van dichtbij leek hij meer op Goose, maar dat kon Julia op dat moment niks schelen.

Ze glimlachte liefjes. 'Ik ben dol op Moscow Mules.' Dat was niet waar, maar de cocktail van wodka, ginger ale en limoen kostte vierenhalve dollar, en je werd er een stuk sneller dronken van dan de Pabst Blue Ribbons van een dollar die ze bestelden als ze zelf moesten betalen.

'Je danst leuk,' merkte Top Gun op.

Julia sloeg haar drankje achterover. 'Kom maar mee, dan.'

Hij volgde haar de dansvloer op, waar hij een nog slechtere danser dan Julia bleek te zijn. Hij schuifelde van links naar rechts, hield zijn armen gebogen en knipte met zijn vingers. Soms keek hij omlaag en over zijn schouder, waardoor het leek alsof hij checkte of hij niet in hondenpoep had getrapt.

In elk geval ging Julia er helemaal voor. Ze stak haar armen in de lucht en wiegde met haar heupen toen C+C Music Factory iedereen opdroeg om te gaan dansen. Top Gun droop af op het moment dat 'Head to Toe' van Lisa Lisa werd ingezet. Julia deed haar ogen dicht en probeerde niet aan Robin te denken. Ze wist niet of hij graag danste. Misschien hield hij niet eens van Madonna en had hij dat alleen gezegd om haar uit de kleren te krijgen. Of misschien had hij het wel gezegd omdat hij echt van haar hield. Waarom had hij anders gezegd dat hij later een zoon wilde en in de bakkerij van zijn vader wilde gaan werken, als hij niet nadacht over zijn toekomst?

Misschien omdat hij geen toekomst met haar zag.

Opeens kon Julia al die mensen om zich heen niet meer verdragen, het was te druk op de dansvloer. Zo snel mogelijk baande ze zich een weg door de menigte. Haar tasje hing nog aan de barkruk. Ze rommelde tussen de tandenborstel, de haarborstel en het schone setje ondergoed die ze had ingepakt voor het geval dat ze vanavond niet terug zou keren naar het studentenhuis. Haar lipgloss voelde koud aan op haar lippen, want ze zweette en het was warm in de bar. Een oudere kerel had nog een Moscow Mule voor haar besteld. Het ijs was al gesmolten en de vloeistof was verkleurd van goud naar donkerbruin, maar toch dronk ze het glas leeg. De wodka voelde als een mokerslag in haar keel.

'Rustig aan, joh.' Nancy klopte Julia op de rug tot ze uitgehoest was. 'Gaat het wel?'

'Hoe laat is het?'

Nancy keek op Julia's horloge. 'Acht over halfelf.'

Ze had nog geen uur gedanst, maar het voelde als een eeuwigheid. 'Ik wil weg.'

'Wacht anders even tot elf uur, dan gaan we samen.'

'Nee, ik heb knallende koppijn.' Julia legde een hand tegen haar hoofd, dat inderdaad pijn deed.

'Je zei zelf dat we niet in ons eentje op pad moesten gaan,' merkte Nancy op.

'Dat geldt alleen als we dronken zijn, en dat ben ik niet.' Julia voelde zich wel een beetje licht in het hoofd, maar dat kwam vast door haar gebroken hart. 'Bedankt dat je bent meegegaan vanavond. Dat vond ik echt fijn. Jammer dat Michael Stipe niet is komen opdagen.'

'Dat had ik al niet echt verwacht.' Nancy keek haar aan alsof ze zich vreemd gedroeg. Misschien was dat ook wel zo. 'Weet je zeker dat alles in orde is?'

Julia zei: 'Ik hou van je, maatje. Je bent een goede vriendin.'

'Aw.' Nancy wreef nog eens over haar rug. 'Ik hou ook van jou, maatje.'

Julia pakte haar tasje van de barkruk. Op de dansvloer barstte het nog steeds van de dansers, achterblijvers en studenten die morgenochtend, als de wekker ging, spijt zouden hebben van hun avondje uit. Godzijdank had Julia morgen geen college. Ze was van plan om naar huis te gaan, naar haar kamer in het huis aan Boulevard. Daar zou ze de hele dag mokkend rondhangen in haar pyjama, met de katten en honden knuffelen en naar soapseries kijken.

Ze duwde de zware metalen deur open en genoot intens van de avondlucht. Bij elke stap voelde ze haar longen opengaan als de blaadjes van een bloem. Haar hoofd tolde door de overvloed aan zuurstof. Met uitgestrekte armen liep ze over het verlaten trottoir, alsof ze de helderheid die de avond met zich meebracht omarmde.

Zoals haar grootmoeder waarschijnlijk zou zeggen: Julia moest zich niet zo aanstellen.

Robin Clark was lief, vriendelijk en zachtaardig. Ze vond het heerlijk om bij hem te zijn en misschien was ze zelfs verliefd op hem, maar haar wereld draaide niet alleen om hem.

Julia was negentien jaar oud. Ze stond op het punt om haar eerste voorpagina-artikel te schrijven en zou als een van de beste studenten van haar jaar afstuderen aan een van de beste journalistieke opleidingen in het land. Ze was gezond, had goede vrienden en een liefhebbende familie. In plaats van zich te gedragen als een onnozele tiener voor wie alles afhing van wat een jongen voor haar voelde, moest ze eens volwassen worden en naar de feiten kijken. Robin had contact met haar opgenomen om te laten weten dat hij niet kon komen. Als hij Julia aan de kant had willen zetten of als hij haar alleen voor de seks had gebruikt, zou hij niet naar de boswachtershut sluipen en het risico lopen dat zijn ouders kwaad zouden worden.

Toch?

Julia wist dat Robins vader dit kampeertripje uiterst serieus nam. Het was een jaarlijks terugkerende gebeurtenis: elk jaar sloot hij de bakkerij in de eerste week van maart en nam hij het hele gezin mee naar het bos, om tijd met hen door te kunnen brengen. Daar had Robin respect voor, omdat hij nou eenmaal een goede jongen was. Hij was zoals Julia's vader, zoals Mr Hannah, zoals David Conford en haar opa Ernie. Niet zoals Greg, Lionel of professor Edwards, die waarschijnlijk op dit moment tegen een nietsvermoedende studente zei dat hij haar essay graag grondiger zou willen doornemen onder het genot van een kop koffie, en of ze wist dat zijn appartement zich vlak tegenover de campus bevond.

Dat arme meisje. Waarschijnlijk was ze eerstejaars. Jong. Naïef. Greg had gezegd dat Jenny Loudermilk eerstejaars was. Tenminste, tot ze met haar studie was gestopt. Ze had over Broad Street gelopen en in een fractie van een seconde was haar leven op zijn kop gezet. Ze zou nooit meer dat meisje worden dat zorgeloos rondliep.

Zo zou het leven van tweeëntwintig vrouwen in Athens dit jaar veranderen. Net als volgend jaar. En het jaar daarna. Om nog maar te zwijgen van de jaren die hieraan voorafgegaan waren.

Het was een vreselijke gedachte dat het er voor jou statistisch gezien steeds beter uitzag, telkens wanneer er een vrouw werd verkracht. Belaagd. Aangevallen. Bedreigd. Net zoals de klok op Times Square die op oudejaarsavond aftelde.

Beatrice Oliver: nummer tweeëntwintig.

Jenny Loudermilk: nummer eenentwintig.

Mona No-Name: nummer twintig.

Wie zou nummer negentien worden? Een onoplettende, dronken eerstejaars? Het meisje dat aan de andere kant van de stad koffie ging drinken met professor Edwards? Deanie Crowder, die alles eruit had gekotst in de toiletten in de bar? Nancy zou wel met haar mee naar huis lopen, iemand moest haar thuisbrengen.

Julia struikelde over een kapotte stoeptegel. Opeens werd ze heel erg duizelig en voelde ze haar maag in opstand komen. Dat drankje. Misschien was de wodka niet meer goed geweest. Of de ginger ale, al vermoedde ze dat daar alleen de prik uit kon gaan. Daar werd je vast niet ziek van, maar zo voelde ze zich wel. Ze zette haar handen tegen de muur en voelde een golf warme vloeistof uit haar mond komen.

Julia sloeg haar handen voor haar gezicht. Er was iets mis. Ze probeerde zich te oriënteren. Haar ouders waren bij Harry Bissett's, een paar straten hiervandaan. Hoewel ze niet blij zouden zijn om haar zo te zien, zouden ze er kapot van zijn als ze erachter kwamen dat ze hulp nodig had gehad en geen beroep op hen had gedaan.

Ze sloeg een zijstraat in. Haar knieën knikten en ze ging tegen een stinkende vuilcontainer aan staan. De zijkant was volgeplakt met stickers. Phish. Poison. Stryker. Ze probeerde het straatnaambordje te lezen, maar zag alleen witte vlekken tegen een groene achtergrond.

Haar ouders konden niet ver weg zijn. Ze zette zich af van de vuilcontainer en probeerde zich te concentreren op de stoep voor haar.

Elke stap kostte haar moeite. Even verderop moest ze tegen een oude Cadillac aan leunen om weer op adem te komen. Ze staarde naar de staartvinnen, die zo groot waren als surfplanken. Haar vader was dol op de Beach Boys. Een paar jaar geleden hadden ze *Still Cruisin'* voor hem gekocht met Kerstmis, waar hij veel blijer mee was geweest dan met het boek over ouderdom dat ze hem op zijn verjaardag hadden gegeven.

'Ben je verdwaald?'

Met een ruk draaide Julia zich om.

Er stond een zwart busje voor de Cadillac geparkeerd. Het zijportier was open en in de schaduw stond een man. Ze kende hem. Ze had zijn gezicht vaker gezien, meerdere keren zelfs. Vandaag? In het weekend? In het centrum? Op de campus? De informatie lag voor het grijpen, maar het lukte haar niet om het verband te leggen.

'Neem me niet kwalijk,' zei Julia, omdat ze het nou eenmaal gewend was om zich overal voor te verontschuldigen.

Hij stapte uit het busje.

Snel deed Julia een stap naar achteren, maar het voelde alsof de stoeptegels in zand waren veranderd.

De man liep op haar af.

'Alsjeblieft,' fluisterde ze.

Haar zusjes. Haar ouders. Robin. Nancy. Deanie. Beatrice Oliver. Jenny Loudermilk. Mona No-Name.

Uiteindelijk drukte hij geen hand tegen haar mond en geen mes op haar keel.

Hij sloeg haar gewoon in haar gezicht.

Julia Carroll: nummer negentien.

NOOT VAN DE AUTEUR

Phish. Dat was op 1 maart, maar het is niet helemaal ondenkbaar dat die gasten er nog steeds waren, toch? De cijfers die ik heb genoemd uit het Uniform Crime Reporting Program (UCRP) van de FBI stammen in werkelijkheid uit 1991, het jaar waarin dit verhaal zich afspeelt. In 2013 is de term gewelddadige verkrachting vervangen door verkrachting en is de definitie uitgebreid, al vallen ontucht met een minderjarige en incest juridisch gezien nog steeds niet onder verkrachting. De Amerikaanse gezondheidsdienst CDC schat in dat er van meer dan 80 procent van de zedendelicten geen aangifte wordt gedaan. Volgens de gegevens van Crime Clock werd er in 2013 in Amerika elke 6,6 minuut een vrouw verkracht.

Benieuwd naar het nieuwste boek van
Karin Slaughter, *Waarom we logen?*
Lees op de volgende pagina's
alvast een voorproefje!

PROLOOG

Will Trent ging op de oever van het meer zitten om zijn hoge wandelschoenen uit te trekken. De cijfers op de wijzerplaat van zijn horloge lichtten op in het donker. Nog een uur, dan was het middernacht. In de verte hoorde hij een uil. Een briesje ruiste door de bomen. In het licht van de maan, een volmaakte cirkel aan de nachthemel, bewoog een gestalte in het water. Het was Sara Linton, die op de drijvende steiger af zwom. Haar lichaam glansde in het koele blauwe schijnsel terwijl ze door de zacht kabbelende golven gleed. Ze draaide zich om en keek met een lome rugslag lachend naar Will op.

'Kom je er ook in?'

Will kreeg er geen woord uit. Hij wist dat Sara gewend was aan zijn ongemakkelijke stiltes, maar deze keer was het anders. Alleen al haar aanblik benam hem de adem. Hij had maar één gedachte, die hij deelde met iedereen die hen samen zag: wat zag ze in godsnaam in hem? Ze was zo door en door slim en grappig, zo beeldschoon, terwijl hij in het donker niet eens de knoop uit zijn veter kreeg.

Hij wurmde de schoen van zijn voet toen ze in zijn richting zwom. Haar lange, kastanjebruine haren lagen glad langs haar hoofd. Haar blote schouders staken boven het zwarte water uit. Voor ze erin was gedoken, had ze haar kleren uitgetrokken, en ze had gelachen toen hij zei dat hij het een slecht idee vond om midden in de nacht ergens in te springen wat je niet eens kon zien, terwijl niemand wist waar je was.

Tegelijkertijd leek het hem een nog slechter idee om niet te reageren als een naakte vrouw je vroeg of je bij haar kwam. Dus trok hij zijn sokken uit en ging staan om zijn broek open te knopen.

Terwijl hij zich uitkleedde, liet Sara een zacht, bewonderend fluitje horen. 'Wauw,' zei ze. 'Iets langzamer, graag.'

Hij moest lachen, al wist hij zich niet goed raad met het lichte gevoel in zijn borst. Dit soort aanhoudend geluk kende hij niet. Natuurlijk waren er momenten van uitzinnige vreugde geweest: zijn eerste kus, de eerste keer dat hij seks had gehad, de eerste keer dat seks langer dan drie seconden had geduurd, zijn afstuderen, zijn eerste loonstrookje, de dag dat hij er eindelijk in geslaagd was van zijn akelige ex-vrouw te scheiden.

Dit was anders.

Will en Sara waren nu twee dagen getrouwd, en de euforie die hij tijdens de ceremonie had gevoeld, was nog niet afgezwakt. Integendeel, die was met het uur sterker geworden. Als ze naar hem glimlachte of schaterde om een van zijn stomme grapjes, was het alsof zijn hart in een vlinder veranderde. Hij wist dat het niet stoer was om gevoelens zo te omschrijven en vond het ook moeilijk ze te delen. Dat was een van de vele redenen waarom hij de voorkeur gaf aan ongemakkelijke stiltes.

'Joehoe!' juichte Sara toen Will met veel vertoon zijn shirt uittrok voor hij het meer in stapte. Het was niet zijn gewoonte om naakt rond te lopen, en al helemaal niet buiten. Daarom dook hij sneller onder dan verstandig was. Het water was koud, zelfs midden in de zomer. Zijn huid tintelde. Het voelde akelig zoals de modder aan zijn voeten zoog. Toen sloeg Sara haar armen om hem heen en had hij geen reden tot klagen meer.

'Hé,' zei hij.

'Hé.' Ze streek zijn haar naar achteren. 'Heb je ooit eerder in een meer gezwommen?'

'Niet uit vrije wil,' moest hij toegeven. 'Weet je zeker dat het water veilig is?'

Ze dacht even na. 'Koperkoppen zijn doorgaans actiever in de schemering. En voor watermoccasinslangen zitten we waarschijnlijk te ver naar het noorden.'

Will had nog niet over slangen nagedacht. Hij was midden in Atlanta opgegroeid, omringd door smerig asfalt en afgedankte spuiten. Sara had haar jeugd doorgebracht in een universiteitsstadje in het landelijke South Georgia, omringd door natuur.

En kennelijk door slangen.

'Ik moet iets opbiechten,' zei ze. 'Ik heb tegen Mercy gezegd dat we hebben gelogen.'

'Dat dacht ik al,' zei Will. Die avond was er een heftige botsing tussen Mercy en haar familie geweest. 'Komt het goed met haar?'

'Ik denk het. Die Jon lijkt me een aardige jongen.' Sara schudde haar hoofd, ten teken dat ze de hele zaak onbeduidend vond. 'Tieners hebben het niet makkelijk.'

'Er valt iets voor te zeggen om in een weeshuis op te groeien,' zei Will in een poging tot luchthartigheid.

Ze legde haar vinger op zijn lippen, waarmee ze vast wilde zeggen dat ze het niet grappig vond. 'Kijk eens omhoog.'

Will keek op. Meteen liet hij zijn hoofd weer zakken, zo overweldigd was hij. Hij had nog nooit zoveel sterren aan de hemel gezien. Zeker geen sterren zoals deze. Stuk voor stuk stralende speldenprikjes aan het fluweelzwarte firmament. Niet uitgevlakt door lichtvervuiling. Niet dof door smog of nevel. Hij ademde diep in en voelde zijn hartslag vertragen. Het enige geluid kwam van krekels. Het enige kunstlicht was een verre fonkeling vanaf de veranda die om het woonhuis heen liep.

Hij vond het hier eigenlijk wel mooi.

Ze hadden acht kilometer over rotsachtig terrein gelopen om bij de McAlpine Family Lodge te komen. Het vakantieoord bestond al zo lang dat Will er als jongen al over gehoord had. Hij had ervan gedroomd om er op een dag naartoe te gaan. Om te kanoën, te peddelen, te mountainbiken, trektochten te maken en bij een kampvuur geroosterde marshmallows te eten. Dat hij hier nu samen met Sara was, een gelukkig man op huwelijksreis, vond hij wonderbaarlijker dan alle sterren aan de hemel.

'Op dit soort plekken hoef je maar een klein bovenlaagje weg te krabben en er komen allerlei duistere zaken tevoorschijn,' zei Sara.

Will wist dat ze nog steeds aan Mercy dacht. De keiharde botsing met haar zoon. De kille reactie van haar ouders. Haar sneue broer. Haar lul van een ex. Haar excentrieke tante. Om nog maar te zwijgen van de overige gasten met hun problemen, versterkt door de overvloedige hoeveelheden alcohol die bij het gezamenlijke avondeten hadden gevloeid. Wat Will er weer aan herinnerde dat hij in zijn jongensdromen over deze plek niet had voorzien dat er ook anderen zouden zijn. En die ene klootzak al helemaal niet.

'Ik weet wat je gaat zeggen,' zei Sara. 'Dat is de reden waarom we logen.'

Het was niet precies wat hij wilde zeggen, maar het kwam in de buurt.

Will was special agent bij het Georgia Bureau of Investigation. Sara was opgeleid tot kinderarts, maar tegenwoordig was ze werkzaam als patholoog-anatoom bij het GBI. Beide beroepen gaven soms aanleiding tot lange gesprekken met onbekenden, die niet allemaal even prettig en soms heel vervelend verliepen. Om van hun huwelijksreis te kunnen genieten had het hun beter geleken om te verhullen wat voor werk ze deden.

Hoewel... je kon je wel anders voordoen dan je was, maar je ware persoonlijkheid liet zich niet onderdrukken. Ze waren allebei van het soort dat zich om anderen bekommerde. In dit geval om Mercy. Het was alsof de hele wereld zich op dat moment tegen haar keerde. Will wist hoe sterk je moest zijn om je hoofd hoog te houden, om door te blijven gaan wanneer iedereen om je heen je naar beneden probeerde te trekken.

'Hé.' Sara sloeg haar armen nog steviger om hem heen en wikkelde nu ook haar benen om zijn middel. 'Ik moet nog iets opbiechten,' zei ze.

Will glimlachte, als antwoord op haar lach. De vlinder in zijn borst kwam tot leven, evenals andere dingen toen hij haar warme lijf tegen het zijne voelde drukken. 'Wat dan?' vroeg hij.

'Ik krijg gewoon geen genoeg van je.' Sara kuste zich een weg langs zijn hals omhoog en probeerde met haar tanden een reactie aan hem te ontlokken. De tintelingen waren terug. Haar adem in zijn oor vulde zijn hoofd met verlangen. Langzaam liet hij zijn hand naar beneden glijden. Haar adem stokte bij zijn aanraking. Hij voelde haar deinende borsten tegen zijn blote huid.

Toen werd de stilte van de nacht verbroken door een scherpe, luide kreet.

'Will.' Sara's hele lichaam spande zich. 'Wat was dat?'

Hij had geen idee. Hij wist niet of het geluid van een mens of van een dier kwam. Het was een snerpende, bloedstollende kreet geweest. Woordeloos, geen roep om hulp maar een uiting van ongebreidelde doodsangst. Het soort geluid dat je oerbrein in de vecht-of-vluchtmodus dreef.

Will was niet geprogrammeerd voor de vlucht.

Hand in hand haastten ze zich terug naar de oever. Will raapte zijn kleren op en reikte Sara haar spullen aan. Terwijl hij zijn shirt aantrok, liet hij zijn blik over het water gaan. Op de plattegrond had hij gezien dat het meer zich als een sluimerende sneeuwpop uitstrekte. Het zwemgedeelte bevond zich bij de kop. Bij de ronding van de onderbuik loste de oever op in het donker. Geluid was moeilijk te lokaliseren. Het lag voor de hand dat de kreet van een plek kwam waar de andere mensen waren. Op het terrein van de Lodge bevonden zich verder nog vier stellen en een man alleen. Het woonhuis was voor de familie McAlpine. De gasten, Will en Sara niet meegerekend, waren verdeeld over vijf van de tien huisjes die waaiervormig vanaf de eetzaal verspreid stonden. Dat bracht het totale aantal mensen op het terrein op achttien.

De kreet kon van ieder van hen zijn.

'Dat ruziënde stel tijdens het eten.' Sara knoopte haar jurk dicht. 'De tandarts was straalbezopen. De IT-man was –'

'En die vent alleen?' Wills cargobroek schoof stroef over zijn natte benen. 'Die Mercy steeds zat te sarren?'

'Chuck,' wist Sara. 'De jurist was irritant. Hoe kon hij op de wifi komen?'

'Iedereen ergerde zich aan dat paardenmens, die vrouw van hem.' Will duwde zijn blote voeten in zijn schoenen. Zijn sokken verdwenen in zijn zak. 'Die liegende appjongens voeren iets in hun schild.'

'En de Jakhals?'

Will was zijn veters aan het strikken, maar nu keek hij op.

'Schat?' Sara schopte haar sandalen overeind om ze aan haar voeten te schuiven. 'Ben je –'

Hij liet de veter ongestrikt. Over de Jakhals wilde hij het niet hebben. 'Klaar?'

Ze liepen het pad op. Will had haast en versnelde het tempo tot Sara achteropraakte. Ze was superatletisch, maar haar sandalen waren gemaakt om op te slenteren, niet om op te rennen.

Hij bleef staan en draaide zich om: 'Vind je het goed als –'

'Ga maar,' zei ze. 'Ik haal je wel in.'

Will verliet het pad en liep in een rechte lijn door het bos. Met het verandalicht als oriëntatiepunt duwde hij takken opzij en stekelige ranken die zich vasthaakten aan de mouwen van zijn shirt. Zijn natte voeten wreven tegen de binnenkant van zijn schoenen. Het was een vergissing geweest om die ene veter niet te strikken. Even overwoog hij te stoppen, maar de wind draaide en voerde een geur als van koperen munten met zich mee. Will wist niet of hij daadwerkelijk bloed rook of dat er in zijn politiebrein zintuiglijke herinneringen aan vroegere misdaadplekken bovenkwamen.

De kreet had ook van een dier kunnen zijn.

Zelfs Sara had getwijfeld. Het enige wat Will zeker wist, was dat het schepsel dat het geluid had geproduceerd in doodsangst verkeerde. Een coyote. Een lynx. Een beer. Het stikte in het bos van de beesten die andere dieren de stuipen op het lijf konden jagen.

Was zijn reactie overdreven?

Hij staakte zijn geploeter door de dichte begroeiing, draaide zich om en probeerde het pad terug te vinden. Hij zag Sara niet, maar wist haar te lokaliseren door te luisteren naar het geluid van haar sandalen op het grind. Ze bevond zich halverwege het woonhuis en het meer. Hun huisje stond helemaal aan de rand van het hoofdterrein. Waarschijnlijk was ze een plan aan het uitwerken. Brandde er nog licht in de overige huisjes? Moest ze op deuren kloppen? Of had ze dezelfde gedachte als Will, namelijk dat ze door beroepsdeformatie overdreven alert waren en dat dit niet meer dan een grappig verhaal zou worden om aan Sara's zus te vertellen, over hoe ze na de doodskreet van een dier meteen op onderzoek waren uitgegaan in plaats van geile seks in het meer te hebben?

Op dat moment vond Will het niet grappig. Zijn haar plakte aan zijn hoofd van het zweet. Hij had een schurende blaar op zijn hiel. Een klimplant had zijn voorhoofd opengehaald, en bloed sijpelde naar beneden. Hij luisterde naar de stilte van het bos. Zelfs de krekels hadden hun gesjirp gestaakt. Hij mepte naar een insect dat hem in de zijkant van zijn hals beet. Ergens boven hem in de bomen schoot iets weg.

Misschien was het hier toch minder mooi dan hij dacht.

Het ergste was nog dat hij deze ellende diep vanbinnen aan de Jakhals weet. Zo lang als Will zich kon herinneren, liep het steeds slecht af wanneer die klootzak in de buurt was. Dat was al het geval geweest toen ze nog kinderen waren. De sadistische lul was altijd al een wandelend ongeluksteken geweest.

Will wreef over zijn gezicht alsof hij elke gedachte aan de Jakhals kon wissen. Ze waren geen kinderen meer. Hij was nu een volwassen man op huwelijksreis.

Hij liep terug naar Sara. Of in de richting waarin Sara volgens hem was verdwenen. In het donker was hij alle gevoel voor tijd en richting kwijtgeraakt. Hij had geen idee hoelang hij als een Ninja Warrior door het bos had gerend. Door het struikgewas ploeteren was een stuk moeilijker zonder de adrenaline die hem halsoverkop de neerhangende ranken in had gejaagd. In gedachten stelde hij zijn eigen plan op. Zodra hij het pad had bereikt, zou hij zijn sokken aantrekken en zijn veter strikken zodat hij de rest van de week niet liep te strompelen. Hij zou zijn beeldschone vrouw opzoeken, haar mee terug nemen naar het huisje, en dan zouden ze verdergaan waar ze gebleven waren.

'Help!'

Will verstijfde.

Deze keer was er geen twijfel mogelijk. De kreet klonk zo helder dat hij alleen maar uit de mond van een vrouw kon komen.

Weer schreeuwde ze…

'Alsjeblieft!'

Will stoof weer van het pad en rende terug naar het meer. Het geluid was van de overkant van het zwemgedeelte gekomen, ergens bij de onderkant van de sneeuwpop. Hij boog zijn hoofd en liet zijn benen pompen. Hij hoorde het bloed door zijn oren suizen, gelijk op met het weergalmen van de kreten. Algauw werd het bos zo goed als ondoordringbaar. Laaghangende takken zwiepten tegen zijn armen. Muggen zwermden rond zijn gezicht. Opeens liep het terrein steil af. Hij landde op de zijkant van zijn voet en verzwikte zijn enkel.

Hij negeerde de scherpe pijn en dwong zichzelf om door te gaan. Hij probeerde zijn adrenaline onder controle te krijgen. Hij moest zijn tempo vertragen. Het hoofdterrein lag hoger dan het meer. In de buurt van de eetzaal was een steile helling naar beneden. Hij kwam uit bij het achterste stuk van de Loop Trail en volgde toen een ander zigzagpad naar beneden. Zijn hart ging nog steeds tekeer. Zijn brein was nog wazig van zelfverwijt. Hij had de allereerste keer al op zijn intuïtie moeten vertrouwen. Hij had dit moeten doorzien. Hij werd misselijk bij de gedachte aan wat hij zou kunnen aantreffen, want de vrouw had het in doodsnood uitgeschreeuwd, en er was geen boosaardiger roofdier dan de mens.

De lucht vulde zich met rook, en Will begon te hoesten. Op het moment dat het maanlicht door de bomen brak, zag hij dat de grond in terrassen was verdeeld. Strompelend bereikte hij een open plek. De grond lag bezaaid met lege bierblikjes en sigarettenpeuken. Overal lag gereedschap. Will draaide zijn hoofd alle kanten op toen hij langs zaagbokken en verlengsnoeren draafde, langs een generator die op zijn kant lag. Hij zag nog drie huisjes, alle in uiteenlopende stadia van onderhoud. Een van de daken ging schuil onder zeildoek. Bij het volgende huisje waren de ramen dichtgespijkerd. Het achterste huisje stond in brand. Vlammen sloegen uit de houten gevelbeplating. De deur stond halfopen. Rook kringelde uit een gebroken zijraampje. Nog even en het dak zou bezwijken.

De hulpkreten. De brand.

Hij vermoedde dat er nog iemand binnen was.

Will ademde diep in en rende de verandatrap op. Hij trapte de deur wijd open. Een golf hitte sloeg het vocht uit zijn ogen. Op een na waren alle ramen dichtgetimmerd. Het enige licht kwam van het vuur. Om onder de rook te blijven baande hij zich ineengedoken een weg door de woonkamer. Het keukentje in. De badkamer met plek voor een ligbad. De kleine kast. Zijn longen gingen pijn doen. Hij raakte buiten adem. Toen hij naar de slaapkamer liep, kreeg hij een hap zwarte rook binnen. Geen deur. Geen sanitair. Geen kast. De achterwand van het huisje was tot op de stijlen gestript.

De spleten waren zo smal dat hij er niet doorheen paste.

Will hoorde luid gekraak boven het gebulder van het vuur uit. Hij rende terug naar de woonkamer. Het plafond stond in lichterlaaie. Vlammen vraten aan de steunbalken. Het dak stond op instorten. Het regende brandende houtbrokken. Door de rook zag Will amper een hand voor ogen.

De voordeur was te ver weg. Hij rende naar het kapotte raam, zette zich op het laatste moment af en wierp zich langs het vallende puin. Hij liet zich op de grond rollen. Zijn hele lijf deed pijn van het hoesten. Zijn vel voelde strak, alsof het door de hitte bijna kookte. Hij probeerde op te staan, maar net toen hij zich op handen en knieën overeind had gehesen, hoestte hij een zwarte roetprop uit. Het snot liep uit zijn neus. Zweet droop van zijn gezicht. Weer hoestte hij. Zijn longen voelden als versplinterd glas. Hij drukte zijn voorhoofd tegen de grond. Modder plakte aan zijn verschroeide wenkbrauwen. Hij zoog door zijn neus een teug scherpe lucht op.

Koper.

Will ging rechtop zitten.

Politiemensen geloofden doorgaans dat je het ijzer in bloed kon ruiken wanneer het in aanraking kwam met zuurstof. Dat klopte niet. Bij ijzer was er een chemische reactie nodig om de geur te activeren. Op een plaats delict werd die doorgaans veroorzaakt door het vetgehalte in de huid. Water versterkte de geur.

Will keek naar het meer. Hij had een waas voor ogen en veegde de modder en het zweet weg. Drong de opkomende hoest terug.

Verderop zag hij de zolen van een paar Nikes.

Een bebloede jeans die tot op de knieën naar beneden was gerukt.

Armen die zijwaarts op het water dreven.

Het lichaam lag op de rug, half in en half uit het water.

Bij de aanblik daarvan stond Will heel even stil, als aan de grond genageld. De huid, die wasachtig lichtblauw kleurde in het licht van de maan. Misschien kwam het doordat hij een grap had gemaakt over zijn jeugd in een weeshuis, of misschien voelde hij nog steeds de afwezigheid van familieleden aan zijn kant van het altaar, maar Will moest aan zijn moeder denken.

Voor zover hij wist, waren er maar twee foto's ter nagedachtenis aan zijn moeders korte, zeventienjarige leven. De ene was een politiefoto na een arrestatie, een jaar voor Wills geboorte. De andere was genomen door de patholoog-anatoom die autopsie op haar lichaam had verricht.

Een polaroid. Verbleekt. Het wasachtige blauw van zijn moeders huid had dezelfde tint als die van de dode vrouw die zo'n zeven meter verderop lag.

Will ging staan. Strompelend liep hij naar het lichaam.

Niet dat hij verwachtte zijn moeders gezicht te zullen zien. Diep vanbinnen wist hij al wie hij zou aantreffen. Toen hij zich over het lichaam boog in de veronderstelling dat zijn vermoeden bevestigd zou worden, werd er een nieuw litteken in het donkerste deel van zijn hart gekerfd.

Weer een verloren vrouw. Weer een zoon die zonder zijn moeder zou opgroeien.

Mercy McAlpine lag in het ondiepe water, waar ze in de kabbelende golfjes zachtjes haar schouders ophaalde. Haar hoofd rustte op een hoopje stenen, waardoor haar neus en mond boven water bleven. Drijvende strengen blond haar gaven haar iets etherisch, als van een gevallen engel, een vervagende ster.

De doodsoorzaak had niets geheimzinnigs. Will zag dat ze meerdere steekwonden had. De witte blouse die Mercy tijdens het avondeten had gedragen, was opgegaan in de bloederige pulp van haar borstkas. Water had sommige wonden schoongewassen. Hij zag de rauwe japen in haar schouder, waar het mes was rondgedraaid. Uit de donkerrode vierkantjes leidde hij af dat alleen het handvat had voorkomen dat het lemmet er nog dieper in was gegaan.

Tijdens zijn loopbaan had Will gruwelijkere plaatsen delict gezien, maar deze vrouw had een uur geleden nog geleefd. Ze had rondgelopen, grapjes gemaakt, geflirt, geruzied met haar nukkige zoon, strijd gevoerd met haar vileine familie, en nu was ze dood. Ze zou het nooit meer goed kunnen maken met haar kind. Ze zou hem nooit verliefd zien worden. Ze zou nooit vooraan zitten als hij met zijn grote liefde trouwde. Nooit meer vakanties, verjaardagen, diploma-uitreikingen of rustige momenten samen.

Het enige wat er voor Jon overbleef, was de schrijnende pijn van haar afwezigheid.

Een paar tellen lang gaf Will zich over aan verdriet, waarna zijn training het overnam. Met zijn blik tastte hij het bos af voor het geval de moordenaar nog in de buurt was. Hij zocht om zich heen naar wapens.

De dader had het mes meegenomen. Weer keek Will naar het bos. Hij probeerde vreemde geluiden op te vangen. Slikte het roet en de gal door die in zijn keel waren blijven steken. Knielde naast Mercy neer. Hield zijn vingers tegen de zijkant van haar hals om te controleren of haar hart nog sloeg.

Hij voelde een snelle klop.

Ze leefde nog.

De nieuwe weergaloze thriller van de Queen of Crime

Nú met korting!